COCO
CHANEL

HENRY
Gidel

COCO
CHANEL

BIOGRAPHIE

À Catherine.

Prélude

Mars 1895. La route de Brive à Tulle grimpe en lacets... Elle est étroite, bien plus étroite qu'aujourd'hui. Quelques plaques de neige qu'un soleil d'hiver ne parvient pas à fondre parsèment les hauteurs voisines. Une carriole brinquebalante, bâchée d'une toile grise, monte péniblement la côte, traînée par une rosse et conduite par un bel homme d'une quarantaine d'années, noir de cheveux et de moustache, vêtu d'une blouse plissée. À ses côtés se serrent trois fillettes au visage mince et triste, coiffées de fichus effrangés.

Une heure plus tard, devant l'orphelinat d'Obazine[1], l'ancienne abbaye autour de laquelle le bourg s'est blotti, la même voiture stationne, vide cette fois de ses passagères. Le cheval, attaché par un licol à l'un des platanes qui ornent la place, hennit et s'ébroue en attendant son maître.

Bientôt s'ouvre la lourde porte clouée du couvent, laissant sortir d'un pas dégagé le conducteur, à présent seul. On a l'impression qu'il sourit.

L'homme à la carriole, c'est Albert Chanel, marchand forain de son état. Les trois fillettes qu'il vient d'abandonner à l'orphelinat sont ses propres enfants. Parce que, quelques jours plus tôt, elles ont perdu leur

1. Ancienne orthographe d'Aubazine (Corrèze).

mère, il s'en débarrasse. Et jamais plus elles ne le reverront...

Les gamines se prénomment Julia, treize ans, Gabrielle, douze ans, et Antoinette, huit ans.

Gabrielle, c'est celle que, vingt ans plus tard, le monde entier baptisera Coco Chanel...

1

Une famille de forains

Être née à Saumur, avoir un père qui a vu le jour à Nîmes et se proclamer imperturbablement « Auvergnate » n'est pas l'un des moindres paradoxes sortis de la bouche de Gabrielle. La réalité est en vérité bien plus complexe.

Les origines de la famille Chanel se situent dans les Cévennes, au nord du département du Gard. C'est au hameau de Ponteils, dans cette âpre région si longtemps ensevelie sous les neiges hivernales, que l'on rencontre la trace des ancêtres de Coco. Les habitants du lieu vivaient essentiellement du ramassage des châtaignes qu'ils vendaient chaque automne et qui, à l'époque – au début du XIXᵉ siècle – constituaient plus encore que le pain l'essentiel de leur alimentation. Ils aimaient se réunir les soirs à la veillée et les dimanches dans l'unique cabaret du lieu où ils chantaient, buvaient, racontaient les vieilles légendes du pays et se répétaient les potins du jour. Ce cabaret, une ancienne ferme, solide bâtisse de pierre aux murailles épaisses et aux ouvertures étroites, semblait être sorti du sol par surprise, riche de racines et de traditions ancrées dans cette terre cévenole comme les châtaigniers séculaires qui, par milliers, tapissaient les collines environnantes, moutonnant jusqu'à l'infini...

Or le cabaretier, qui étanchait la soif des paysans de Ponteils et remplissait leurs pichets d'un vin aigrelet dont ils se satisfaisaient faute d'en avoir goûté de meilleur, n'était autre que l'arrière-grand-père de Gabrielle : Joseph Chanel, né dans le village sous la Révolution, en 1792. Outre cette piquette, Joseph et sa femme vendaient à leurs clients une eau-de-vie qui brûlait le gosier, un excellent pain de ménage cuit dans le four ouvrant sur la salle commune, du beurre et un saucisson aillé qui recueillait tous les suffrages.

Mais qu'on n'aille pas s'imaginer que le ménage fût prospère... Les Chanel étaient seulement les locataires d'une partie de la maison organisée autour de la salle commune – où l'on recevait les clients – avec sa cheminée à la plaque noire de suie, son lit clos, et le globe suspendu d'une lampe à pétrole. Ils disposaient aussi d'un réduit mal éclairé où l'on entassait les enfants sur des paillasses et d'une cave aux voûtes luisantes d'humidité.

Joseph avait dû construire de ses propres mains le coffre où sa femme rangeait le linge et les vêtements. De même que la longue table et les chaises où s'asseyaient les paysans. Naïvement orgueilleux de son adresse menuisière pourtant toute relative, à l'instar des ébénistes du siècle précédent, il n'avait pas hésité à signer ses modestes productions. Faute de pouvoir graver dans le bois ses initiales, J.C., ce qui eût paru sacrilège au bon catholique qu'il était, il s'était borné à redoubler l'initiale de son patronyme, en utilisant deux grands C... un sigle dont il était loin de pressentir le fabuleux destin.

Entre 1830 et 1841, Joseph Chanel engendra cinq enfants, dont une fille. Parmi les fils, retenons le deuxième, Henri-Adrien Chanel. C'est le grand-père de Gabrielle, né en 1832, au début du règne de Louis-Philippe. Mais de quoi va-t-il vivre plus tard, « le Chanel », comme le nomment les paysans du coin ? Du cabaret ? Pas question ! C'est à l'aîné, tradition oblige, qu'il revient d'hériter de ce commerce.

Alors, comme ses autres frères, il sera ouvrier agricole, « journalier » : il louera sa force, ses bras, son expérience aux paysans qui veulent bien de lui... La terre, il la connaît. Il ne connaît même qu'elle...

Malheureusement, dans les années 1850, la région souffre d'une grave crise : les châtaigniers dont elle vit sont décimés par de terribles maladies qui dessèchent leurs feuilles et leurs troncs. Affreux spectacle que celui de ces arbres noircis par la mort qui tendent vers le ciel leurs branches dénudées ! Quels agronomes iraient s'intéresser à ce pays perdu ? On a pu croire un instant que le mal s'en irait de lui-même... comme un mauvais songe. Vain espoir. On a essayé les processions... invoqué tous les saints du pays. Le ciel est resté sourd à toutes les prières.

Alors on émigre en masse...

Les jeunes surtout. Car si Joseph reste à son estaminet, ses fils, en revanche, délaissent la montagne et ses forêts pour chercher du travail. Henri-Adrien part en 1854. Il a vingt-deux ans. Mais la ville lui fait peur : il n'ose pas se rendre à Alès, à sept ou huit lieues au sud de Ponteils, où les houillères cherchent du personnel... Alors, il se fait embaucher dans le voisinage, à Saint-Jean-de-Valeriscle. Il travaille à la magnanerie des Fournier : il apporte tous ses soins à leurs mûriers, à leurs vers à soie, à leurs cocons. Il adore cette activité qui correspond parfaitement à son éducation paysanne et son patron se montre très satisfait du zèle qu'il déploie. Tout irait pour le mieux s'il ne poussait pas ce zèle jusqu'à séduire sa fille, la jeune Virginie-Angelina, à peine âgée de seize ans... Cette coupable liaison est bientôt découverte. Définitivement compromise aux yeux des villageois, la pauvre Angelina risque de ne jamais trouver d'époux. Les Fournier sont d'autant plus ulcérés que le séducteur de leur fille n'est qu'un gueux : tout ce qu'il possède tient à l'aise dans le misérable sac de toile grise qu'il portait à son arrivée chez eux... N'importe, il doit réparer sa faute. Comme la fille est mineure, les Fournier sont prêts, s'il n'épouse pas celle qu'il a déshonorée, à le livrer aux gendarmes. Alors, en 1854, il se marie à la sauvette, dans le petit village de Gagnières, près de Bessèges.

Impossible pour le jeune couple de rester dans une région où le scandale l'a éclaboussé. Aussi les fugitifs jugent-ils plus prudent de s'établir quinze lieues plus au sud, à Nîmes, la « grande ville » où ils tentent de se faire oublier. Avec les Fournier, la rupture est totale et le pardon pour toujours exclu. Telle est alors la dureté des mœurs paysannes.

Encore faut-il au jeune époux de quoi faire vivre Angelina. S'il s'est rendu à Nîmes, c'est aussi parce qu'il compte y retrouver nombre d'anciens habitants de Ponteils qui, fuyant la misère, y ont trouvé eux-mêmes refuge. Tel son propre frère, Ernest, qui s'y est établi comme poissonnier. C'est sans doute par son entremise qu'Henri-Adrien trouve à se loger dans la vieille ville, rue du Bât-d'Argent, non loin du plus important marché de Nîmes où il espère débuter dans le métier de camelot. Mais il lui faut rapidement déchanter. La concurrence y est trop rude. Le jeune paysan ne sait pas vendre aux gens de la ville les cravates, les écharpes, les bérets ou les vêtements de travail qu'il étale sans goût sur son éventaire : il n'a pas le savoir-faire particulier qu'exige cette profession. Il préfère devenir colporteur, « tourner » de foire en foire dans la région. Ainsi aura-t-il surtout affaire à ces paysans auxquels il sait parler... Son choix se révèle judicieux et il s'aperçoit rapidement qu'il peut vivre de ce métier. D'ailleurs, ne correspond-il pas à son horreur de la monotonie et à son désir de voyager ? Alors on peut le voir dans toutes les foires du département, à Saint-Jean-du-Gard, à Anduze, à Remoulins, à Uzès, comme à Pont-Saint-Esprit ou à Aigues-Mortes. On reconnaît sa charrette

brinquebalante sur toutes les routes du Gard, sillon-
nant les garrigues de la plaine ou gravissant les pentes
de l'Aigoual. Sous le ciel torride des étés méridionaux
comme sous les neiges persistantes des hivers céve-
nols.

Très prolifique, Henri-Adrien donne naissance à
une ribambelle d'enfants : dix-neuf pour être précis[1].
Le premier, né en 1856, n'est autre qu'Albert, le futur
père de Gabrielle. Sa mère, Angelina, dix-neuf ans,
accouche seule dans un hospice de Nîmes. Son mari,
retenu par quelque foire et redoutant le manque à
gagner, ne s'est pas dérangé. Aucun autre membre
de la famille ne vient apporter le moindre réconfort
à l'accouchée... On est très brutal dans ce milieu où le
chacun pour soi est une règle qui ne choque personne.

Parmi les frères et sœurs presque tous nés au
hasard des tournées, Albert nourrit une certaine
prédilection pour la petite Louise, née en 1863, la
future tante de Gabrielle. Ensemble, les deux
enfants participent à la subsistance de la famille.
Leurs parents les louent à des paysans pour les
fenaisons comme pour les vendanges. Très souvent
aussi, ils les font coltiner de lourds ballots de linge
et de vêtements jusqu'au marché où ils travaillent.

Tout naturellement, le père de Gabrielle est
amené à exercer la même profession que son père
pour échapper à la misère. Après son service militaire, Albert reste encore quelques années aux côtés
de ses parents, où il se familiarise avec le métier de
colporteur. Doué pour la parole, excellent vendeur,
il étourdit le public par son inépuisable faconde. Un
beau jour, il s'estime prêt à voler de ses propres ailes
et entame la même existence itinérante qu'Henri-
Adrien et sa femme.

---

1. Au XIXᵉ siècle, ces grandes familles étaient moins exceptionnelles
que de nos jours. Ainsi Adolphe Thiers était lui-même le dix-neuvième enfant de son père.

D'un tempérament beaucoup plus hardi que celui de son père, il ose s'aventurer dans les départements voisins comme l'Ardèche, la Haute-Loire, le Puy-de-Dôme. Aux vêtements de travail et à la bonneterie, il adjoint, entre autres, la mercerie, la confiserie, le pain d'épices et même... le vin. Il a déniché un irrésistible petit cru du Gard à la robe couleur rubis. Un verre de ce nectar offert avec une rondelle de saucisson et un quignon de pain bis entraîne infailliblement l'achat de plusieurs bouteilles, quand ce n'est pas d'un tonnelet.

Un jour de novembre 1881 pour la foire Saint-Martin, Albert, débarquant de sa carriole, installe ses tréteaux sur la place d'une petite ville du nord du Puy-de-Dôme, Courpière[1], non loin de Thiers, la capitale auvergnate de la coutellerie. Courpière est à l'époque un petit bourg d'à peine 2 000 habitants qui domine la vallée de la Dore[2], charmante rivière très poissonneuse qui le dimanche attire les pêcheurs de truites de cinq ou six lieues à la ronde. Le cœur de la ville est dominé par l'église Saint-Martin, édifice carolingien autour duquel se pressent nombre de maisons médiévales. Ce quartier est parcouru de ruelles étroites et sinueuses. La petite cité peuplée de paysans, d'artisans (potiers, tailleurs, cordonniers, sabotiers...) et de commerçants est particulièrement active, comme en témoigne l'existence de plusieurs marchés au centre de la ville. Outre les halles, la commune est dotée d'un marché aux châtaignes, d'un marché au fil, d'un marché de la poterie et d'un marché aux sabots...

Séduit par l'animation qui règne dans ce bourg, Albert décide d'y passer tranquillement la mauvaise saison. Il trouve à se loger chez un certain Marin

_____

1. Sur cette ville, consulter le précieux ouvrage édité par la municipalité : *Courpière, porte du Livradois-Forez* (1998).
2. Qui se jette plus au nord dans l'Allier, non loin de Vichy et à proximité de Chateldon.

Devolle, menuisier de père en fils. Ce jeune homme, orphelin de bonne heure, bénéficie d'une réputation si sérieuse qu'on lui a confié la tutelle de sa sœur cadette, Jeanne, dix-neuf ans, qui se destine à la couture... Elle loge alors chez son oncle Augustin Chardon, un vigneron des alentours qui l'a recueillie à la mort de sa mère treize ans plus tôt.

Or l'insouciant Albert, homme à femmes, adorant les aventures rapides et sans lendemain, n'a aucune difficulté – et n'éprouve pas le moindre scrupule – à séduire la jeune sœur de son hôte. Étourdie par ce beau parleur, n'ayant jamais mis les pieds, ne serait-ce qu'à Clermont-Ferrand, voire à Thiers ou à Riom, elle se laisse bousculer dans le foin d'une grange voisine, avec les toiles d'araignées comme ciel de lit. Ce n'est d'ailleurs pas l'unique femme dont ce coq de village fait la conquête à Courpière, mais c'est la seule qu'il a la malchance d'engrosser...

Les jours passent, la jeune fille se répand en lamentations et s'interroge sur son avenir et sur la réaction de son frère. Pour Albert, la situation se complique. Ce n'est certes pas la première fois que le forain subit pareille mésaventure au cours de ses tournées. Aussi ne se fait-il guère de soucis. En pareil cas, il ne connaît qu'un seul remède aussi efficace qu'inélégant : la fuite, la fuite sans retour. En l'occurrence, il lui suffira de rayer Courpière de la liste de ses étapes. Ce n'est pas plus difficile que cela.

Un matin de juillet 1832, Marin, qui ne se doutait de rien, frappe à la porte de son pensionnaire et trouve la chambre vide. Le lit est fait et la pièce parfaitement rangée. Il se perd en conjectures sur cette incompréhensible disparition. Dans les semaines qui suivent, l'oncle Augustin Chardon finit par remarquer l'embonpoint de la jeune fille. Elle doit, en larmes, avouer sa faute. C'est un beau scandale ! Chassée sans pitié, la malheureuse trouve refuge chez son frère. La famille Devolle s'estime outragée par le comportement de ce vaurien d'Albert. Il ne s'en tirera pas aussi facilement, le bougre ! On saura le retrouver ! Toute la tribu Devolle aidée par Victor Chamerlat, le maire de la petite ville, comme si l'honneur même de Courpière se trouvait sali dans cette affaire, se livre à la chasse à l'homme. Entreprise diablement difficile, car les forains, comme chacun sait, changent continuellement de résidence. Après plusieurs mois d'enquête, on finit dans un premier temps par localiser les parents du coupable : Henri-Adrien et sa femme Angelina. Ils habitent provisoirement Clermont, à une cinquantaine de kilomètres. Terrorisés par les menaces des Devolle venus en nombre, ils livrent l'adresse de leur fils : Aubenas, Ardèche. Jeanne n'hésite pas. Alors que sa grossesse touche à son terme, refusant toute compagnie, elle prend bravement, comme une somnambule, le chemin d'Aubenas. On lui dit là-bas qu'Albert a pris pension dans une auberge où il vit comme un coq en pâte. Bon buveur, bon mangeur, il reçoit avec jovialité les représentants avec lesquels il est en rapport pour ses affaires.

On devine la stupéfaction d'Albert lorsque la porte de l'auberge s'ouvre et que s'y encadre la silhouette quelque peu épaissie de celle qu'il a séduite quelques mois auparavant. Pour lui, c'était déjà de l'histoire ancienne. Mais la réalité resurgit brutalement. Quel accueil le forain réserve-t-il à l'arrivante ? Impossible à savoir. Toujours est-il que dès le lendemain soir Jeanne accouche dans une modeste chambre de l'auberge, au milieu d'un va-et-vient de bassines d'eau chaude et de linges. Difficile pour Albert de se dérober sans scandale... Le sens des convenances, quelques traces de scrupules font le reste. Il doit donc consentir à reconnaître la petite Julia qui vient de faire son apparition dans le monde.

Julia sera la sœur aînée de Gabrielle.

Épouser Jeanne, c'est pour Albert une tout autre histoire. La seule idée de se lier, pire, de se ligoter si étroitement pour la vie – le divorce n'existait pas encore[1] – donne des sueurs froides à ce vagabond invétéré de vingt-six ans... Cependant à la mairie, pour sauver les apparences, on déclare la petite Julia comme étant « née de parents mariés ». Le cabaretier d'Aubenas, incapable de refuser quoi que ce soit à un client comme Albert, accepte par sa signature d'apporter quelque consistance à ce pieux mensonge.

Il s'agit maintenant pour le nouveau couple de choisir un lieu de résidence : Albert n'est pas homme à solliciter ni même à écouter les avis de sa compagne. C'est lui qui tranche de tout. Rester en Ardèche ? Il n'en est pas question. La région est pauvre, les clients rares et méfiants. De toute façon, il a décidé d'aller chercher fortune ailleurs. À Courpière ? Pour y être surveillé par la tribu Devolle ? Non merci ! En tout état de cause, il entend fuir l'Auvergne où résident ses propres parents. Cette proximité le gêne aux entournures. Il redoute les leçons de morale et désire prendre de la distance. Il se décide pour Saumur. Jeanne l'y suit... Que peut-elle faire d'autre, d'ailleurs ? Mais pourquoi Saumur ? Il s'imagine peut-être que les vignobles dont la région se fait gloire pourraient lui permettre de se livrer à temps complet au fructueux négoce des vins de prestige. Alors que jusqu'ici, il se borne à vendre, en sus de la bonneterie, quelques bouteilles d'un petit vin de pays. C'est un projet auquel il rêvera longtemps...

En janvier 1883, Albert, Jeanne et Julia débarquent à Saumur. S'étonnera-t-on si la compagne du forain est à nouveau enceinte, trois mois seulement après la naissance de sa première fille ?

Albert et Jeanne sont favorablement impressionnés par la ville. Étalée sur les bords de la Loire,

---

1. La loi Naquet autorisant le divorce ne fut promulguée que deux ans plus tard.

dominée par la masse de son château assis sur un promontoire qui surplombe le fleuve si majestueusement large à cet endroit, elle est grouillante de vie malgré une population qui, à l'époque, ne dépasse guère 16 000 habitants. Cette animation est due, surtout, à la présence depuis la Restauration de la fameuse École d'application de la cavalerie. On admire les instructeurs et leurs élèves, la rigueur et l'élégance stricte des uniformes du Cadre Noir : képis, dolmans à brandebourgs coupés très près du corps qui soulignent la cambrure, boutons dorés, sticks bagués d'argent portés avec une désinvolture de dandy... Au mois d'août, c'est l'apothéose : place du Chardonnet, le Carrousel attire des foules énormes. C'est dans cette cité du cheval que les Chanel vont s'installer. Comme d'habitude Albert jette son dévolu sur un quartier proche des lieux où il compte exercer ses activités. De fait, il choisit une maison du XVIe siècle à l'étroite façade, 29 rue Saint-Jean[1], une rue très commerçante située à proximité immédiate de deux marchés, celui de la place de la Bilange, en face du Pont-Cassart et celui de la place Saint-Pierre. Mais bien entendu, il va souvent quitter Saumur pour les foires des bourgs de l'Anjou ou de la Touraine et s'absenter plusieurs jours. Malgré ses efforts, ses affaires ne sont pas assez florissantes pour qu'il puisse louer, dans la maison où il habite, autre chose qu'une simple chambre mansardée, antre humide où s'entasse sa petite famille.

Dans de telles conditions, Albert fait comprendre à Jeanne qu'il lui faut absolument chercher du travail pour compléter ses propres ressources. Mais quelle sorte de travail ? Les marchés ? Sa grossesse les lui interdit. Aussi doit-elle accepter toutes sortes de besognes : elle sera repasseuse ou plongeuse à

1. Cette maison existe encore et abrite maintenant un commerce de vaisselle à l'enseigne du *Petit Limoges*.

l'hôtel du Belvédère, et même, dit-on, femme de chambre remplaçante dans une de ces maisons qui, comme le dit Guitry, sont par définition toujours fermées alors qu'elles n'ont jamais été aussi accueillantes. C'est jusqu'à la veille de sa délivrance que Jeanne court la ville en quête d'heures de ménage – aussi bien dans le quartier des ponts que dans les ruelles grossièrement pavées qui montent jusqu'au château. Elle porte à grand-peine dans ses bras sa première-née dont elle ne sait que faire pendant qu'elle travaille.

En cette année 1883, il a bien peu changé le vieux quartier de Saumur où Jeanne se traîne, maigre et fourbue, depuis l'époque où Balzac y a situé la demeure de la mélancolique Eugénie Grandet...

2

Enfance et adolescence
de Gabrielle

Saumur, 19 août 1883. Quatre heures de l'après-midi. Vers le portail de l'hospice général, surmonté par un fronton triangulaire à l'antique, se hâte une très jeune femme. Elle a vingt ans à peine et offre les symptômes les plus évidents d'une grossesse avancée. Elle sonne à la grande porte garnie d'énormes clous qui ferme le porche de l'établissement. Au son de la cloche, une porte s'ouvre alors, livrant passage à la discrète visiteuse qui n'est autre que Jeanne. Elle a tant attendu qu'elle accouchera dans le bureau des entrées, au milieu des sœurs de la Providence auxquelles la gestion de l'hospice est alors confiée.

Gabrielle Chanel – elle n'a qu'un seul prénom – vient de naître...

Son père a-t-il été retenu par ses affaires en dehors de Saumur, suffisamment loin pour qu'il n'ait pu se déplacer et accompagner Jeanne ? Nous ne le saurons jamais. Toujours est-il que le lendemain, Albert est encore absent lorsqu'il s'agit de déclarer la naissance de l'enfant à la mairie de Saumur. Ce sont trois vieux employés de l'hospice qui s'en chargeront moyennant l'octroi de quelques piécettes. Comme à Aubenas, on triche et on déclare que Jeanne est domiciliée « avec son mari[1] » alors qu'il s'agit de son concubin. Les témoins, illettrés, sont incapables de signer. Par ailleurs, Jeanne est déclarée « marchande », ce qu'elle n'est plus, mais ce terme a dû sembler plus honorable que celui de « bonne à tout faire » qui eût été plus exact.

C'est le 21 août qu'a lieu le baptême de Gabrielle, dans la chapelle de l'hospice, en l'absence de tout membre de la famille. Jeanne elle-même n'est pas en état d'assister à la cérémonie. Albert, bien entendu, est introuvable...

Encore faut-il un parrain et une marraine. Une fois de plus, on les trouve sur place et, naturellement, ni l'un ni l'autre ne connaissent les parents de la baptisée. Ils disparaîtront aussitôt rendu le petit service qu'on leur a demandé.

Pendant plusieurs mois encore, la famille Chanel reste à Saumur, mais Albert, on le sait, n'aime guère s'attarder dans la même région. De plus, ses rêves de négoce de vins qui devait lui apporter la fortune se sont évanouis au fil du temps... Petit à petit, il prend Saumur en horreur : la ville ne lui rappelle-t-elle pas constamment son échec ? Alors, éternel vagabond, il emmène sa famille sur les routes. Il passe par Châtellerault, s'arrête un peu à Bourganeuf et à Eygurande. Il reste quelque mois dans le Puy-de-Dôme. Comme les foires et les marchés sont des lieux de rencontre, le hasard le met en présence des Devolle et des Chardon. Malgré quelque gêne initiale, on boit un canon de rouge, puis, les tournées aidant, l'atmosphère se dégèle et petit à petit on se réconcilie. Après tout Albert n'a-t-il pas fait preuve de bonne volonté même s'il est vrai qu'on l'a un peu bousculé ? Il a reconnu les deux enfants de Jeanne – que tous s'accordent, d'ailleurs, à trouver charmants. Pourquoi les Chanel ne viendraient-ils

1. Registre de l'état civil n° 212, année 1883, mairie de Saumur.

pas à Courpière ? D'autant que l'oncle et la tante Chardon ont perdu leur fille Antoinette, morte à vingt et un ans... Il y a maintenant plus de place qu'il n'en faut à la maison. Albert et Jeanne sont d'accord. Cette solution les arrange, mais la famille de Jeanne y met une condition : il faut qu'Albert épouse sa compagne. Il accepte, non sans mal... Le 20 mai 1884, il signale à la mairie son changement de domicile[1].

Dès juin on publie les bans[2]. Mais coup de théâtre : au dernier moment Albert, terrifié par la perspective du mariage, tel une mule rétive, se bute. Ses pas refusent de l'amener à la mairie... La fiancée fond en larmes. Le scandale est énorme. On n'avait jamais vu chose pareille à Courpière. Alors, harcelé par les proches de Jeanne, sommé de tenir sa parole, cible de leurs insultes et de leurs menaces, le malheureux s'enfuit... Et il faut croire que cette querelle a particulièrement marqué les esprits à Courpière puisque son souvenir est, après plus d'un siècle, resté gravé dans la mémoire des habitants.

Cependant toute guerre a une fin. Après six mois de péripéties, celle-ci va se terminer d'une façon passablement sordide. Après de multiples tractations, un accord est conclu : Albert accepte d'épouser Jeanne à condition que celle-ci apporte par contrat une somme de 5 000 francs (80 000 francs actuels) en sus de ses effets personnels et de ses meubles – somme importante dans ce milieu modeste[3]. En somme, la famille de Jeanne s'est cotisée pour lui acheter un mari... mais elle prend ses précautions et une formule du document notarié prévoit expressément qu'Albert ne touchera son argent qu'une fois le mariage dûment signé.

---

1. Archives municipales de Courpière, registre des changements de domicile.
2. Archives municipales.
3. Minutes de Maître Jules Joseph Fayon, notaire à Courpière, 5E-3-1824. Référence du contrat Devolle-Chanel : AD-63.

La cérémonie a lieu le 17 novembre 1884[1]... Les deux époux ont reconnu officiellement qu'il leur était né deux enfants, Julia et Gabrielle. Sont présents l'oncle Chardon, Marin Devolle, le frère de Jeanne, et même les parents d'Albert, Adrien et Virginie qui n'avaient pas cherché à revoir leur chenapan de fils depuis les ennuis qu'il leur avait causés. Adrien profite de la circonstance pour annoncer au nouveau marié qu'il vient de lui donner une petite sœur, Adrienne, son dix-neuvième enfant...

Ainsi, Gabrielle Chanel est plus âgée que sa tante qui sera, plus tard, sa meilleure amie...

En possession des 5 000 francs apportés par les Devolle, Albert, qui rêve toujours de s'élever au-dessus de sa condition présente, est sur le point d'acheter un fonds de commerce dans le Midi, dans le Tarn-et-Garonne, à Montauban[2] très exactement. D'avance il fait imprimer du papier commercial où figure, avec son nom et sa future adresse (4, place du Marché), l'objet de ses futures activités : « Bonneterie en tous genres et articles de blanc ». Hélas, ce sera une chimère de plus : l'opération n'aura jamais lieu et tout porte à croire que le petit capital d'Albert va fondre comme neige au soleil, gaspillé dans les spéculations malencontreuses ou dépensé avec des femmes de rencontre...

Finalement, quelques mois après son mariage, en septembre 1885, Albert décide de quitter Courpière. Estime-t-il que, soumis à la surveillance des Devolle et des Chardon, il n'a pas les coudées franches ? Ou n'est-ce pas pour des raisons purement commerciales ? On ne sait. Toujours est-il qu'il décide de chercher ailleurs une petite ville qui lui serve de base pour rayonner aux alentours. Il part seul, dans un premier temps, visiter quelques bourgs situés au sud de

1. Registres de l'état civil de Courpière, année 1884, n° 29.
2. Archives municipales de Courpière.

Clermont-Ferrand, Champeix, Veyre, Vic-le-Comte, Saint-Germain-Lembron. Aucun ne lui convient. En définitive, ce vagabond décide de s'installer à Issoire, sous-préfecture du Puy-de-Dôme, à 35 km de la capitale auvergnate. La vieille ville est sillonnée d'étroites ruelles, très sombres, souvent bordées de maisons du XVIe siècle. Mais elle est active ; son marché du samedi, très animé, laisse espérer à Albert qu'il fera de bonnes affaires. Et il en a singulièrement besoin. Ses moyens ne lui permettent pas de louer autre chose que de vieilles masures croulantes dépourvues du plus élémentaire confort. Elles sont situées hors de la ville, de l'autre côté du boulevard circulaire construit sur l'emplacement des anciennes murailles d'enceinte. Il en habitera successivement deux. La seconde – celle où il vivra le plus longtemps – est située rue du Moulin-Charrier, dans un quartier assez misérable, le long de la Couze de Pavin souillée de détritus. Là, quelques moulins alimentent en force motrice de petits ateliers qui végètent, des tanneries notamment qui teintent la rivière d'une vilaine couleur de rouille et dégagent une odeur nauséabonde.

Si l'on excepte ce changement de décor, la vie du couple Chanel ne se modifie guère au cours de ces déplacements. Albert, toujours aventureux, se jette avec un égal appétit sur le vin, les solides nourritures, le jeu et les femmes. Cette façon de vivre, si elle nuit quelque peu à ses affaires, lui assure à tout le moins, lorsqu'il n'est pas chez lui, une bonne humeur constante et une jovialité appréciée de ses confrères. Seule ombre au tableau : les retours au foyer. Il y a belle lurette que la pauvre Jeanne a cessé de lui plaire. Certes, la chaleur de son accueil ne lui est pas indifférente, comme la frimousse de ses deux fillettes, Julia et Gabrielle, mais deux ou trois jours ne sont pas écoulés qu'il brûle de repartir, perspective d'autant plus tentante que son métier de forain lui fournit une merveilleuse excuse : il doit se rendre dans le Limousin, à Ussel, à Meymac, à Bugeat, à Egletons... Il lui faut bien nourrir ses enfants, explique-t-il à Jeanne, qui, n'ayant guère le choix, fait semblant de le croire... Et lui, bientôt, après un baiser rapide, saute dans sa carriole et fouette son cheval. Il respire un grand coup. À lui les routes, à lui la liberté, et il sifflote un air à la mode pendant que Jeanne, sur le pas de la porte, voit disparaître son attelage au coin de la route...

Ces longues absences n'empêchent pas Albert de se conformer à la tradition chrétienne des procréations répétitives. Le 15 mars 1885 naît un troisième enfant, du nom d'Alphonse, puis en 1887 une fille, Antoinette...

C'est après sa venue au monde qu'Albert décide de revenir à Courpière. Décision apparemment surprenante, mais dont les motifs ne manquent pas... Jeanne fragile, fatiguée par les grossesses successives et souffrant de violentes crises d'asthme, profitera d'un meilleur climat à la campagne. De plus, en proie à des difficultés financières, Albert, logé gratuitement à Courpière, bénéficiera ainsi de substantielles économies. Enfin, il aura moins de scrupules à s'absenter en sachant que la jeune femme vit dans son pays natal, entourée de sa famille. Elle aura moins tendance à l'accompagner dans ses tournées, estime-t-il. Décidément cette solution l'arrange bien...

Mais ce qu'il n'a pas prévu, c'est que Jeanne, toujours amoureuse de lui, toujours jalouse et craignant de le perdre, va persister à le suivre dans ses déplacements. Impossible à décourager, elle va continuer à grelotter l'hiver dans sa carriole sur les routes enneigées du Massif central, à trembler de froid derrière son éventaire dressé en plein vent, dans les marchés à cinquante ou à cent kilomètres à la ronde.

Elle a beau subir sa mauvaise humeur, ses rebuffades, ses insultes et sa violence, peu lui importe. Elle est à ses côtés, cela lui suffit. Ses grossesses, contrairement aux espoirs d'Albert, ne l'empêchent pas de le suivre avec obstination jusqu'au dernier moment, à tel point qu'en 1889, elle accouche loin de chez elle, dans une auberge de Guéret. Elle s'était entêtée à se rendre en Creuse pour y accompagner son mari. C'était la foire annuelle de la ville... Le nouveau-né est un garçon que l'on prénomme Lucien. Ainsi est-il venu au monde dans les mêmes conditions hasardeuses que Julia. C'est le cinquième enfant d'Albert. Un sixième, Augustin, né en 1891, voit le jour à Courpière, mais il ne vivra que quelques semaines. À peine revenue du cimetière, Jeanne épuisée mais incorrigible, court rejoindre son mari.

Gabrielle, arrivée à Courpière à quatre ans et demi, va y passer sa prime enfance avec comme compagnons de jeu Julia, son aînée, et Alphonse, son cadet (les autres étant trop jeunes). Les Chanel logent chez l'oncle Augustin Chardon et sa femme Françoise, dans une maison du vieux Courpière achetée quelques années plus tôt pour remplacer celle du père d'Augustin[1].

Là, comme à Issoire, Albert ne fait que de brèves apparitions. Il reste un peu plus longtemps à la mauvaise saison, en janvier et en février. Quant à Jeanne, lorsqu'elle n'accompagne pas son mari, elle se montre souvent anxieuse et se plaint sans cesse du manque d'argent. Ses crises d'asthme la font parfois suffoquer, surtout la nuit, ce qui réveille toute la maisonnée qui a dû s'habituer à l'odeur de la poudre d'eucalyptus que le médecin de Courpière a conseillé de faire brûler dans sa chambre sur un petit réchaud de tôle.

---

1. Située rue des Minimes (actuellement rue Victor-Chamerlat) et acquise en 1880. Une rue porte maintenant le nom de « Coco Chanel ». Voir *Courpière, op. cit.*

Mais dès que sa santé le lui permet, elle disparaît pour quelques jours... Sa famille, qui n'apprécie guère ce comportement et juge totalement déraisonnable cet attachement morbide à un mari qui en vaut si peu la peine, se relaie alors pour seconder les Chardon et s'occuper des enfants.

Gabrielle va, pour sa part, vivre quelques années heureuses... Avec Julia et Alphonse, elle aide son oncle à travailler dans le jardin qu'il possède à la limite du bourg. Quel contraste avec la vie purement urbaine d'Issoire ! Ici la campagne est toute proche avec ses senteurs, ses gazouillis d'oiseaux, le murmure de la rivière qui coule sous les anciens remparts, à l'abri de ses voûtes de saule. Les enfants ont appris à pêcher : d'une branche de noisetier ils savent faire une gaule, d'une épingle à cheveux un hameçon. À l'aide des pierres qu'ils trouvent dans la Dore, ils édifient des ports en miniature : ils abritent des esquifs en papier qu'entraîne vite le courant. Et puis il y a les saisons si marquées en ce pays : les Noëls glacés de blanc comme les étés torrides où l'air semble trembler sur la terre craquelée.

Déjà, à cette époque, Gabrielle manifeste sa différence et son indépendance. Lorsque sa mère lui dit : « Va jouer avec ton frère et ta sœur ! », elle les accompagne cinquante mètres, puis se sépare d'eux pour suivre son propre chemin. Souvent c'est pour se rendre dans un ancien cimetière, clos de murs en ruine, où subsistent quelques vieilles pierres tombales moussues au milieu des herbes folles. C'est là son endroit préféré. Précoce fossoyeuse, elle y enterre ses vieilles poupées mais aussi une petite cuillère (pourquoi diable une cuillère ?) ou encore un de ces porte-plume en os, souvenir de voyage où par un minuscule orifice on aperçoit Notre-Dame d'un côté et l'arc de Triomphe de l'autre. Dénoncée par Julia qui un jour l'a suivie à son insu, elle se fait d'autant plus vertement réprimander qu'il s'agit d'un cadeau de son père ! Pourtant elle l'adore, son père, quels que soient ses défauts. Mais personne, à commencer par elle, ne comprend la signification hautement symbolique de son geste : elle s'approprie pleinement ses trésors les plus chers qu'elle enfouit dans son jardin secret avec pour témoins les morts dont elle fait sa compagnie d'élection. Elle a choisi deux tombes et en chérit les habitants souterrains en leur apportant quelques fleurs des champs. Dans ce cimetière abandonné, elle se sent parfaitement indépendante : elle y a ses propres amis que personne ne peut lui prendre, son royaume à elle, si éloigné de tout ce qui l'entoure.

Mais le prix à payer est exorbitant. Dans le monde réel, sa solitude affective est complète. Jusqu'à la fin de son existence, elle ne pourra jamais s'empêcher de le trouver trop cher. Ainsi la fillette de 6 ou 7 ans qui joue à Courpière ne se doute pas que, dans son comportement puéril, s'inscrit déjà l'essentiel de son destin de femme. Les jeux sont faits. Pour toujours.

Ces quelques années de bonheur que connaît Gabrielle, une décision de son père va y mettre un terme. En 1893, Jeanne, restée à Courpière depuis plusieurs semaines, reçoit une lettre surprenante de son mari : le hasard lui a, dit-il, fait faire la rencontre d'un demi-frère prénommé Hippolyte dont il ignorait jusque-là l'existence... Ils ont tellement sympathisé qu'ils ont tous deux décidé de s'associer comme aubergistes en Corrèze, à Brive-la-Gaillarde. Il a trouvé un logement dans la ville, avenue d'Alsace-Lorraine [1], et il demande à sa femme de l'y rejoindre.

Brive est à deux cents kilomètres de Courpière. Jeanne, toujours aveuglée par la passion, n'hésite pas une seconde, d'autant plus qu'Albert lui a fait miroiter la perspective d'une existence enfin stable,

---

1. Cette avenue conduit à la périphérie de la ville, au sud-est, débouchant sur la route qui mène à Collonges-la-Rouge et à Turenne.

exempte de soucis d'argent grâce à l'auberge. En vain la famille de Jeanne l'incite-t-elle à la prudence, tout au plus la jeune femme consent-elle à n'emmener que ses deux aînées.

Quand, traînant avec elle Julia et Gabrielle, elle arrive à destination, elle ne met pas longtemps à s'apercevoir que son mari l'a grugée... Ni lui ni son demi-frère ne sont les patrons de l'établissement, mais de vulgaires domestiques, fort mal payés et qui plus est, couverts de dettes. Si Albert l'a fait venir c'est tout simplement pour qu'elle s'occupe de son ménage... Ne parlons pas de l'auberge, elle est exiguë, sombre et fréquentée principalement par des ivrognes braillards... Malgré sa colère et ses récriminations, la pauvre Jeanne, victime née, courbe le dos, enfile un tablier, prend le balai et se met aussitôt à l'ouvrage...

On devine la déception de Gabrielle et de Julia : finis les plaisirs de la campagne, les courses dans les bois, la cueillette des mûres sur les haies. Disparues les amitiés et les camaraderies nées au fil des ans... Quant à la nouvelle école, les enfants n'y connaissent personne, ni maîtres ni élèves : tout est à recommencer. De plus c'est un établissement urbain totalement dépourvu de cette atmosphère bon enfant qui règne dans les écoles rurales. Elles en pleurent toutes les larmes de leur corps. Le séjour de Jeanne à Brive ne lui réussit guère : comme elle s'épuise à travailler, à la fois chez elle et pour l'auberge, comme les ennuis pécuniaires du couple ne font que s'accroître, ses crises d'asthme se multiplient, surtout lorsque vient l'hiver. Elles durent une à deux heures, le plus souvent la nuit. La malade est incapable de rester couchée et sa respiration, difficile, devient sifflante. La sueur perle sur son front et l'angoisse lui serre la poitrine. Puis le mal s'apaise et Jeanne peut enfin retrouver le sommeil. Les crises nocturnes réveillent plus d'une fois les enfants qu'elles effarent, et Albert dont elles affectent l'humeur. Il semble rendre la pauvre Jeanne responsable de ses propres souffrances.

Pendant l'été 1894, sa santé s'améliore un peu et elle reprend espoir. Parfois, son visage retrouve le sourire et à nouveau, elle est en mesure, pendant quelques mois, d'accompagner son mari dans ses tournées lorsqu'elles ne sont pas trop lointaines. Mais dès les premiers froids de l'automne, les crises reprennent de plus belle. Elle reste prostrée, longuement, sur une chaise de la cuisine, les yeux mornes fixant le sol, puis faisant un effort sur elle-même, elle reprend mécaniquement ses tâches ménagères, ne retrouvant quelque force que pour réprimander Gabrielle et Julia d'une voix lasse et criarde. Ceux qui la revoient la trouvent changée...

En décembre, à son asthme s'ajoutent de graves complications bronchiques. Mais elle refuse le secours du médecin et même l'aide de voisins compatissants : ne serait-ce pas s'avouer malade ? Ce qu'elle refuse avec entêtement. Pourtant, elle frissonne de fièvre, elle suffoque. Parfois même, elle s'évanouit. Un matin de février 1895, Gabrielle, s'étonnant que sa mère ne soit pas encore levée, pénètre dans sa chambre et pousse un cri de stupeur. Elle est morte.

Elle n'avait que trente-trois ans.

Est-il nécessaire de dire qu'Albert n'était pas là ?

C'est son frère Hippolyte qui se charge de la déclaration de décès et des obsèques[1].

À l'enterrement, au cimetière de Brive, par un temps gris et froid, l'assistance est clairsemée, ce qui rend l'atmosphère encore plus lugubre. Devant la tombe, de frêles silhouettes se dessinent, les cinq

1. Avec un tailleur de profession nommé Antoine Verdier. Cf. État civil, mairie de Brive, à la date du 16 février 1895.

enfants de la pauvre Jeanne. Hippolyte, le propriétaire de l'auberge et les quelques membres de la famille qu'on a pu prévenir à temps...

Albert, « en voyage », n'est toujours pas là...

Lorsqu'enfin il arrive, il lui faut faire face à la situation. Que vont devenir ses fils et ses filles ? À l'époque, il n'est pas rare qu'un veuf cherche à épouser une femme dévouée, une veuve sans enfants qui soit en mesure d'élever ceux de son nouvel époux... Inutile de dire que cette solution répugne à Albert si épris d'indépendance. D'autre part, ce n'est pas Henri-Adrien, le grand-père des petits qui, avec ses dix-neuf enfants, va pouvoir en prendre cinq autres et du côté de Jeanne, il n'y a pas de place non plus... Or Albert qui ne fait preuve, en cette affaire, ni d'affection, ni de courage ou d'imagination, se désintéresse de ses enfants... Alphonse, dix ans, et Lucien, six ans, considérés par l'administration comme « enfants abandonnés », sont mis sous la tutelle de l'Assistance publique et placés « à la campagne dans des familles de cultivateurs honnêtes qui reçoivent à cet effet une subvention mensuelle ». En fait, mal nourris, couchant avec les animaux sur la paille humide de granges à courants d'air, ils fournissent à leurs familles d'accueil une main-d'œuvre gratuite que celles-ci exploitent généralement sans vergogne. Et cela jusqu'au moment où ils atteindront l'âge de treize ans à partir duquel on leur apprend un métier. Mais le poids du passé est tel qu'ils seront irrésistiblement orientés vers la profession qu'exerçait leur père... C'est même celle qu'ils exerceront une bonne partie de leur vie : forain...

Reste à caser Gabrielle, Julia et Antoinette. Après le refus des familles, Albert, de son côté, ne cherche guère de solution. Il entend vivre à sa guise sans s'encombrer de sentiments ni d'enfants... Il a trente-neuf ans... Une page de son existence est tournée, mais il a encore de belles années devant lui ! Cette pensée l'exalte... Alors, au diable les scrupules. Il a une tante mariée à un notaire de Brive, qui est au mieux avec la supérieure du Saint-Cœur de Marie, une congrégation qui dirige un orphelinat situé entre Brive et Tulle, à Obazine. Voilà qui est parfait pour ses filles...

Il est des lieux où souffle l'esprit. Tel est le cas d'Obazine. Au Moyen Âge la vallée de la Corrèze, très encaissée entre Brive et Tulle, est couverte sur ses pentes d'épaisses forêts que ne percent nulle route, nul sentier. Sa pénombre verte n'est parcourue que par les sangliers, les cerfs et les biches. Or, à mi-pente, s'élève un plateau d'assez faible étendue, bien abrité des vents du nord par les hauteurs voisines. Au début du XIIe siècle, apparaît dans la région un grand diable maigre et barbu accompagné d'un petit homme qui le suit comme son ombre. Il s'agit d'un prêtre limousin nommé Étienne et de l'un de ses confrères, tous deux décidés à vivre dans la solitude pour se consacrer au service de Dieu. Ils choisissent ce site pour se retirer... Attirés par le rayonnement personnel d'Étienne et la réputation de sainteté qu'il a acquise, d'autres hommes, eux aussi épris de solitude, viennent se joindre à lui. Lorsqu'il meurt en 1159, la communauté s'est considérablement agrandie, un monastère a été édifié et les moines appartiennent maintenant à l'ordre cistercien. Une église est en construction. Au fond des gorges moussues du Coyroux, un torrent qui se jette quelques kilomètres plus bas dans la Corrèze, a été construit un couvent de moniales, à 600 mètres, pour éviter les commérages malveillants du voisinage...

Passons sur l'histoire mouvementée de l'abbaye durant les siècles qui suivent. Toujours est-il qu'en 1860, s'implante un orphelinat féminin dirigé par la congrégation du Saint-Cœur de Marie. C'est à ce couvent qu'en 1895 Albert abandonne ses trois fillettes. Le décor est superbe. Le cloître, son jardin, ses grands carrés de gazon cernés de buis, la fontaine centrale au murmure perpétuel, les bâtiments monastiques couronnés d'immenses toits d'ardoise aux pentes vertigineuses possèdent le charme sévère des architectures cisterciennes. Mais pour ces enfants brutalement soustraits au foyer familial, que peuvent bien valoir ces austères beautés ? À leurs yeux ces murailles sont à n'en pas douter celles d'une prison, surtout pour Gabrielle dont tout le monde connaît la sensibilité et l'indépendance de caractère. Quel contraste pour elle avec Brive où, malgré sa jeunesse, elle jouissait d'une certaine liberté ! Sa mère, perpétuellement geignarde, était certes une malade chronique, et les scènes qu'elle faisait à son père empoisonnaient le climat domestique, mais elle l'aimait ! Quant à son père, il apparaissait de moins en moins, mais quel événement lorsqu'elle entendait le pas de son cheval, que sa silhouette s'encadrait dans la porte et qu'il la serrait dans ses bras !

Et puis, il y avait ses sœurs, surtout Julia, l'aînée, Juju comme elle l'appelait et aussi les petites camarades d'école qu'elles avaient fini par se faire et avec lesquelles elle partageait tant de fous rires.

Tout cela lui est enlevé. Des années plus tard, parlant des coups terribles que le sort ménage aux hommes, elle dira : « Je sais ce que c'est, moi-même à douze ans, on m'a tout arraché ! et je suis morte. » Nul doute qu'elle ne fasse ici allusion à ce qui lui est advenu un certain jour de février 1895.

Le plus cruel, peut-être, c'est sa première nuit dans le dortoir du second étage, une galerie où s'alignent des dizaines de lits contigus, la pénombre et le silence imposés dès neuf heures du soir par une surveillante au visage revêche. Installée à l'extrémité de la longue pièce dans une sorte de cellule, cette dernière dispose d'un judas équipé d'une trappe coulissante qui, s'ouvrant sans crier gare, permet de prendre sur le fait gestes et déplacements suspects.

Longtemps elle croira encore entendre le claquement sec du diabolique appareil.

Quelques semaines après son arrivée, Gabrielle a la surprise de recevoir un grand paquet. Elle le défait avec une hâte fébrile et déploie une luxueuse robe de communiante ornée de dentelles... une aumônière brodée qui renferme un précieux chapelet, un immense voile et une couronne de roses. C'est un cadeau de son père, cadeau somptuaire et excessif, qui traduit bien l'esprit hâbleur et superficiel d'Albert, mais dont la fillette est naturellement ravie...

Comment n'interpréterait-elle pas ce présent comme une promesse ? Un jour, c'est certain, il viendra les chercher, elle et ses sœurs. Elle l'imagine déjà, arrêtant sa carriole sous les frondaisons de la place et venant sonner à la porte de l'orphelinat... Mais ces rêves qu'aucun signe concret ne vient confirmer se raréfient peu à peu, sans que pour autant disparaisse le souvenir rayonnant d'Albert. Oubliés les criailleries, les scènes, les pleurs de Jeanne qu'il a pourtant provoqués...

Cependant l'absence de la moindre visite de ce père qu'elle évoque à tout propos n'est pas sans paraître bizarre aux petites camarades de Gabrielle.

— On ne le voit pas souvent, ton père ! lui dit-on d'un air ironique.

Alors va naître et se développer chez elle le mythe américain. Si on ne le voit jamais explique-t-elle, c'est parce que ses affaires – il possède d'immenses vignobles – l'ont amené à résider à New York d'où il exporte ses vins. D'ailleurs, il connaît parfaitement la langue anglaise et faire fortune là-bas n'a été qu'un jeu pour lui... Mais, bien entendu, il est beaucoup trop absorbé par son travail pour se déplacer jusqu'à ce misérable village de la Corrèze.

— On ne traverse pas les océans pour un oui ou pour un non ! conclut-elle, péremptoire.

Ainsi la fillette reprend-elle les rêves inassouvis de son père pour leur donner corps : belle preuve d'amour filial pour un homme qui en est si peu digne...

Comment Juju et la petite Antoinette réagissent-elles devant les mensonges de leur sœur ? Loin de les lui reprocher, elles sentent obscurément que ses inventions sont trop belles et trop consolantes pour qu'elles les démolissent, et puis la solidarité familiale fait le reste...

Les semaines, les mois passent. S'installe bientôt la routine : les cours, assurés le plus souvent par les religieuses, beaucoup de catéchisme, un peu d'histoire, de géographie et d'arithmétique. Mais il faut préparer l'avenir de ces orphelines : on les initie à la cuisine et surtout à la couture... Si, dans ce dernier domaine, Julia et Antoinette se débrouillent assez bien, Gabrielle y manifeste, du moins dans les premiers temps, une mauvaise volonté qui suscite l'irritation des sœurs :

— Ton ourlet est raté, ma petite ! recommence-moi ça !

— Et là ? Tu appelles ça un surjet ?

De plus, la fillette est maladroite : elle se pique les doigts, perd ses aiguilles et passe plus de temps à les chercher sous la table qu'à coudre... Le destin a de ces ironies !

Comme les autres orphelines, les petites Chanel sont astreintes à une foule d'exercices de piété : prières avant chaque cours, interminables rosaires, assistance aux saluts du saint sacrement, aux vêpres, aux messes quotidiennes dans la chapelle et parfois à l'église. Les petites pensionnaires y accèdent en file indienne, sans avoir à sortir de l'abbaye, par un immense escalier de pierre qui descend tout droit de l'ancien dortoir des moines jusqu'à l'un des croisillons du transept. C'était par là, disent les sœurs, que jadis arrivaient les religieux pour assister aux offices de nuit, un cierge à la main...

Pendant les messes, Gabrielle ne peut s'empêcher de rêver à ces cérémonies dont elle a une vision romantique. Elle imagine le reflet tremblant des cierges sur les parois de granite... Souvent, son regard s'attarde sur les vitraux incolores dont les armatures de plomb façonnent d'étranges dessins. Dieu sait pourquoi, il en est un qui l'attire irrésistiblement. Il semble formé de deux lettres « C » entrelacées. Mais on ne la surnomme pas encore Coco... Alors comment pourrait-elle supposer... ? N'importe ! Les cheminements du destin sont bien étranges quand ils mènent d'un vitrail du XIIe siècle à l'un des plus célèbres logos de notre époque.

Il existe d'ailleurs bien d'autres signes bizarres dans l'abbaye et Gabrielle aura tout le temps d'y rêver pendant les années qu'elle va y passer. Ainsi, au premier étage du bâtiment des moines, le sol de la grande galerie est pavé d'innombrables galets blancs. Au centre de cette mosaïque, de petits cailloux noirs forment de mystérieuses figures évoquant des chiffres cabalistiques. On y a vu, ou du moins cru y voir, des « 5 », un chiffre qui, assurément, était promis à un bel avenir. Figée dans la pierre, l'étrange beauté des armoiries abbatiales enflamme l'imagination de la fillette. Une mitre, des crosses épiscopales, des étoiles, une lune et un soleil se dessinent sur le sol. Est-ce un hasard si, des années plus tard, la couturière baptise du nom de ces astres ses deux chiens préférés ?

Ainsi, sans que Gabrielle en ait la moindre conscience, l'univers d'Obazine l'imprègne petit à petit, façonne et explique les multiples aspects de sa personnalité future, jusqu'à son esthétique. Ainsi son goût bien connu pour le noir et le blanc ne vient-il pas tout droit de l'univers qui l'entoure ? Car ce n'est pas seulement dans la mosaïque de la grande galerie des moines que se manifeste cette union contrastée du noir et du blanc. Les uniformes des sœurs comme ceux des orphelines n'en sont-ils pas la vivante illustration ?

Durant ces années-là, les rapports de Gabrielle avec les religieuses ne sont pas toujours des meilleurs... Question de caractère. Alors que ses sœurs se sont peu à peu adaptées, sinon résignées à leur sort, Gabrielle dont la famille avait, de longue date, remarqué le tempérament rebelle, connaît avec ses professeurs des relations difficiles. Plus d'une fois ses insolences lui valent d'être privée de dessert dominical ou contrainte de recopier des passages de *L'Imitation de Jésus-Christ*, consacrés aux vertus d'humilité, de patience, de douceur et de soumission, toutes qualités dont on ne saurait dire qu'elles éclatent chez elle...

De plus, elle souffre de l'inégalité qui règne entre les filles comme elle recueillies par charité et les « payantes », comme on les appelle sans excès de délicatesse... L'uniforme des premières est « de confection », tandis que les secondes bénéficient d'un « sur-mesure » taillé dans de meilleures étoffes et d'une coupe plus élégante. Parmi ces dernières figurent Adrienne, la jeune tante de Gabrielle, et Marthe Costier, sa cousine – car l'établissement n'accueille pas exclusivement des orphelines. La fillette vit très mal cette humiliante situation.

Elle reporte alors frustration et rancœur sur les religieuses. Il lui sera longtemps difficile de les appeler « ma mère », comme c'est l'usage, tant cette expression traduit mal l'indifférence voire l'hostilité que lui inspirent la plupart d'entre elles. Il est vrai que nombre de ces femmes dressées à maîtriser leurs émotions ont, au fil des ans, acquis un masque rigide de sévérité qui empêche la naissance de tout sentiment d'affection. Et si certaines d'entre elles manifestent quelque sympathie pour la fillette, celle-ci croit lire dans leurs yeux une compassion qui l'exaspère.

À peine trouve-t-elle une certaine consolation dans le contact de quelques robustes servantes, de braves paysannes corréziennes dont l'aspect parfois rude dissimule souvent une humanité finalement plus proche de la sienne...

C'est au cours de ces premiers mois que derrière ces grands murs gris, sous ces voûtes austères, privée des baisers de ses parents, la fillette connaît pour la première fois les crises de somnambulisme dont elle souffrira durant toute sa vie. Silhouette blanche dans la nuit du dortoir à peine éclairé par la lueur vacillante d'un quinquet, bras tendus en avant, que cherche-t-elle, éperdue, sinon l'amour enfui de ceux qui l'ont abandonnée ?

Et ce n'est pas auprès de ses sœurs qu'elle trouvera de vraies consolations... Elle se sent tellement différente ! Elle les juge ternes et totalement dépourvues d'imagination. Leur présence, qui devrait la réconforter, ne fait que rendre plus profonde sa solitude...

Alors, elle cherche ailleurs. On évoque à satiété autour d'elle Étienne le bâtisseur, Étienne le faiseur de miracles, Étienne le miséricordieux. Au réfectoire, on lit aux élèves des passages de sa biographie[1]. Dans l'église, on lui fait admirer en toute occasion son tombeau. Il faut avoir vu son gisant qui repose paisiblement les yeux clos sous le toit de pierre, délicatement sculpté, de sa chasse ogivale. Quelle sérénité ! Quelle béatitude ! Dans son désarroi, la fillette l'appelle de ses prières. Elle pense avoir trouvé un saint qui va la comprendre et la réconforter. Lors des années d'Obazine, il sera à ses yeux le premier homme, et le seul, qui l'ait soutenue dans sa détresse. Plus tard, à Étienne Balsan interloqué, elle confiera sans s'expliquer davantage : « J'ai déjà eu un autre protecteur du nom d'Étienne, lui aussi faisait des miracles... »

---

1. Rééditée par Michel Aubrun (publication de l'Institut d'études du Massif central, 1970).

Place d'Obazine. Un dimanche, la lourde porte romane de l'abbaye vient de s'ouvrir, laissant échapper une file d'élèves rangées par deux. Le cortège, flanqué de deux ou trois religieuses en noir dont les cornettes blanches flottent au vent, traverse la place et se dirige en ordre vers la petite route qui descend dans la vallée du Coyroux. Les fillettes, heureuses d'échapper pour quelques heures à la grisaille de la vie conventuelle, rient et bavardent à qui mieux mieux, n'accordant qu'une attention distraite aux ruines du monastère féminin, pourtant patinées d'une belle couleur ocre. D'autres fois, les religieuses emmènent les pensionnaires admirer l'étonnant « canal des moines » qui, captant les eaux du torrent, les font parvenir jusqu'au vivier du monastère qu'elles alimentent en toute saison. Elles tâchent de faire revivre pour leurs élèves ces cisterciens du XIIe siècle, qui durent plus d'une fois tailler à même le roc pour mener à terme leur ambitieux projet. Belle école d'énergie pour la petite Gabrielle qui, dans sa vie professionnelle, et jusqu'à sa mort, haïra les dimanches, faisant du travail son seul dieu...

Abandonnée par son père auquel elle trouve mille excuses, Gabrielle ne nourrit que ressentiment envers le reste de sa famille. Elle n'admet pas que ses grands-parents, pas plus que ses oncles, tantes et cousins aient pu refuser de les recueillir, elle et ses sœurs. À douze ans, comment cette enfant pourrait-elle comprendre les raisons pas toujours simples de leur comportement ?

Malgré tout, trois ans après son arrivée à Obazine, Gabrielle va voir son isolement prendre fin. En effet, sa tante Louise et son mari Paul Costier, employé des chemins de fer, l'invitent à Varennes-sur-Allier en même temps que Julia et Antoinette, à passer des vacances chez eux en compagnie de la petite sœur de Louise, Adrienne et de leur fille Marthe.

Varennes-sur-Allier ! Le nom sonne bien, mais cette bourgade de 3 000 habitants est loin de bénéficier du pittoresque d'Obazine ou de l'animation de Moulins. Autour de la petite ville, seuls quelques modestes vallonnements viennent rompre la monotonie du paysage. La gare où l'oncle officie est parfaitement hideuse, la mairie sans caractère, les rues désertes la plupart du temps. Tout distille un ennui sans fond, y compris d'ailleurs le banal pavillon de pierre qu'occupe la tante Louise – que, pour d'obscures raisons, on appelle « tante Julia ». Ce bâtiment, avec son toit de tuiles mécaniques et ses deux massifs de fleurs censés apporter quelque poésie à sa décourageante insignifiance, ressemble à ces milliers de pavillons de petits-bourgeois répandus sur le territoire français et son jardin semble venir tout droit de la banlieue parisienne.

Fort heureusement pour Gabrielle, les séjours qu'elle fait à Varennes ne sont pas aussi mornes que les apparences pourraient le laisser soupçonner. Elle n'y dispose pas de cette liberté qu'on lui refuse à Obazine et la surveillance qu'exercent les Costier sur les allées et venues des deux adolescentes y est presque aussi étroite. Mais du moins ces séjours offrent-ils à Gabrielle quelques satisfactions. D'abord, tante Julia la loge dans la chambre d'Adrienne, ce qui permet aux deux jeunes filles de se découvrir mutuellement : que de conversations, que de rires étouffés, que de papotages intimes, tard dans la nuit, et parfois jusqu'aux premières heures de l'aube. Et nul risque cette fois qu'une surveillante vienne, comme au dortoir d'Obazine, interrompre leurs bavardages...

Ainsi renaît pour l'orpheline, non pas la vie familiale qu'elle goûtait à Brive et qui ne reviendra jamais plus, mais au moins quelque chose qui lui ressemble, une intimité encore un peu méfiante mais réelle avec son oncle et sa tante. De plus, si cette maison n'est pas la sienne, du moins s'y sent-elle plus à l'aise que dans le superbe mais sévère décor de pierre que lui offre l'abbaye médiévale. Ici, à Varennes, Gabrielle va de temps en temps entendre parler d'un sujet dont il n'a jamais été question à l'abbaye : la mode.

À Obazine, on lui enseigne la couture dans ce qu'elle a de plus utilitaire : broder une nappe, ourler une serviette, ravauder un drap, élargir ou rétrécir une jupe. Chez la tante Costier, ce genre de travail est courant et Gabrielle y est devenue relativement adroite, mais en plus de ces besognes domestiques, la tante s'intéresse aux chapeaux. Elle ne se les procure pas tout faits. Elle achète à Vichy, la grande ville des environs, des formes de feutre qu'elle coupe à sa façon, modèle à sa fantaisie, orne à son goût. Sous ses doigts habiles, ces ébauches sans grâce deviennent, non plus de prosaïques couvre-chefs cent fois vus et revus, mais des modèles originaux qu'on ne rencontre ni à Varennes, ni à Saint-Pourçain, ni même à Vichy... Étant bien entendu qu'il n'y a rien de commun entre ces modestes créations et l'inimitable chic parisien. N'importe ! Il est très vraisemblable qu'à la lumière de ces expériences, l'adolescente ait entrevu que la couture pouvait être infiniment plus que la couture... bien autre chose que la morne application de techniques routinières relevant des activités quotidiennes les plus ennuyeuses.

C'est à ces moments-là que Gabrielle oublie provisoirement l'abandon dont elle a été victime et cesse de comparer son sort à celui de ses enviables cousines.

Malheureusement, un jour, au hasard d'une conversation, elle apprend que son père vient de temps à autre rendre visite à tante Louise, sa sœur préférée. On imagine facilement la souffrance morale que cette découverte provoque en elle, les amères réflexions qu'elle suscite. Ainsi Albert, qui trouve le temps de revenir dans la région, ne fait pas le moindre effort pour revoir sa propre fille...

Cette fois, elle se sent vraiment abandonnée et totalement orpheline... Saisissant le premier prétexte venu, elle court dans sa chambre et s'abat sur le lit pour fondre en larmes...

Sa blessure ne guérira jamais.

Et ce n'est pas à Obazine qu'elle trouvera des consolations. Même l'affection sincère d'Adrienne reste inefficace.

Tout au plus, lorsqu'elle passe quelques jours à Varennes, dispose-t-elle d'un instrument d'évasion, la lecture, dont le sanctuaire n'est autre que le grenier du pavillon. Là, dans la torpeur de l'été, sous les tuiles surchauffées, d'antiques malles poussiéreuses recèlent des brochures bon marché, des feuilletons jaunis découpés dans les journaux et maladroitement reliés par la tante Julia. Elle découvre ainsi les romans de Pierre Decourcelle ou de René de Pont-Jest [1], d'un romanesque échevelé et sombrant le plus souvent dans les outrances naïves du mélodrame de l'époque. Voici comment est narrée la tentative de viol opérée par un jeune et riche dandy sur la personne d'une pauvre ouvrière :

« Je ne franchirai le seuil de cette porte, je le jure, que lorsque tu auras éteint l'enfer qui bouillonne dans mon cœur !...

Puis, comme un serpent, il l'enlaça de ses bras et l'attira sur sa poitrine.

— Au secours ! au secours ! cria Marie. Grâce ! grâce !

— Pas de grâce, j'ai assez souffert !

Le dandy, égaré par une inconcevable luxure, voulut poursuivre ses cyniques projets ; mais Marie, brisée par tant d'émotions, expira aussitôt dans ses bras !... »

À dix-huit ans, Gabrielle est maintenant une jeune fille au teint mat, très mince. Trop sans doute pour

---

1. René de Pont-Jest (1830-1904), ex-officier, romancier, chroniqueur du *Figaro*. Grand-père de Sacha Guitry.

une époque qui raffole des chairs épanouies et des gorges opulentes, alors qu'elle n'a que peu de poitrine et une taille qui n'excède pas tellement celle de Polaire[1]. Mais elle ne manque pas d'atouts physiques : c'est une de ces beautés singulières qui, plus que les classiques, étonnent, émeuvent et aussitôt, conquièrent...

À mesure qu'elle grandit et que sa personnalité s'affirme, Gabrielle apparaît de moins en moins à sa place à Obazine.

Manifestement, elle y ronge son frein. Son mauvais esprit est évident. De son côté, Adrienne, sa complice, est en pleine rébellion contre sa famille. Sa tante de Brive, celle qui l'a fait entrer à Obazine, lui a trouvé un beau parti, tâche singulièrement difficile quand il s'agit d'une fille pauvre, même si elle est ravissante. La pauvre Adrienne n'a pu réprimer un haut-le-corps quand on lui a montré la photo du futur : un notaire sur le retour... Quant à Gabrielle, elle pressent à juste titre qu'elle ne perd rien pour attendre... Alors les deux filles n'hésitent pas : elles font le mur. Mais où aller, sans argent ? Comme elles n'ont pas le choix, elles arrivent, toutes penaudes, à Varennes chez les Costier... On devine l'accueil qu'elles y reçoivent. Une fois la tempête apaisée, on tente de les faire revenir à Obazine. Impossible, la supérieure refuse de se heurter à de nouveaux problèmes. Elle fait savoir qu'elle ne garde que les élèves qui se destinent au noviciat. Ce n'est certes pas le cas des deux petites révoltées...

Alors la tante de Brive trouve la solution : il existe dans l'Allier, à Moulins, une institution religieuse d'une excellente réputation, l'Institut Notre-Dame

---

1. De son vrai nom Émilie-Marie Bouchaud, née en 1877, célèbre chanteuse de l'époque. Son tour de taille n'était que de 42 cm. Elle allait bientôt connaître la gloire dans le rôle de Claudine (personnage de *Claudine à l'école*, pièce de Willy, 1906, tirée du roman du même nom).

tenu par des chanoinesses. À côté des « payantes », comme Adrienne, on y recueille au sein d'un internat des jeunes filles sans ressources que les religieuses se chargent de « placer », une fois leur scolarité terminée. L'avantage de Moulins, c'est que cette ville n'est située qu'à une vingtaine de kilomètres de Varennes : les Costier seront ainsi en mesure de s'occuper plus facilement d'Adrienne et de Gabrielle qui, de leur côté, pourront venir les rejoindre fréquemment. De plus, Henri-Adrien, le grand-père de Gabrielle et sa femme Angelina sont justement venus se fixer à Moulins où ils habitent un modeste logement mansardé, rue de Fausses-Braies. Ils pourront ainsi de leur côté veiller sur leurs petites-filles.

Le temps que passe Gabrielle au pensionnat Notre-Dame, entre dix-huit et vingt ans, lui semblera une éternité. Car dans les années 1900, les religieuses ne laissent pas leurs élèves sortir comme elles le veulent, mis à part les veilles de congé scolaire. À cette occasion, la tante Costier vient chercher Adrienne et les trois sœurs Chanel pour aller passer quelque temps à Varennes. Il y a aussi les processions et les messes à la cathédrale où elles sont envoyées en rang par deux et escortées de surveillantes – exactement comme à Obazine. Gabrielle ne fait qu'entrevoir Moulins. Ce chef-lieu de département n'est certes pas une grande ville, 20 000 habitants à l'époque, et les bords de l'Allier, rivière large et paresseuse à cet endroit, sont bien mélancoliques, mais les rues pavées du centre, bordées d'hôtels des XVIe, XVIIe ou XVIIIe siècles, ses nombreux commerces, ses « cours » ombragés de platanes et de marronniers, sont très animés, d'autant plus que la ville abrite plusieurs régiments dont le 10e de chasseurs à cheval.

Le peu que Gabrielle aperçoit de la ville ne fait qu'aiguiser sa curiosité et plus encore sa soif d'évasion.

44

Quand sera-t-elle libre ? Adrienne, plus patiente et plus raisonnable, a quelque peine à la calmer... Que deviendrait-elle si, à nouveau, elle s'échappait ?

— Y as-tu seulement réfléchi ? De quoi vivrais-tu ?

3

L'entrée dans la vie

En 1902, Gabrielle et Adrienne quittent enfin le pensionnat. Elles ont presque vingt ans. Mais l'Institution Notre-Dame n'abandonne jamais ses élèves : elle dispose d'un réseau de relations qui permet de leur trouver une profession, voire un mari...

En l'occurrence, les religieuses « placent » Gabrielle et Adrienne comme commises dans une maison spécialisée en « trousseaux et layettes » qui vend aussi jupons, voilettes, fourrures, boas et autres tours de cou, sans compter les « fournitures pour couturières ». Maison irréprochable si l'on en juge par la pieuse enseigne : *À Sainte-Marie* destinée à dissiper chez les clients le moindre doute sur l'honnêteté du commerçant. Quant à Gabrielle, recueillie dès l'âge de douze ans par la congrégation du Saint-Cœur de Marie puis par l'Institution Notre-Dame, la voilà pour la troisième fois sous la protection de la mère de Dieu. Si bien qu'elle n'hésite pas à se féliciter, non sans quelque ironie, de la chance qui lui échoit.

Ce qu'elle apprécie pleinement, c'est d'être logée par ses patrons, les Grampayre (*sic*) dans la même chambre que sa jeune tante, sa chère Adrienne. Elles vont pouvoir bavarder, échanger leurs menus secrets. Autre sujet de satisfaction : vivre au cœur de Moulins, à l'angle de la rue de l'Horloge et de la rue d'Allier, non loin du Jacquemard. C'est le centre même de l'activité commerçante, dans le quartier le plus vivant de la ville. Depuis des années, elle rêvait de connaître la vie, le monde, tout ce à quoi elle n'avait pas accédé jusque-là, qu'on lui avait peut-être caché... Et elle comprend maintenant son père, son perpétuel désir de bouger, d'aller voir ailleurs. C'était à cause de cette soif qu'il l'avait abandonnée et non parce qu'il ne l'aimait pas, se dit-elle... et elle se prend à l'excuser.

Chez les Grampayre la tâche des deux filles consiste à recevoir les dames, à leur vendre les articles en rayon, à prendre des commandes, à effectuer des retouches, activités où elles déploient un talent si peu habituel que les bourgeoises de Moulins en parlent abondamment. Les clientes affluent...

Comme Adrienne et parfois Gabrielle continuent à fréquenter l'ouvroir de Notre-Dame, les chanoinesses adressent leurs élèves à la maison Sainte-Marie, ce qui ravit ses propriétaires.

Qui visite le Bourbonnais s'émerveille de la foule de châteaux qui, peut-être plus encore qu'en Touraine, parsèment la campagne. La plupart d'entre eux sont plus anciens, plus austères mais aussi plus délabrés que ceux de la vallée de la Loire. Ils appartiennent le plus souvent à de nobles familles qui les occupent sans discontinuer depuis leur édification. Les Bourbon, les La Palisse ou les Nexon y ont leur demeure. Or la grande majorité de ces familles ne fréquente que la maison Sainte-Marie, dont les propriétaires sont fiers de bénéficier de clients aussi prestigieux. Ils ne se lassent pas de chanter leur bonheur et, derrière leur comptoir, multiplient les courbettes à chacune de leurs visites. Cependant Gabrielle, à leur grande surprise, ne partage pas leur enthousiasme. Cette clientèle ne lui en impose pas et la dévotion que manifestent ses patrons à son égard l'irrite. C'est une rebelle née et son regard sur le monde, d'une implacable lucidité, ne manque pas de surprendre chez une fille aussi jeune ayant vécu si longtemps isolée du monde.

Cette indépendance d'esprit la conduit assez rapidement à prétendre résider ailleurs que dans la mansarde où on les loge :

— Je ne peux plus rester ici...

Adrienne, effrayée par tant d'audace, refuse de suivre son amie. Mais Gabrielle déniche une modeste chambre garnie dans un quartier populaire de Moulins, rue du Pont-Ginguet, une rue qui débouche sur le fleuve.

Seule, Adrienne s'ennuie rapidement. Alors, quelques semaines après, elle cède.

Mais la future Coco ne s'arrête pas à cette première hardiesse. À la demande de certaines clientes, elle accepte de travailler pour elles à l'insu de ses patrons pendant ses moments de loisir. Certes, elle passe déjà dix heures par jour à la boutique. Mais comme son salaire est dérisoire et que ses besoins s'accroissent, elle n'hésite pas, avec l'aide d'Adrienne, à confectionner robes et jupes pour sa propre clientèle. Gabrielle a une grande qualité : elle est dure à la tâche et le restera d'ailleurs toute sa vie. Elle parvient, grâce à ces heures supplémentaires, à faire quelques économies.

On devine que les deux jeunes filles, maintenant plus libres de leurs mouvements, ne vont pas se borner, pendant leurs rares moments de loisir, à promener leur ennui, comme les familles de Moulins sur les mornes rives de l'Allier... ce qui ne serait pas si différent de leurs sorties de pensionnaires à Obazine.

Alors elles se décident, non sans mal, à fréquenter le cœur de la ville et notamment la place d'Allier, centre des plaisirs moulinois du samedi soir et du dimanche. On commence à les voir toutes les deux au Grand Café : c'est le nouvel établissement chic de Moulins, édifié à l'instar du Maxim's parisien auquel, en 1899, le vaudeville de Georges Feydeau vient d'apporter une gloire mondiale. Son style « nouille », ses boiseries chantournées bordant des miroirs à biseaux, lui confèrent un chic pseudo-parisien auquel les deux demoiselles se montrent très sensibles. D'autres fois, c'est à La Tentation, un salon de thé de la ville ancienne, qu'elles passent quelques heures, le dimanche après-midi. Que ce soit ici ou là, elles se montrent d'une parfaite correction, en ex-élèves des religieuses qu'elles n'oublient jamais d'être, du moins pour le moment...

Moulins est une ville de garnison qui abrite plu-sieurs régiments, ainsi le 10e Chasseurs à cheval. Or les officiers et sous-officiers de ce régiment appar-tiennent souvent à l'aristocratie ou à la riche bour-geoisie. Nombre d'entre eux ont remarqué la beauté de Gabrielle, son admirable chevelure aile de cor-beau relevée en natte autour de la tête, son regard ardent et timide, qui se fonce ou s'éclaircit au gré des émotions. Rien de commun chez elle avec ces filles qui, dans les villes de garnison, se font une spécialité des fréquentations militaires... Ainsi, Gabrielle et Adrienne deviennent rapidement la coqueluche de ces jeunes gens qui trouvent en elles une compagnie plus digne d'eux... du moins tant que dure leur séjour à Moulins. Car, loin d'apparte-nir à leur milieu, elles ne sont jamais que des cou-settes et leur distinction comme leur charme indéniable ne parviennent pas à faire oublier la modestie de leur condition sociale.

Quelques semaines plus tard, on les voit, en compagnie de fringants officiers, en culottes écar-lates, bottes et dolmans bleus à brandebourgs, prendre un verre à la Rotonde, un des deux « caf'-conc' » de la petite ville – l'autre étant le Bodard (du nom de son propriétaire). C'est un édifice de forme circulaire, construit sous le règne de Napoléon III, une sorte de chapeau melon peint en vert et sur-monté d'une guérite vitrée. Autour, c'est un jardinet étique, planté de quelques arbustes souffreteux. À l'intérieur, une scène où se produisent les « artistes », et au bas de la rampe, la place de l'orchestre : un piano et un ou deux violons. Le public est attablé à des guéridons de marbre sur lesquels s'accumulent soucoupes et verres de bière, ou de limonade pour les dames. Le parquet est couvert d'une couche de sciure, comme c'est l'usage dans la plupart des cafés. Ici et là, se dressent sur leurs tiges de fonte les inévitables boules à torchons dans lesquelles puisent les garçons pour essuyer nonchalamment les tables des nouveaux clients... Ces clients ce sont « messieurs les officiers » (le Bodard, plutôt réservé aux hommes de troupe, étant qualifié de « beuglant » par leurs chefs...).

Cela ne signifie nullement que les chanteurs qui se produisent à la Rotonde figurent parmi les grandes voix européennes. Ce ne sont ici que gloires provinciales sur le retour, « artistes » méchamment conspués par le public de la capitale, quelques nouveaux également, mais dont la jeunesse n'excuse pas le cruel manque de talent.

Une photographie de l'époque montre Gabrielle, le regard timide et souriant, aux côtés d'un jeune officier de cavalerie, l'un de ceux qui, sans doute, l'invitaient à la Rotonde. Manifestement, la jeune fille est incapable de sentir la pauvreté de ces spectacles et la médiocrité des interprètes. N'a-t-elle pas vécu jusque-là à l'écart du monde ?

Malgré cette ignorance, ce qu'elle voit lui suffit pour comprendre qu'il lui faut absolument échapper à la condition dont elle est prisonnière... Elle ne s'imagine pas condamnée à coudre à perpétuité. Et comme son affection pour Adrienne est très profonde, elle tient absolument à lui faire partager son point de vue.

Encore faut-il trouver un moyen. Gabrielle se souvient alors d'avoir toujours adoré le chant. À Obazine, elle faisait partie du chœur d'élèves qui chantait à la chapelle ; à l'Institution Notre-Dame, elle appartenait à la chorale, et maintenant qu'elle a quitté l'établissement, ce n'est jamais en vain que la supérieure fait appel à ses services pour remplacer une choriste enrouée...

Alors une idée lui vient :... pourquoi ne tenterait-elle pas sa chance à la Rotonde ? Qui sait ? Elle deviendrait peut-être une Yvette Guilbert et sortirait enfin de cette existence médiocre à laquelle tout semble la destiner. Elle en fait part à ses « galants » – comme on disait encore à l'époque. « Quelle bonne idée ! » s'écrient-ils. La perspective d'applaudir Gabrielle sur la scène de leur caf'conc' les séduit tout de suite. Ils ont si vite fait le tour des distractions moulinoises qu'ils accueillent avec enthousiasme la moindre suggestion nouvelle.

En fait, ces encouragements consternent la pauvre Gabrielle. C'était une idée qu'elle avait lancée un peu à la légère, sans songer vraiment qu'elle prendrait corps. Et voici qu'elle va la réaliser alors que, recluse depuis tant d'années, elle est si peu préparée à se produire en public. Un instant, elle espère que Chabassière, le directeur de la Rotonde, va refuser de l'engager. C'est peine perdue. N'ignorant pas la popularité de Gabrielle parmi les officiers de la garnison, il sait bien qu'il ne risque pas grand-chose en la recrutant, non pas comme chanteuse professionnelle, avec son nom en grosses lettres à l'affiche, mais comme simple *poseuse*. À la Belle Époque et depuis longtemps, la coutume est, dans les caf'conc', de faire asseoir au fond de la scène une demi-douzaine de jeunes femmes censées faire salon. Elles feignent de causer entre elles, voire de broder ou de tricoter, pendant que la vedette se produit. Lors des entractes, c'est au tour des poseuses d'intervenir. Ces chanteuses de seconde zone, souvent méprisées, doivent meubler le silence en venant tour à tour débiter leurs couplets, jusqu'à ce que reviennent les vraies artistes. Comme les poseuses ne sont pas jugées dignes de bénéficier de cachets et de contrats, l'une d'entre elles passe entre les tables pour faire la quête... Quel que soit son orgueil, Gabrielle est contrainte de se plier à cet usage. Faut-il qu'il soit vif, son désir de s'en sortir ! Bientôt, elle entraîne Adrienne dans la même aventure. N'entend-elle pas tout partager avec elle ? Adrienne cède : devant une détermination aussi forte, il lui est impossible de résister... Plus tard, cette redoutable volonté en fera plier plus d'un...

À la Rotonde, la légende veut que Gabrielle ait obtenu d'emblée un véritable triomphe. Il est vrai qu'elle n'a guère de voix, mais elle dispose, comme l'a prévu Chabassière, d'un public qui lui est déjà tout acquis et la considère un peu comme sa mascotte. Or ce public est nombreux : pratiquement tout le corps des officiers de cavalerie en garnison dans la ville. Si bien que, très souvent, la simple poseuse qu'elle est recueille plus d'applaudissements que les chanteuses proprement dites, ce qui ne va pas sans susciter chez elles de multiples manifestations de jalousie, dont elle est trop fière pour avouer qu'elles la peinent. Des billets insultants ou venimeux sont glissés sous la porte de sa loge. Des ragots circulent sur son compte. Sur ses mœurs notamment... Comme sa tante et elle sont inséparables, on devine de quelle calomnie elles sont l'objet. Gabrielle se montrant très pudique et s'enfermant à clé dans sa loge chaque fois qu'elle se change, on a tôt fait de la taxer d'hypocrisie, quand on ne suppose pas que cette porte verrouillée dissimule des libertinages éhontés...

On s'en prend aussi au physique de la jeune fille. En cette période d'épanouissement de la chair, sa minceur, qualifiée de maigreur, est attribuée à son existence de « noceuse ». On lui promet le sort de *La Dame aux camélias*. On lui applique même un surnom emprunté à l'actualité internationale : « La famine aux Indes », allusion aux photographies de corps décharnés que publient les journaux de l'époque et qui frappent les imaginations au plus haut degré.

En fait, Gabrielle, sans le savoir, crée, très en avance sur son temps, un style qui régnera plus tard, et qu'elle imposera au monde entier.

Que chante-t-elle, à la Rotonde ? Son répertoire n'est pas très fourni : trois ou quatre chansons seulement, parmi lesquelles *Ko Ko Ri Ko*, un grand succès de la Scala, le plus chic des caf'conc' parisiens. Elle doit imiter le chant du coq, ce qu'elle fait avec un inégal bonheur à cause, notamment, de la faiblesse de sa voix qui parfois chevrote légèrement. Mais son public, formé en grande partie d'inconditionnels, le lui pardonne volontiers et l'encourage tant qu'il peut : après tout, on n'est pas à l'Opéra et elle est si charmante avec son petit sourire à la fois timide et hardi !

Si elle a choisi cette chanson, c'est en partie parce qu'elle a été créée par Polaire, dont le physique se rapproche du sien. C'est son idéal et la preuve vivante que l'on peut réussir sans répondre aux canons de beauté propres à son époque.

Les applaudissements ne se sont pas encore arrêtés qu'elle entonne la chanson qui lui vaut le plus de succès. *Qui qu'a vu Coco dans l'Trocadéro ?* raconte la mésaventure d'une jeune femme qui a perdu son chien dans un square. Depuis longtemps, cette chanson a fait ses preuves. Son choix par Gabrielle se révèle parfaitement judicieux... C'est un triomphe... L'interprète possède aux yeux des clients un charme singulier, un je ne sais quoi de jamais vu qui séduit d'emblée... On la redemande. Elle s'exécute, après un timide sourire à ses admirateurs.

Évidemment, elle reprendra plus d'une fois ces deux succès. Or, la similitude des sonorités qu'ils comportent, *Koko* et *Coco*, conduit tout naturellement ses admirateurs, lorsqu'ils la bissent, à scander bruyamment ces deux syllabes jusqu'à ce qu'elle s'exécute. Ainsi Gabrielle deviendra-t-elle à son corps défendant Coco, pour toute sa vie et même davantage. À vrai dire, elle n'aime guère ce sobriquet. Mais il lui faudra bien se résigner.

Adrienne, pour sa part, reste dans l'ombre de sa nièce. Si elle est aussi belle, sa beauté plus régulière est moins piquante et moins singulière, sa voix moins agréable. C'est elle que ses compagnes enverront faire la quête. Elle le fera avec le sourire et sans une once d'amertume...

Est-il nécessaire de dire que la réputation de Coco – puisque c'est ainsi qu'on peut l'appeler désormais – a tôt fait de franchir les limites de la Rotonde et les murailles des casernes. Elle ne tarde pas à parvenir aux oreilles des Grampayre, les patrons des deux cousettes. Ils sont indignés... une maison aussi sérieuse que Sainte-Marie peut-elle abriter sous son toit deux chanteuses de beuglant ? Que vont penser Mme de Bourbon-Busset, la comtesse de Chabannes ou la baronne de Nexon ? Y ont-elles seulement songé, les petites misérables ?

Les voici proprement congédiées...

Pour d'autres, c'eût été le désastre. Pour Gabrielle, les difficultés sont l'occasion de marquer une étape pour mieux progresser. Il est évident qu'elle ne tient pas à rester cousette sa vie durant. Cet incident va la contraindre à trouver les moyens d'échapper à sa condition.

En attendant, il faut vivre. Par bonheur les semaines qui suivent vont lui prouver que ses clientes privées lui restent fidèles. Mieux encore, elles lui amènent leurs amies, ravies de trouver en ces deux jeunes femmes des couturières remarquables dont les prix sont particulièrement modérés. Elles apprécient d'ailleurs que ce commerce s'opère dans la plus grande discrétion : une rue déserte, une porte anonyme au bout d'un escalier ciré, une mansarde donnant sur une cour...

Bientôt, les revenus que Gabrielle et Adrienne tirent de leurs activités leur permettent de vivre à peu près comme auparavant. Elles ont acquis, ou plutôt gagné, une indépendance dont elles avaient soif depuis longtemps. Elles la doivent à leur volonté et à leur travail. Telle est la première leçon que la vie leur offre et que Gabrielle, jusqu'à l'ultime jour de son existence, n'oubliera jamais...

Inutile de dire qu'à Varennes, la tante Costier finit par apprendre ce qui se passe à Moulins. D'abord stupéfaite et incrédule, elle entre bientôt dans une violente colère, jurant de fermer sa porte aux deux scandaleuses. Elle va jusqu'à parler de « maison de correction » ! Mais le temps fera son œuvre... les grands-parents paternels, Adrien et Angelina, s'en-tremettent pour arranger les choses. D'ailleurs, les deux filles ne sont-elles pas majeures maintenant, et parfaitement libres de choisir le genre d'existence qui leur convient ?

Devant le succès remporté par Coco à la Rotonde, Chabassière, le directeur, lui offre un engagement à l'année, qu'elle s'empresse d'accepter. Adrienne, qui ne bénéficie pas de la même faveur, n'en ressent pas pour autant le moindre sentiment de jalousie. Elle se sait moins douée et n'ignore pas que sa nièce pos-sède un charme particulier, une personnalité très forte dont elle-même est dépourvue. Elle l'aime et l'admire ! À ses yeux, il est parfaitement juste que ses mérites soient récompensés.

Après quelques mois d'euphorie pendant lesquels Gabrielle se croit au seuil d'une grande carrière, elle commence à s'ennuyer. Les limites de son succès lui apparaissent avec une désolante netteté. Certes, elle est connue à Moulins, peut-être trop, même... mais enfin sous quelle image ? Et d'ailleurs être connue à Moulins...

Alors elle va tenter sa chance à Vichy, qui, à la Belle Époque et pendant la saison, est une succursale de Paris, et parfois une étape vers la capitale. « La reine des villes d'eaux », comme on le dit alors, attire une clientèle fortunée et cosmopolite. On se croirait sur les bords du Nil et non de l'Allier, comme le remarque un chroniqueur du *Figaro*. Ce public se montre assoiffé de plaisirs, le soir, après les contraintes de la cure et les files d'attente aux buvettes où les donneuses d'eau en tablier et bonnet blancs remplissent les verres gradués que leur tendent les hépatiques. Leur foie ne les empêche jamais d'aller applaudir comédies, opéras, opérettes, spectacles de music-hall et revues... dans cette ville où n'existent pas moins de quatre théâtres de variétés, comme l'Alcazar ou l'Élysée-Palace dont la façade extravagante, du plus pur style nouille, contraste plaisamment avec la sagesse toute classique des immeubles bourgeois qui l'entourent.

Ce serait bien le diable si Gabrielle ne parvenait pas à décrocher un engagement comme chanteuse de revue ou d'opérette. Naturellement, elle emmènera l'inséparable Adrienne. Lorsqu'au cours de l'hiver 1905, elle annonce à ses admirateurs sa décision de quitter la Rotonde et Moulins, c'est la consternation. La petite Coco, pour ces jeunes hommes, c'est le sel du Moulins nocturne, un visage étrange et beau qui ne s'oublie pas, une bouffée de poésie qui les caresse à chacune de ses apparitions... Comme leurs soirées vont être tristes !

— Mais vous viendrez me voir à Vichy ! réplique-t-elle.

En effet, soixante kilomètres à peine les en séparent. Ils promettent... et ils tiendront.

Gabrielle et Adrienne s'installent dans une modeste chambre de la vieille ville, près de l'église Saint-Blaise. Aussitôt arrivées, elles extraient de leurs valises les robes qu'elles se sont faites et les chapeaux de leur création, puis sortent parcourir ce qui va être le terrain de leur ambition : on les voit d'abord longeant la rivière dans les allées du parc de l'Allier avec ses jardins anglais et ses villas tarabiscotées où résidaient Napoléon III et ses proches. Elles gagnent ensuite le parc des Sources, ombragé de platanes, de hêtres et de marronniers gigantesques. Elles parcourent les galeries couvertes dont le toit est soutenu par des colonnes de fonte. Orgueil de la municipalité, elles sont tout droit venues, après démontage, de l'Exposition universelle de 1900 dont elles évoquent les fastes. Pouvoir se promener – et se montrer – les jours de pluie, sans gâter les immenses chapeaux alors à la mode, « sur un parcours d'un kilomètre », comme le précisent les guides de Vichy, quelle ville offrirait pareille commodité ?

Cependant, l'enthousiasme des débuts va assez vite s'effriter. La saison étant déjà commencée et les contrats des artistes dûment signés, les deux jeunes filles ne peuvent guère espérer que d'improbables remplacements. Partout où elles se présentent, imprésarios, régisseurs ou directeurs se montrent intraitables, refusant leurs offres de façon brutale et lâchant d'hypocrites : « On vous écrira ! »

En ce qui concerne Gabrielle, on lui reproche ce qu'elle nomme sa minceur. On lui dit, sans fard, qu'elle est maigre comme un échalas, qu'on lui compterait les côtes...

— Nourrissez-vous, mademoiselle ! lui dit-on avec apitoiement.

Et puis elle danse mal, elle est raide et n'a qu'un filet de voix... elle ne fera pas un sou !

Alors, sans se décourager, elle décide de prendre des leçons de danse et de chant. Ses économies fondent... Mais tous ses efforts restent vains. Elle s'obstine cependant malgré les conseils de la raisonnable Adrienne. Quant à celle-ci, très belle, grande et élancée, son allure de princesse est jugée beaucoup trop distinguée pour le public auquel elle aura affaire. Elle a tôt fait de comprendre qu'il est inutile d'insister et, très déçue, elle repart pour Moulins malgré les prières de Coco...

Une photographie de l'époque évoque bien l'une des faces de la personnalité de Gabrielle à cette période de son existence... On la voit avec sa sœur Antonia, attablée à la terrasse de la Crémerie, l'un des cafés chic du moment, au parc des Sources, sagement assise devant son verre, le regard très doux, timide, empreint de mélancolie... Ce n'est plus l'ambitieuse Coco qui apparaît ici mais une jeune femme rêveuse, pas très sûre de ce que l'avenir lui réserve...

Parmi les admirateurs de Gabrielle qui viennent la voir à Vichy, il en est un qui, contrairement aux autres, ne l'incite pas à espérer un engagement, à s'accrocher à cette idée. Il se nomme Étienne Balsan...

Étienne Balsan n'a ni la prestance ni l'élégance des beaux officiers de cavalerie du 10e chasseurs. Et il n'est pas titré comme la plupart de ses camarades. Pis encore, il n'est que maréchal des logis... C'est un homme de taille moyenne, brun, avec un visage rond, assez commun, orné d'une petite moustache qui ne le sort pourtant pas de la banalité... Mais il a, parmi les officiers, quantité d'amis. Bon garçon, grand mangeur et grand buveur, franc et généreux, il adore la vie qu'il croque à belles dents. Il est fou de chevaux de course et son rêve est de les faire courir sous ses couleurs dans les hippodromes les plus célèbres de la région parisienne.

Étienne Balsan est issu d'une très riche famille de Châteauroux, propriétaire d'une usine de textiles employant 1 500 ouvriers et travaillant en partie pour l'armée française. Il a fait les quatre cents coups durant son adolescence et il est bien décidé à continuer dans cette aimable voie, d'autant plus qu'il vient d'hériter de ses parents. Affecté au 90ᵉ régiment d'infanterie en garnison à Château-roux, comme il craint de ne pas y avoir les coudées franches, il s'est fait muter à Moulins, imaginant un ingénieux prétexte : il se trouve qu'il existe dans cette ville une section militaire d'études des langues orientales. Or la patrie peut, un beau jour, avoir besoin d'experts dans ce domaine... Ce jour-là, Étienne pourra répondre « Présent ! » En fait, l'enseignement du dialecte hindou auquel il prétend s'initier n'existe que sur le papier et l'on n'est pas parvenu à dénicher quelqu'un qui le sache. Bien entendu, le jeune homme a tout exprès choisi cet idiome rarissime, presque certain que personne en France ne le connaissait. Cette astucieuse manœuvre, on devrait dire cette farce, lui a valu chez ses camarades une immédiate popularité...

Malgré les conseils d'Étienne et les rebuffades qu'elle a subies, Gabrielle persiste dans son désir de poursuivre une carrière de chanteuse. Mais quelle sorte de chanteuse ? Car les « emplois » des artistes sont alors nettement définis dans ce domaine (comme ils le sont au théâtre). Il y a les *romancières* dans une acception, aujourd'hui perdue, d'artiste qui se consacre à la romance sentimentale. Son professeur – on voit qu'elle ne recule pas devant les frais – lui conseille de se présenter comme *gommeuse*. La gommeuse, traditionnellement vêtue d'une robe pailletée très évasée, chante *aussi* mais là n'est peut-être pas l'essentiel dans son emploi. Elle doit en même temps danser, gambiller et virevolter. Dans ces conditions, le public s'apercevra-t-il peut-être moins qu'elle n'a guère de voix. Alors, Gabrielle loue ou achète des tenues coûteuses. Mais les auditions qu'elle passe, notamment à l'Alcazar, ne sont pas convaincantes : sa « maigreur » glace les plus indulgents malgré le charme étrange qui se dégage de sa personne.

— Et Polaire ? objecte-t-elle.

— Oui, mais Polaire avait de la voix, elle !

Gabrielle n'en sort pas...

Vichy. Octobre 1906. Nombre de curistes ont déserté la station. Certaines pensions ont clos leurs volets et les grands marronniers du parc ont pris une teinte rouille un peu mélancolique. À la Grande Grille, l'une des sources encore très fréquentées, on aperçoit parmi l'essaim des donneurs d'eau la menue silhouette de Coco. Elle emplit en souriant les gobelets en verre des clients qui lui précisent la dose prescrite, 40, 25, 30 grammes... On a remarqué son sourire, timide et hardi, et l'élégance naturelle avec laquelle elle porte le tablier blanc qui lui est attribué, tenue dont on ne saurait dire qu'elle flatte toujours celles qui la portent, comme le témoignent les robustes et rougeaudes paysannes qui sont les compagnes de Gabrielle.

Tel est le métier que Coco a dû se résoudre à exercer, une fois épuisée la petite somme qu'elle avait péniblement épargnée en vue de son séjour à Vichy.

À la fin de la saison, lorsque ferment les pavillons des sources, elle doit, déçue, mais sans que l'espoir de devenir chanteuse l'ait vraiment quittée, regagner Moulins.

Entre-temps, Adrienne a quitté cette ville. Elle habite maintenant près de Souvigny, à une douzaine de kilomètres de Moulins, chez une certaine Maud Mazuel. Curieux personnage que cette Maud : corpulente, se déplaçant avec une majestueuse lenteur, tel un vaisseau de fort tonnage entrant dans un port, son large visage, à défaut d'esprit, reflète une sorte de dignité placide qu'accentue sa façon de se vêtir de vastes redingotes. Elle aime se coiffer de fiers chapeaux à la mousquetaire. D'origine modeste et peu favorisée par la nature, elle a néanmoins réussi à trouver un protecteur sans gros moyens, mais d'une constance à toute épreuve. D'où cette villa qu'elle habite, et où elle accueille à la fois, les officiers de Moulins, les fils de famille, les hobereaux du voisinage et de séduisantes jeunes femmes qui n'appartiennent pas toujours au meilleur monde... Mais ce sont elles qui assurent le succès de ces goûters qu'elle organise dans le grand salon de sa demeure ou le petit parc clos de murs qui lui est attenant. Et si la charmante Adrienne loge chez Maud, c'est parce qu'elle est le plus bel ornement de ces rencontres qu'elle sait mettre au point. Marieuse de province, chaperon, duègne, confesseuse, Maud est tout cela à la fois ou successivement. On l'imagine sans trop de scrupules. Dotée d'un cynisme à toute épreuve, elle le masque adroitement sous les apparences d'une femme qui sait se montrer indulgente aux faiblesses d'autrui. N'oubliant jamais ses intérêts, elle sait rappeler aux personnes qu'elle a rapprochées le rôle décisif qu'elle a joué dans leur bonheur et les compensations qu'elle est en droit d'en attendre.

De son côté, Gabrielle, qui a retrouvé Moulins, ses clientes, et vit modestement de ses travaux de couture, répond le plus souvent possible aux invitations de Maud, ce qui lui donne l'occasion de revoir sa chère Adrienne. Nourrit-elle l'espoir, comme les autres jeunes femmes qu'elle rencontre là-bas, de se « caser », de faire une fin à défaut de pouvoir entamer une véritable carrière de chanteuse ? Il ne semble pas qu'elle s'y résigne déjà. Elle a vingt-quatre ans à peine et n'est pas de celles qui renoncent. Naturellement, elle continue à fréquenter les jeunes officiers qui lui ont fait fête et on l'aperçoit souvent l'après-midi, sur le coup de cinq heures, en train de déguster pâtisseries, thé ou chocolat avec sa petite bande d'admirateurs aux Délices, le salon de thé qui vient de s'ouvrir au cœur de la ville. Parmi ceux qui l'entourent, on retrouve Étienne Balsan, qui n'a pas encore achevé son temps à Moulins. Malgré l'insistance de Coco, Étienne refuse de l'accompagner aux goûters de Maud. La jugeant aussi dépourvue d'esprit que de charme, il la compare à une grosse dinde, tout à fait à point pour le réveillon de Noël. À la joie générale, il imite sa démarche et singe à la perfection ses grotesques minauderies... Enfin il trouve qu'il règne chez Maud une atmosphère parfaitement ennuyeuse et guindée en accord total avec le style compassé de la maîtresse de maison.

— On s'y rase gratis ! affirme-t-il.

Tout cela ne décourage nullement Coco qui tient à retrouver là-bas son Adrienne, et estime qu'Étienne exagère... D'ailleurs, Maud emmène souvent sa petite bande d'invités à l'hippodrome de Moulins ou à celui de Vichy, où elle ne peut que rencontrer Étienne dont le goût pour les chevaux est presque obsessionnel...

Les photographies de l'époque représentant Maud, Adrienne et Gabrielle aux courses, ne manquent pas. Maud, imposante, le jabot majestueux comme le réclament les fonctions quasi officielles qu'elle s'attribue, s'est placée d'autorité entre les deux jeunes femmes qu'elle domine de toute sa taille et surpasse encore plus nettement par sa largeur. Son rôle tutélaire semble lui être imposé par la vastitude même de sa personne... Ses charmantes protégées n'en paraissent que d'une beauté plus délicate. Toutes deux portent des tailleurs et des parures qu'elles se sont fabriqués de leurs propres mains. Mais leurs choix vestimentaires trahissent clairement les différences de leurs natures. Alors qu'Adrienne s'habille de façon strictement conforme à la mode de son temps et arbore un large jabot de dentelles, Coco, de son côté, porte déjà ce petit col blanc qui sera plus tard typique du style de la rue Cambon et contraste, par son heureuse simplicité, avec les goûts de la Belle Époque. De même, aucun rapport entre la capeline blanche hardiment balancée sur le côté dont se coiffe Coco et le chapeau très surchargé dont se pare Adrienne.

À force d'assister aux courses, Gabrielle qui initialement n'éprouvait qu'un intérêt très limité pour l'art équestre, finit sous l'influence d'Étienne par nuancer son jugement, puis par changer complètement d'avis. Hier, les chevaux n'étaient pour elle qu'un moyen de locomotion qu'elle n'appréciait pas particulièrement. On se souvient que son père l'a conduite à cheval à Obazine. Maintenant, au contraire, elle aime chez eux l'élégance souveraine de leur démarche, cette façon qu'ils ont de jeter leurs jambes en avant lorsqu'ils galopent, la fierté de leur maintien, la finesse de leurs attaches, la douceur triste de leur regard. Il est vrai que ces pur-sang n'ont rien de commun avec ces percherons de labour qui, le soir, à Courpière, regagnaient, lents et fourbus, leurs écuries, ou avec la pauvre bête qui, par tous les temps, trop souvent accablée de coups, tirait jadis la guimbarde paternelle.

Ainsi, elle ne le juge pas si ridicule, ce marquis de B*** dont Étienne lui a raconté la curieuse histoire. Cet homme, que sa famille avait fini par faire interner, était authentiquement amoureux de sa jument et lui susurrait à l'oreille une foule de mots d'amour.

Désormais, Coco admire aussi les merveilleux petits jockeys à la culotte blanche et à la casaque de soie que l'on hisse sur leurs selles. Et puis tout le rituel initial qui dramatise et poétise le spectacle : la cloche, le pesage, la barrière fatidique des 55 kg, le fanion du starter puis les jockeys, couchés sur leur monture, étranges couples presque irréels à force de vitesse... la tension qui monte dans le public... pour Coco, c'est une véritable fête qui l'arrache à son existence étriquée.

Seule ombre au tableau : il ne lui est pas possible de se rendre au pesage auquel assistent les propriétaires, leurs femmes et leurs amis. Sa condition sociale l'en empêche. Il n'est pas question que la famille d'un de ces messieurs aperçoive leur progéniture en compagnie de ces filles qu'on n'épouse pas mais qui – dit-on – font tout pour parvenir au mariage avec un fils de famille riche ou titré, voire les deux. Phobie des mères, même si leur existence est parfaitement irréprochable, elles sont vite qualifiées d'irrégulières, de grues, de poules, de dégrafées ou d'horizontales... La richesse et l'expressivité du vocabulaire qui leur est consacré sont à la mesure de la terreur qu'inspire une possible mésalliance.

Malgré tout, les jeunes aristocrates n'hésitent pas à jouer avec le feu. Les mises en garde de leurs familles ne font qu'exciter leur convoitise, et les poussent irrésistiblement à vouloir goûter aux fruits les plus défendus. Ainsi Adrienne est-elle assiégée à la fois par l'extravagant comte de Beynac, son ami le marquis de Jamilhac, et l'un de leurs jeunes protégés. Elle n'épousera aucun de ces messieurs, mais des années plus tard, elle deviendra la femme légitime du baron de Nexon dont elle était amoureuse depuis 1908.

Tel ne sera pas le destin de Gabrielle qui, on le sait, restera toute sa vie célibataire. Pourtant elle ne manque pas d'atouts. Avec son « je ne sais quoi » qui trahit en elle une sorte d'ardeur mal maîtrisée, elle est un peu « à part »... Elle l'est aussi par une drôlerie, un esprit et une causticité qui jaillissent de façon totalement imprévisible et qu'on est peu habitué à rencontrer chez les autres jeunes femmes. Alors que celles-ci rassurent, on conçoit que Gabrielle puisse, au contraire, décontenancer, voire inquiéter...

C'est précisément cette personnalité hors du commun qu'apprécie Étienne Balsan. Il l'a montré d'ailleurs à l'occasion du séjour de Gabrielle à Vichy : bien qu'opposé à ses projets, il lui a rendu nombre de menus services...

Balsan cependant va bientôt quitter Moulins : son temps de service est achevé. Deux ou trois ans auparavant, son père, puis sa mère sont morts. Le voici, avec ses frères Robert et Jacques, héritier d'une fortune considérable, comportant entre autres les usines de Châteauroux. Qui va les diriger, à présent ? Comme Robert ne demande pas mieux que d'assurer leur gestion, Étienne n'aura pas à se charger de ce qu'il considère comme une corvée. Jacques se félicite, lui aussi, de cette situation. À l'instar d'Étienne, c'est un authentique *sportsman* : féru d'aéronautique, il bat en 1900 un record en passant trente-cinq heures dans la nacelle de son ballon, le *Saint-Louis*. Il participe, la même année, à la course Paris-Saint-Pétersbourg. Comme beaucoup de fils de famille fortunés, il est également passionné par l'aviation naissante : c'est un grand pilote. Enfin, il n'est peut-être pas exagéré de dire qu'on lui devra la victoire de la Marne. C'est lui en effet qui, quelques années plus tard, en septembre 1914, patrouillant seul aux commandes de son *Morane* dans la région nord de Paris, repère l'imprudente manœuvre, de l'armée de von Kluck : au lieu de foncer droit sur Paris dont elle n'est qu'à 17 kilomètres, elle se dirige vers l'est et présente ainsi son flanc à une éventuelle contre-attaque française. À peine à terre, Jacques Balsan se précipite directement chez le gouverneur militaire de la capitale, Gallieni, qu'il connaît personnellement et l'informe de cette situation. On connaît le reste, les taxis rouges, la victoire inespérée, Paris et la France sauvés...

Pour en revenir à Étienne, décidé lui aussi à vivre comme il l'entend, il se livre tout entier à sa passion des chevaux. Il fréquente déjà dans l'Oise le terrain d'entraînement de Lacroix-Saint-Ouen, à la lisière ouest de la forêt de Compiègne, qui possède l'avantage d'être proche de Chantilly, connu dans le monde entier par ses courses et par ses élevages de yearlings. En 1904, il apprend que très près de Compiègne, la veuve d'un entraîneur met en vente une belle propriété du nom de Royallieu. Elle comporte des hectares de prés et de bois – tout ce qui convient à ses chevaux. Il l'achète immédiatement. À l'origine, c'était un monastère fondé en 1303, où venait prier Philippe le Bel – d'où son nom. Plus tard, au XVIIe siècle, il avait été occupé par des bénédictines de l'ordre de Saint-Jean-du-Bois qui en avaient été chassées par la Révolution.

La partie la plus ancienne du monastère est, en 1907, le superbe porche à voûte romane, fermé par un massif portail de chêne et flanqué de bâtiments couverts de vigne vierge. Derrière, on découvre le vaste parc planté d'arbres séculaires au fond duquel on trouve l'édifice conventuel. Remanié au XVIIe siècle, il est coiffé d'une toiture à la Mansart, à brisis d'ardoises qui lui donne beaucoup d'élégance. De très hautes fenêtres à petits carreaux Louis XIII en éclairent les nombreuses pièces, qui ont conservé toutes leurs boiseries. Royallieu n'était pas en très bon état lorsqu'Étienne en fait l'acquisition mais, décidé à y passer le reste de son existence, il n'a pas lésiné sur les moyens. Des dizaines d'artisans et d'ouvriers se sont employés à restaurer la propriété et à la doter d'un confort qui manquait cruellement. Il fait installer de nombreuses et luxueuses salles de bains à une époque où l'hygiène n'était pas un souci prépondérant, même dans les couches supérieures de la société, si l'on en croit la célèbre boutade de la comtesse de Pange : « On ne se lavait jamais[1]. »

Bien entendu, Étienne n'oublie pas ce qui est pour lui l'essentiel : l'agrandissement des écuries, l'aug-

---

1. *Comment j'ai vu 1900*, Éditions Grasset.

mentation du nombre des stalles. Il compte, en effet, élever plusieurs dizaines de chevaux et même fonder un haras. Il choisit soigneusement et engage les meilleurs garçons d'écurie, les lads les plus expérimentés.

Désormais, tous les espoirs lui sont permis : à lui la participation au Grand National de Liverpool, ou au cross de Pau.

Un jour, à Vichy, Étienne invite Coco à une séance d'entraînement. Laissons-la évoquer elle-même les impressions qu'elle ressentait alors :

« Nous prîmes rendez-vous pour le lendemain. Après l'Allier, au-delà de la passerelle, je descendis dans les prés et me trouvai devant les boxes. On respirait une bonne odeur d'eau remuée. On entendait mugir le barrage. La ligne droite, fraîchement coupée s'étendait, parallèle à la rivière ; sable, barrières blanches et, au fond, les monts du Bourbonnais. Le soleil dorait la côte de Gannat. Les jockeys et les lads se suivaient, au pas, genoux au menton.

— Quelle belle vie, soupirai-je.

— C'est la mienne toute l'année, répond Étienne. Ce pourrait être la vôtre. »

Gabrielle fait mine de ne pas entendre, mais l'idée d'en finir avec l'existence médiocre qu'elle est contrainte de mener fait peu à peu son chemin... Certes, elle n'est pas amoureuse d'Étienne. Il ne ressemble en rien aux héros des feuilletons populaires dont son adolescence s'est gavée, à ces irrésistibles séducteurs dont les portraits coloriés ornent la couverture des romans à quatre sous qu'elle persiste à lire. Mais il n'est pas commun, loin de là. Boute-en-train, toujours de bonne humeur, adoré de ses amis, c'est aussi un charmant camarade. Comme elle, c'est un être à part... Alors, pourquoi pas ?

Un jour elle se jette à l'eau :

— Tu n'as pas besoin d'une élève ? lui lance-t-elle tout à trac, comme si elle regrettait déjà la hardiesse de son propos.

Cette spontanéité, loin de choquer Étienne, le ravit. Il éclate de rire... Il fera d'elle une cavalière... Il est sûr de son talent. Cela se voit tout de suite ces choses-là !

La perspective de faire vivre à Royallieu une petite camarade aussi jolie, aussi amusante, aussi singulière que Coco, de l'introduire dans sa petite bande l'a immédiatement séduit. Elle contribuera à l'animation de la vie un peu austère qu'il mène là-bas, participera aux farces qu'il aime monter. Et puisqu'elle aime le cheval, elle n'introduira aucune dissonance dans le petit monde qu'il a rassemblé autour de lui dans une même passion.

4

Royallieu ou le pied
à l'étrier

Gare de Compiègne, un soir de 1907. La « petite Coco », comme l'appelle Étienne, descend de son wagon de troisième classe. Elle n'a qu'un mince bagage. Sa garde-robe se limite à un tailleur en alpaga pour l'été, un autre de cheviotte pour l'hiver, et sa « peau de bique », comme elle dit. Son hôte est venu la chercher et il l'emmène à Royallieu dans son tilbury.

Lorsqu'elle arrive devant l'imposant porche de l'abbaye, c'est l'émerveillement... Quel contraste avec les masures qui depuis sa plus tendre enfance l'ont abritée ! Elle découvre l'entrée du bâtiment principal, avec son grand escalier, sa belle rampe du XVIIᵉ siècle en fer forgé, et le portrait de la première abbesse de Royallieu, Mme de Laubespine.

— Elle s'appelle Gabrielle, exactement comme toi, remarque Étienne en riant.

Ce n'est pas pour autant qu'il lui réserve la plus belle chambre, celle de l'abbesse. Mais elle dispose d'une magnifique pièce, élégamment décorée et meublée. Les chandeliers d'argent, les tableaux anciens... tout cela impressionne vivement la jeune femme. Et que dire de sa stupéfaction lorsqu'Étienne ouvre la porte de la magnifique salle de bains qui lui est destinée, elle pour qui la seule présence d'une cuvette et d'un broc était déjà le symbole du luxe ?

Sans qu'il soit ici question de pénétrer des secrets d'alcôve, on peut s'interroger sur la nature exacte des relations qui unissent Gabrielle à son hôte. On l'a vu, elle le considère comme un excellent camarade et, plus tard, elle en parlera toujours dans ces termes, précisant qu'elle ne l'avait jamais « aimé ». De son côté Étienne, des dizaines d'années après, ne parlera jamais d'elle comme de sa maîtresse. On peut penser qu'elle ne l'était pas avant qu'il ne l'installât à Royallieu. Mais par la suite, dans le milieu très libre où elle vivait, il est peu vraisemblable que leurs relations soient restées platoniques, même si elles ne s'accompagnaient pas d'authentiques sentiments amoureux. Leur liaison s'était nouée d'une façon toute simple et sans vaines complications. N'était-on pas entre sportifs ? Au reste Étienne, joyeux et riche célibataire, avait collectionné les maîtresses et n'accordait pas à ces aventures plus d'importance qu'elles n'en méritaient. Mais en Gabrielle, il a trouvé une jolie jeune femme à la personnalité singulière, divertissante par le piquant de ses réflexions et, qui plus est, intéressée par l'équitation, vertu essentielle à ses yeux.

D'ailleurs, il ne demande pas à Coco de se muer en maîtresse de maison. Ce serait à ses yeux lui accorder dans sa vie une importance excessive. La jeune femme elle-même ne songe nullement à assumer ces ennuyeuses fonctions. Des années plus tard, Étienne avouera qu'il était stupéfait par le comportement qu'elle manifestait au début de son séjour. À cette époque, elle s'attarde au lit jusqu'à plus de midi. À son chevet, de grands bols de café au lait. Sur le lit, traînent des romans à vingt centimes. C'est une paresse dont il n'a encore jamais vu d'exemples. Pour elle, sans doute, c'est cela la vie de château : plus d'horaires, plus de contraintes matérielles, plus d'insécurité. Elle a assez trimé jusquelà. C'est maintenant une détente de tout son être...

À peine levée cependant, il lui faut, à l'appel d'une cloche, se rendre à la salle à manger, où elle retrouve les amis de Balsan qui vivent à demeure à Royallieu, ou y font de fréquents séjours. Ce sont tous des gens de cheval, accompagnés la plupart du temps de leurs maîtresses. Ainsi, le baron Foy et son « irrégulière » (soigneusement cachée à sa famille), la jolie Suzanne Orlandi, Maurice Cailleux, un entraîneur avec son amie Mlle Forchemer, le comte Léon de Laborde.

Mais il y a aussi les visiteuses. Ainsi, parfois, franchit le porche avec une sorte de majesté, la superbe calèche vernie d'Émilienne d'Alençon, l'une des « trois grandes », comme on appelle alors les cocottes les plus célèbres, les deux autres étant Liane de Pougy et la belle Otero. Émilienne, née trente-sept ans plus tôt, a débuté sur la scène en présentant au Cirque d'Hiver un numéro de lapins apprivoisés, des lapins blancs aux yeux roses, ornés d'une collerette de papier frisé. Elle a déjà l'air très déluré et un critique lui reproche de « manquer d'inexpérience ».

Un jour, elle reçoit dans sa loge un bouquet d'orchidées d'où s'échappe un bristol : duc Jacques d'Uzès. C'est le début d'une liaison qui fait scandale... Amoureux fou d'Émilienne, fille d'un concierge de la rue des Martyrs, l'héritier d'une des plus nobles familles de France se ruine pour elle[1], si bien que la duchesse, sa mère, se voit contrainte de l'exiler au Congo, loin de la dangereuse courtisane. L'histoire, hélas, finit tristement : le jeune duc contracte en Afrique une mauvaise fièvre qui lui sera fatale.

Là ne s'arrêtent pas les ravages que cause la belle Émilienne : alors qu'aux Folies-Bergère, elle interprète

---

1. Dans *La Dame de chez Maxim's* (1899), Feydeau s'est amusé à créer un personnage de jeune benêt, le petit duc de Valmonté, qui tombe sous le charme de la Môme Crevette. Pour le public de l'époque, l'allusion était limpide.

le rôle d'un petit page qui joue de la guitare, elle séduit le roi Léopold de Belgique qui vient discrètement la rejoindre à Paris dans une petite garçonnière de la rue d'Artois, tandis que des agents « en bourgeois » font les cent pas sur le trottoir opposé...

Étienne Balsan lui-même a vécu une brève aventure avec Émilienne. Mais, contrairement à ses prédécesseurs – et à ses successeurs –, il a réussi à échapper à ses griffes avant qu'elle ait eu le loisir de dévorer ou même d'entamer sa fortune. Cet exploit lui a valu, non seulement l'admiration de tous ses camarades, mais la considération de l'intéressée elle-même et, mieux encore, sa franche amitié. D'où les visites qu'elle rend assez fréquemment à Étienne et son absence totale de jalousie à l'égard de Gabrielle dont elle apprécie l'originalité d'esprit et d'allure.

Quant à Coco, est-elle une femme entretenue ? Pratiquement, oui. Mais dans l'esprit de l'époque, c'est beaucoup moins certain car Étienne ne la traite pas comme telle : pas question qu'il se ruine pour tenter d'en faire la plus élégante de ses contemporaines. Les bijoux ? Il ne lui en offre aucun... Coco ne s'en formalise nullement. Bien au contraire ! Elle refuse tout ce luxe qui, à son avis, la déclasserait. Elle éprouve donc une vive gratitude à l'égard d'Étienne qui ne la traite pas comme ces cocottes ridiculement empanachées qu'exhibent avenue du Bois[1], dans de somptueux attelages, leurs propriétaires en titre. Elle est beaucoup trop orgueilleuse pour accepter ce qui est à ses yeux la pire des humiliations.

Sans éprouver pour l'équitation une passion aussi vive que celle qui anime Étienne et ses amis, Gabrielle est loin de détester ce sport. Et comme à Royallieu,

1. L'actuelle avenue Foch.

toute la vie du petit groupe lui est consacrée, elle veut à tout prix devenir une excellente cavalière. N'est-ce pas le moyen de mener la vie la plus agréable possible ? Et puis, c'est un défi à affronter pour elle qui, depuis quelques années déjà, considère volonté et travail comme les vertus essentielles qui doivent gouverner son existence. Ce n'est pas pour des raisons morales, mais parce que ce sont les seuls moyens efficaces d'« arriver » que tolère son orgueil. Ne devoir rien à personne, ne pas dépendre de qui que ce soit, tel est, tel restera toute sa vie, l'essentiel de son credo.

Les efforts de Coco pour devenir la meilleure cavalière de Royallieu ne peuvent qu'aller droit au cœur d'Étienne. Aussi ne confiera-t-il à nul autre le soin de lui donner des leçons... Et elle en a le plus grand besoin. Malgré ses déclarations initiales, elle ne sait rien. La première fois qu'elle monte, elle enfourche son cheval d'un bond en s'accrochant à la crinière de l'animal qui, décontenancé, part immédiatement au trot, devant les amis hilares...

— Allons, cesse de faire le clown ! commente Étienne qui, prêt à rire de tout, ne tolère pas qu'on plaisante dans ce domaine.

— Tu as besoin d'une amazone[1], ajoute-t-il. En attendant, Suzanne va t'en prêter une.

— Et pourquoi pas un huit-reflets ou même un tricorne ? réplique Coco en riant.

Elle tient absolument à monter comme un homme – à califourchon. Il lui faut alors des bottes de cuir, une culotte de cavalier, lui objecte-t-on. Or la jeune femme a son idée là-dessus : elle est allée traîner dans les écuries, bavarder avec les lads. Elle se sent à l'aise avec ces garçons généralement issus des milieux paysans. Elle s'est aperçue que des jodh-

---

1. Une longue robe de drap plus courte d'un côté et boutonnée jusqu'en haut. Elle se porte alors avec les coiffures évoquées plus bas par Gabrielle.

purs feraient très bien l'affaire. Ils lui éviteraient l'achat d'une paire de ces belles bottes de cuir fauve que portent ses amis. Elles coûtent les yeux de la tête et la forceraient à demander de l'argent à Étienne, ce dont elle a horreur. Elle se rend alors chez un tailleur de Lacroix-Saint-Ouen, qui tient boutique à côté du terrain d'entraînement et travaille surtout pour une clientèle hippique modeste : lads, garçons d'écurie... Elle extrait d'un sac une paire de jodhpurs dont elle a remarqué l'élégance et qu'elle a empruntée à un palefrenier anglais au service d'Étienne.

— Voudriez-vous en confectionner un du même style ? demande-t-elle.

— Il faudrait que votre mari vienne lui-même, madame. Je dois prendre ses mesures...

— Mais c'est pour moi, monsieur !

— Pour vous ? réplique le tailleur, ahuri.

— Parfaitement, pour moi...

— Mais, pour les dames, ça ne se fait pas, dit-il, stupéfait et indigné.

Coco, cependant, sans se laisser impressionner, maintient sa demande et avec une telle autorité dans la voix et le regard que l'homme finit par se résigner. Après tout si cette cliente – une folle sans doute – y tient à tout prix...

Désormais, avec une incroyable énergie, Gabrielle, qui a définitivement cessé de se lever à midi, suit avec application les leçons d'Étienne à qui elle tient absolument à faire plaisir.

Tous les matins, dès l'aube, qu'il pleuve ou qu'il vente, elle conduit en sa compagnie les chevaux à l'entraînement. Elle apprend, à ses côtés, à juger de leur valeur et de celle des jockeys qui les montent. Elle apprend surtout à se tenir correctement en selle, à retenir, comme les tables de la loi, les propos très « cavaliers » d'Étienne lorsqu'il la fait travailler : « Imagine-toi – si tu en es capable – que tu portes une précieuse paire de couilles et qu'il t'est impossible de prendre appui dessus. » Un demi-siècle plus tard, Coco se rappellera encore cette pittoresque formule qu'elle se plaira à évoquer, une lueur d'amusement au coin du regard. Il lui recommandait aussi :

— Par temps pluvieux, surtout ferme un œil ! Comme ça, en cas de projection de boue sur ton visage, il t'en restera un en réserve pour voir ton chemin...

En quelques mois, Coco devient une remarquable cavalière. Ses progrès fulgurants ont vivement impressionné Étienne et ses amis. Douée pour ce sport ? C'est certain, mais surtout acharnée, tenace et orgueilleuse. Elle veut être la meilleure et elle y parvient.

Désormais, elle fait vraiment partie du groupe. Toutefois, si ces messieurs reçoivent à Royallieu la visite d'un membre de leur famille, il est bien entendu que leurs maîtresses ne participeront pas aux repas donnés en l'honneur de l'invité. Balsan et ses amis craignent en effet de choquer, d'inquiéter leurs proches ou de créer des situations pénibles voire des incidents... Certes, ils n'aiment guère agir ainsi, mais comment ne s'inclineraient-ils pas devant certaines conventions sociales contre lesquelles ils ne sont nullement prêts à partir en guerre ?

En pareil cas, Coco et les autres jeunes femmes prennent leurs repas avec les lads et les jockeys. Autres couleuvres qu'ils leur font avaler : sur les hippodromes, tribune des propriétaires et pesage leur sont également interdits. Elles doivent se contenter, comme le tout-venant, de la pelouse déjà piétinée, il leur faut côtoyer une faune interlope : parieurs à la petite semaine, donneurs de tuyaux, bookmakers, escrocs, pickpockets et leurs victimes, bandes de provinciaux ahuris qui semblent tout droit échappés de *La Cagnotte* de Labiche, curieux en famille, benêts de tout style...

Coco ne vit pas toujours très bien cette humiliante situation, même si elle l'a déjà vécue sous d'autres formes, à l'orphelinat d'Obazine ou à l'Institution Notre-Dame. Mais cela ne fait que renforcer sa détermination non pas de se révolter – elle a les pieds sur terre –, mais d'échapper à son sort la tête haute.

La vie du groupe se déroule au rythme des courses, à l'hippodrome de Compiègne, mais surtout à Chantilly, à Longchamp, à Vincennes, à Maisons-Laffitte, au Tremblay, à Auteuil ou à Saint-Cloud. Plusieurs fois par semaine, la petite troupe prend le train de Paris. Dans le compartiment, on plaisante, on discute turf, on commente, *Stud-book* [1] en main, le pedigree des chevaux en compétition. Parfois, c'en est trop pour Gabrielle qui s'ennuie ferme et se demande ce qu'elle fait là... Par bonheur, on joue aussi aux cartes, un plaid écossais étalé sur les genoux faisant office de table de jeu.

De temps à autre, on va plus loin, à Deauville, à Pau, à Nice, car Étienne engage ses chevaux un peu partout.

Quand on reste à Royallieu, la vie se déroule selon un rite toujours respecté. Après le petit déjeuner sur la terrasse ensoleillée, fauteuils et chaises longues d'osier attendent Étienne et ses amis. Ils lisent, en les commentant, *L'Excelsior*, *Le Gaulois* ou *Le Journal*. Les femmes s'intéressent plutôt à la chronique mondaine ou à celle de la mode. On y apprend par exemple que « la baronne de X est habillée d'une robe du soir en brocart souple, rose, lamé or, drapée devant et relevée sur des petits pieds chaussés de drap d'or », ou que Mme S. porte un « joli manteau

---

1. Registre général des pur-sang dont on sait qu'ils sont tous issus, depuis la fin du XVIIᵉ siècle, de trois étalons orientaux élevés en Angleterre.

de satin dans lequel elle s'enveloppe pour l'auto avec des gestes menus et frileux. Sa nuance est sable. Le col est en rat bleu, une fourrure qui tient à la fois de la zibeline et du vison. Ce manteau rendra de réels services à l'heure où le soleil se couche et où la température, soudain, devient très fraîche. »

Cette littérature fait ricaner Gabrielle... Que d'embarras, que de chichis pour s'habiller ! Son bon sens terrien se révolte. Encore s'agit-il de femmes du monde... mais que dire de l'équipement compliqué des cocottes que *Le Gaulois*, notamment, décrit en détail. Dans ses *Portraits-souvenir*, Jean Cocteau évoque avec une délicieuse ironie ce harnachement qui a découragé plus d'un séducteur : « Armures, écus, carcans, gaines, baleines, ganses, épaulières, jambières, cuissards, gantelets, corselets, licous de perles, boucles de plumes, baudriers de satin, de velours et de gemmes, cottes de mailles, ces chevaliers hérissés de tulles, de rayons et de cils, ces scarabées sacrés ornés de pinces à asperges, ces samouraïs de zibeline et d'hermine, ces cuirassiers du plaisir que harnachaient et caparaçonnaient dès l'aube de robustes soubrettes semblaient, roides en face de leur hôte, ne pouvoir sortir d'une huître que sa perle... L'idée de déshabiller une de ces dames était une entreprise coûteuse qu'il convenait de prévoir à l'avance comme un déménagement. »

Or Émilienne d'Alençon, en moins caricatural sans doute, c'est cela... Gabrielle, pour sa part, refuse absolument d'appartenir à cette catégorie de personnes. D'ailleurs, les tenues que ces femmes portent ne lui vont pas : elle a essayé pourtant, devant le grand miroir de sa chambre, quelques toilettes empruntées à Émilienne. Non ! décidément, ce n'est pas ça. Elle n'a pas le physique, pas assez de seins. La fameuse ligne « S », si prisée par nos aïeux, lui est inaccessible...

Évidemment, il existe toujours la solution du corset complété par un laçage impitoyable de la taille, assuré par une camériste aux bras solides. Car, même si Poiret a voulu alléger cet accessoire, l'époque le considère encore comme indispensable. La seule idée de supporter cet instrument de torture révulse Coco. Un soir, au salon, elle s'amuse à lire d'un ton emphatique cette définition du corset idéal, qu'elle vient de découvrir en feuilletant un numéro du *Gaulois* : « Pour que la silhouette de la femme soit vraiment élégante, il est essentiel que le corset moule artistement la taille. Il doit s'appliquer exactement sur le corps sans exercer de pression sur les organes délicats... ("Quels organes ?" demande-t-elle d'une voix innocente.) Il garde la jeune femme contre la fatigue d'une existence mondaine un peu mouvementée. ("Oh ! oh !" s'écrie Étienne.) Enfin, il protège la jeune fille contre les dangers que la croissance multiplie autour de sa jeune beauté. » (Cette fois, c'est dans l'assistance une tempête de rires.)

Pour sa part, Gabrielle estime qu'une bonne musculature vaut tous les corsets, et cette musculature, elle l'a déjà acquise grâce à l'équitation qu'elle pratique chaque jour. Elle passe des heures en de longues chevauchées, et s'y épuise avec délice dans les futaies de la forêt de Compiègne dont elle connaît tous les layons, tous les recoins, à tel point qu'âgée, elle confiera avec nostalgie à ses amies : « Qu'on m'apporte une branche, une seule branche qui en provienne... j'en reconnaîtrai immédiatement l'odeur. »

Si l'équitation et le turf ne possèdent plus pour Gabrielle le moindre secret, si elle a pu élargir un peu sa connaissance de la société, pénétrer des milieux qu'elle n'avait fait qu'entrevoir, on ne saurait dire qu'elle y ait enrichi sa culture générale. Les sportsmen dont elle est entourée s'intéressent exclusivement à la gent chevaline et à tout ce qui la concerne ; sans doute ont-ils conservé quelques maigres souvenirs de leurs études classiques, mais rien de ce qui leur a été enseigné n'a provoqué chez eux la moindre curiosité pour la littérature en train de s'écrire... ou le théâtre en vogue. Ne parlons même pas de cette avant-garde à laquelle Coco va tant s'intéresser quelques années plus tard. D'ailleurs, ses amis n'ont même pas l'idée, le soir après les courses, d'aller applaudir les pièces de Feydeau qui auraient sans doute fait passer à ces joyeux drilles d'excellents moments de rire. En peinture, en musique, leur indifférence est également sans failles. Renoir, Bonnard, Debussy sont pour eux de parfaits inconnus...

En revanche, rien de ce qui est amusements de société, farces et attrapes, moyens faciles et bon enfant de divertir un petit groupe d'amis ne leur est étranger : lits en portefeuille, pantoufles et mules clouées au parquet des chambres, fausses araignées velues sous les draps, cuillers à café qui fondent et sucres qui ne fondent pas, cigares explosifs noircissant les visages et ne laissant apparaître que le blanc des yeux.

Au fil des mois, Gabrielle s'aperçoit qu'il lui faut, dans certaines circonstances, faire quelques concessions aux usages du milieu où elle vient de pénétrer. La petite sauvage apprend à monter en amazone, ce qui ne lui plaît guère. Car elle déteste ces « selles à fourche », et cette nécessité de replier la jambe gauche qui finit par devenir douloureuse. Et ne parlons pas de ces robes dissymétriques qu'elle ne peut supporter. Mais si elle cesse de monter à califourchon, on se posera moins de questions à son sujet. Pour les autres circonstances de la vie, il lui faut trouver une tenue qui ne la fasse pas ressembler à un kalmouck, comme on le lui dit, mais pas non plus à une de ces femmes auxquelles elle refuse à tout prix d'être assimilée. Alors, de plus en plus, elle adopte des tenues bleu marine très simples qui rappellent celles des pensionnaires d'institutions religieuses. Et pour les coiffures, elle porte de petits canotiers cerclés d'étroits rubans de gros grain, bien enfoncés sur la tête. D'autre part, elle chipe à Étienne ou à Léon de Laborde chemises d'hommes à col glacé, cravates et longs manteaux de sport à gros boutons de cuir. C'est ainsi qu'on la rencontre dans les hippodromes, juchée sur un banc, suivant à la jumelle les courses successives... Est-il besoin de dire qu'à cette époque, vêtue de la sorte et fréquentant assidûment les hippodromes, elle ne tarde pas à se faire remarquer.

— C'est une excentrique ! dit-on d'abord en haussant les épaules.

Mais chose curieuse, on reconnaît bien souvent, le premier choc passé, que ces étranges tenues lui siéent parfaitement.

Dans sa retraite campagnarde, Gabrielle fabrique ses propres chapeaux qui suscitent l'enthousiasme des amies d'Étienne. Elles ne cessent de les essayer devant tous les miroirs que leur offre Royallieu et supplient Coco de leur en confectionner de semblables. Elle accepte de bonne grâce, refusant d'ailleurs toute idée de rémunération, bien qu'elle doive aller aux Galeries Lafayette acheter diverses fournitures indispensables. Ainsi fabrique-t-elle des coiffures pour Émilienne d'Alençon. Mais les femmes ne sont pas encore vraiment prêtes pour la simplicité dépouillée de ces premières créations et, à son grand désespoir, Coco revoit très vite ses petits canotiers surchargés d'accessoires ridicules : roses de mousseline, aigrettes, couteaux en plumes de perdrix dressés comme une menace contre le ciel, mésanges et chardonnerets, nids d'oiseaux garnis de petits œufs sagement rangés. Bien entendu, pour maintenir fermes sur leur crâne ces ridicules édifices, leurs propriétaires utilisent de longues épingles à chapeau, munies d'une boule de verre ou de métal à leur extrémité. Les mêmes dont les furies hurlantes, adversaires de *Parade*[1], quelques années plus tard, menaceront les yeux du pauvre Cocteau à la fin du spectacle.

Après quelques mois passés à Royallieu, l'état d'esprit de Gabrielle commence à se modifier. L'émerveillement qu'elle a d'abord ressenti en pénétrant dans l'univers de beauté et de luxe que lui a offert Étienne Balsan s'estompe. Il fait place à une mélancolie diffuse. Certes, la sécurité matérielle dont elle bénéficie à présent forme un heureux contraste avec la gêne permanente dont elle a souffert ces dernières années. Finis les sordides calculs auxquels il lui fallait se livrer pour assurer ses fins de mois. Cependant, elle souffre maintenant d'une espèce de vide qui s'est peu à peu creusé en elle : lorsqu'elle se retourne sur son passé, aussi longtemps qu'elle se souvienne, elle a toujours travaillé. Enfant, elle aidait sa mère aux tâches domestiques : allumer le feu et l'alimenter, faire la vaisselle et les lits, laver le sol... À Obazine, comme à l'Institution Notre-Dame, si l'on exceptait les rituelles promenades dominicales, les religieuses prenaient grand soin de former les élèves à mille besognes ménagères. Ne parlons pas des années de couture et des journées de dix ou douze heures de travail, où elle s'usait les yeux à la lueur de mauvaises lampes... Et brusquement, rien, plus rien à faire qui serve à quelque chose et la naissance insidieuse d'une sorte de mauvaise conscience. Mais Étienne et ses amis pourraient-ils comprendre ? « De quoi te plains-tu ? » lui diraient-ils, si elle s'avisait de leur parler de ses problèmes. Sans doute Robert Balsan, le frère d'Étienne, qui a tenu à diriger l'usine de Château-

---

1. « Ballet réaliste » créé le 18 mai 1917 au théâtre du Châtelet par les Ballets russes. Argument de Jean Cocteau, musique d'Erik Satie, décors et costumes de Pablo Picasso.

roux et a certainement besoin d'activité, devrait-il se rendre compte de ce qui manque à Gabrielle... Mais Étienne et Jacques en sont incapables. Si son désir d'activité est trop intense, le sport n'est-il pas là pour combler ce manque et faire disparaître tout vague à l'âme ?

Or Gabrielle ne peut partager cet état d'esprit. Le « Tu gagneras ton pain à la sueur de ton front » semble inscrit au plus profond de son être, transmis à travers des générations de Chanel qui ont trimé toute leur vie.

Par ailleurs, cette vie oisive implique de sa part une dépendance totale, et sa liberté n'est qu'apparence. En fait, condamnée à plaire, elle vit dans une insécurité redoutable : certes, Étienne est un être généreux et bon, mais il n'offre pas les mêmes garanties que le saint d'Obazine qui repose dans sa chasse de Corrèze. Un mot de lui – on ne sait jamais – et la voilà dehors... D'autant plus que Balsan, c'est visible, n'est pas amoureux d'elle. D'ailleurs, si c'était le cas, il favoriserait ses ambitions en matière de chant. Or, il n'en parle même plus. Si Coco est encore à Royallieu, c'est seulement parce qu'elle n'est pas comme tout le monde, parce qu'elle les divertit, lui et ses compagnons. Alors, il la garde... pour le moment du moins. L'épouser ? L'idée ne l'en a jamais effleuré. Elle n'est pas de celles qu'on épouse. Telle est la dure loi de l'époque.

Déçue par son séjour à Royallieu, Coco broie du noir. Elle ne décèle aucune issue à la situation dans laquelle elle s'est mise. Partir ? Mais pour aller où ? et pour faire quoi ? Souvent, elle enfouit son visage dans son oreiller pour sangloter. « J'ai pleuré un an », dira-t-elle plus tard... Les seuls moments heureux sont ceux qu'elle passe à cheval, seule dans la forêt. Parfois, au crépuscule, elle va donner à manger aux daims dont Étienne a peuplé le parc : il y en a une bonne douzaine qui accourent sur la pelouse et qui lui font fête, saisissant avec avidité les morceaux de pain qu'elle a apportés dans une corbeille et leur tend tour à tour. Spectacle idyllique évoquant celui d'une fée bienfaisante qui charme les animaux... Mais en elle-même, quel désarroi !

Un jour, la petite troupe prend le train pour Pau. Étienne et ses amis y sont invités pour participer à une chasse à courre. Ils en profitent pour faire quelques randonnées à cheval dans la région. Naturellement, Coco est du voyage. Elle évoquera plus tard l'hiver doux des Basses-Pyrénées, le bouillonnement des gaves, les prés d'un vert si dense, les habits rouges sous la pluie... Au loin, elle apercevait le vieux château à six tours et les Pyrénées dont la neige tranchait sur le ciel bleu. « Les chevaux de selle, les hunters, les demi-sang, les tarbais tournaient dès le matin autour de la place Royale. J'entends encore sur les pavés le bruit des sabots. »

Mais l'essentiel n'est pas là. Elle fait alors la rencontre d'un Anglais qui va bouleverser sa vie. Elle a lieu au cours d'une de ces randonnées sportives. Tous ces jeunes hommes vivent à cheval dans une atmosphère de gaieté. Il est convenu que le premier d'entre eux qui fait une chute régale toute la troupe de jurançon... Pour Coco, c'est le coup de foudre. Elle le raconte à Paul Morand : « Le garçon était beau, très beau, séduisant. Il était plus que beau, magnifique. J'admirais sa nonchalance, ses yeux verts. Il montait de fiers chevaux et très fort. Je tombai amoureuse de lui[1]. » En somme, les événements se déroulent exactement, du moins au début, comme dans les feuilletons de Pierre Decourcelle qu'elle a dévorés. L'inconnu est le prince charmant qu'elle attendait dans ses rêves...

Cet homme, qui apparaît si soudainement dans sa vie, c'est Arthur Capel – que ses amis surnomment

1. Paul Morand, *L'Allure de Chanel*, Hermann, 1976.

Boy. D'où vient-il ? On ne sait trop et il est lui-même très discret sur ce chapitre. Certains murmurent qu'il serait le fils naturel d'un célèbre banquier, l'un des frères Péreire, à moins que ce ne soit l'un des nombreux bâtards d'Édouard VII. Sa mère ? Il n'en parle jamais... En tout cas, sa famille n'est pas dans la gêne puisqu'elle le fait bénéficier de solides études, dans des collèges huppés : Beaumont, d'abord, dirigé par des jésuites, puis Downside, où l'enseignement des humanités est assuré par des bénédictins. Il a judicieusement placé les quelques fonds dont il a hérité dans les charbonnages de Newcastle, réussissant, alors qu'il n'a qu'une trentaine d'années, à se constituer déjà une belle fortune. L'obscurité de ses origines ne semble pas lui avoir nui dans la haute société. Il fréquente les milieux les plus élégants de Londres, et il est devenu l'un des joueurs de polo les plus estimés – ce qui implique qu'il est aussi un remarquable cavalier.

C'est donc tout naturellement qu'on le retrouve parmi les hôtes de Royallieu où Étienne l'accueille avec beaucoup d'amitié.

Mais comment va-t-il se comporter avec Gabrielle ? Il semble bien que celle-ci n'a pas caché à l'Anglais la passion qu'elle nourrissait pour lui, suggérant qu'elle était prête à quitter Étienne pour vivre en sa compagnie. Or, Capel n'envisage rien de pareil. Certes il éprouve un vif attrait pour la jeune femme mais ce play-boy n'en reste pas moins un gentleman : il a rencontré Coco en compagnie de son ami Étienne dont il est l'hôte. Par conséquent, il ne saurait être question de la lui enlever. Malgré tout, est-ce que, dans la promiscuité de Royallieu, profitant de la liberté de mœurs qui y règne, Boy n'a pas été l'amant de Coco ? C'est probable. Étienne, plus préoccupé de chevaux que de femmes, doit sans doute fermer les yeux sur les petites escapades amoureuses de celle qui est pour lui plus une camarade qu'une maîtresse.

Cette situation se prolonge assez longtemps et cause d'autant moins de problèmes que Boy ne fait que quelques séjours à Royallieu, ses affaires le retenant beaucoup à Newcastle, à Londres, ainsi qu'à Paris où il dispose d'un pied-à-terre.

Pendant ses absences, Coco s'ennuie terriblement. Et puis elle se demande – c'est devenu une obsession – ce que risque d'être son avenir. Au mieux, craint-elle, celui d'une cocotte vieillissante que l'on entretient encore par charité, une cocotte à la retraite en somme. Elle comprend que seul l'argent, un argent qu'elle gagnera, lui permettra le libre choix de l'existence qu'elle entend vivre, au lieu du statut humiliant qui lui est présentement imposé. Il faut qu'elle travaille. Le chant ? Elle sait maintenant qu'elle ne possède pas les dons nécessaires. En revanche, les chapeaux qu'elle s'amuse parfois à confectionner plaisent manifestement à ses amies. Qui sait s'il n'y aurait pas là une possibilité de réussite professionnelle ? Sans doute ne prétend-elle pas égaler la grande Caroline Reboux, mais elle sent bien que, dans ce domaine, il est temps d'innover : les femmes qu'elle aperçoit aux courses portent sur la tête d'« énormes tourtes » (c'est sa propre expression), des monuments de laideur. C'est insupportable. Il faut changer ou plutôt détruire tout cela, en imposant la simplicité. Elle a, on l'a vu, déjà commencé avec ses amies, dont certaines ont été difficiles à convaincre, mais d'autres absolument ravies. Il faut persévérer. Elle est sûre que le moment est venu de concurrencer victorieusement les modistes en vogue, celles du 2e arrondissement, les Carlier, les Lewis, les Talbot, les Marchais... celles qui font la pluie et le beau temps du côté de la rue de la Paix et de l'Opéra...

Alors elle se décide à en parler à Balsan :

— Étienne, ne ris pas ! Je voudrais faire des chapeaux...

— Faire des chapeaux ! mais tu en fabriques déjà, il me semble, fort jolis d'ailleurs.

— Non, tu ne comprends pas ! Je voudrais m'installer à Paris comme modiste...

— Ah ! Cela, c'est autre chose... réplique Étienne dont le regard s'est assombri. Je vais y réfléchir...

Coco explique alors à Étienne qu'elle lui est infiniment reconnaissante de ce qu'il fait pour elle, mais la vie trop oisive qu'elle mène lui pèse... Elle se sent inutile. Ne vit-elle pas à Royallieu en parasite ?

Étienne ne saisit pas très bien les motivations profondes de Coco, sa peur devant un avenir incertain, lui que sa grosse fortune a toujours mis à l'abri de ce genre de sentiment. À ses yeux, elle a tout bêtement besoin de « s'occuper ». Pourquoi pas ? Dans ce cas, il pourrait lui permettre de s'installer dans sa garçonnière du 160 boulevard Malesherbes, un rez-de-chaussée de trois pièces... C'est là qu'il entraînait naguère ses belles amies, mais il ne l'utilise pratiquement plus. L'idée que Coco fabriquera peut-être des chapeaux pour quelques-unes d'entre elles lui paraît singulièrement piquante...

De son côté, Boy, que Coco a bien entendu mis au courant, l'incite à tenter l'aventure. Plus intuitif que son ami, il commence à comprendre que la jeune femme désire, non pas « s'occuper », meubler ses loisirs, mais devenir elle-même, exister au plein sens du terme, et se mettre à l'abri du besoin... Par ailleurs, le pied-à-terre de l'Anglais, par le plus grand des hasards, se trouve, lui aussi, boulevard Malesherbes, à cent cinquante mètres du futur atelier de la modiste, au numéro 138... Il est permis de penser que cette circonstance n'a fait que renforcer sa décision d'appuyer les efforts de Gabrielle...

Au printemps 1909, la voici à Paris. Elle se rend vite compte que, si pour la conception proprement dite du chapeau elle n'a besoin de personne, il lui faut cependant l'aide technique d'une professionnelle : ce sera Lucienne Rabaté, une jeune modiste très douée qui travaille chez Lewis comme « petite première ». Elle parvient à la convaincre de quitter cette célèbre maison pour venir chez elle... Quelle énergie, quelle force de persuasion, quelle autorité ne faut-il pas à Gabrielle, à cette jeune femme de vingt-cinq ans, simple débutante dans ce métier, pour parvenir à ce résultat ! Mais c'est là un des secrets de sa future réussite, et ce talent, elle aura maintes fois l'occasion de l'exercer. Elle fait venir aussi auprès d'elle sa petite sœur Antoinette, vingt-deux ans, pour recevoir les clientes. Et pourquoi pas Adrienne ? Celle-ci est retenue dans l'Allier par sa passion pour un jeune châtelain, Maurice de Nexon, qu'elle fréquente contre le gré de sa famille, farouchement opposée à une union avec la fille d'un forain. C'est seulement après vingt ans d'attente qu'elle pourra enfin épouser l'homme de sa vie. Quant à Julia Chanel, l'aînée, mariée et mère d'un enfant, il n'est pas question non plus qu'elle puisse venir seconder Coco à Paris.

Reste à faire venir la clientèle. Ce sera moins difficile que Coco se l'est imaginé et son audace se révélera payante : apprenant que la « petite Coco » tient boutique à Paris, les jolies amies des cavaliers de Royallieu affluent. Excitées par la perspective de n'être pas chapeautées comme tout le monde, par cette excentricité que constituent à leurs yeux la rigueur, le dépouillement de ces coiffures en cette époque de surcharge ornementale, elles accourent. Que l'irrégulière de Balsan se mette à travailler, alors qu'elle pourrait continuer à couler des jours paisibles aux frais de son entreteneur, leur paraît le comble du chic. Même le choix du quartier Malesherbes, où jamais une modiste qui compte n'aurait l'idée de s'installer, contribue à aiguiser leur curiosité. Du coup, Lucienne Rabaté, submergée de travail, débauche de chez Lewis ses deux meilleures ouvrières. L'appartement-atelier devenant trop exigu pour y loger Antoinette, les amis d'Étienne venus au secours de la petite sœur de Coco lui dénichent un minuscule rez-de-chaussée dans le quartier, 8 avenue du Parc-Monceau. Quant à Gabrielle, elle fait chaque jour la navette entre Compiègne et Paris, ce qui lui permet de garder le contact avec Étienne. Par l'effet du bouche à oreille, la clientèle s'accroît encore...

Au bout d'un an, Coco sent qu'il lui faut quitter son travail en chambre, son commerce quasi clandestin pour avoir pignon sur rue, et louer une boutique à son nom, ce nom qu'elle entend illustrer. Et cela dans un quartier qui ne fasse plus douter de son sérieux, entre la rue Royale et l'Opéra, par exemple. Fini le temps de l'amateurisme ! Cette nouvelle adresse l'autorisera à pratiquer des prix beaucoup plus élevés, ce qui est indispensable, elle l'a vite compris, si elle veut plus tard faire partie des « grandes » de la capitale.

Pour ce faire, il lui faut des fonds importants. Alors, elle cherche à les emprunter à Étienne. Mais celui-ci, qui a bien voulu prêter sa garçonnière à Coco pour qu'elle puisse « s'occuper » et satisfaire à son caprice, n'a jamais imaginé qu'elle se prendrait au sérieux. Cette fois, il ne joue plus. Au demeurant, que va-t-on penser dans le monde si sa petite protégée travaille réellement ? Qu'il ne peut plus l'entretenir ? Ou pis encore, qu'il est trop avare pour le faire et que là pauvre fille est, par sa faute, contrainte de gagner sa vie ? On en fera des gorges chaudes...

Il ne lui prêtera pas un centime. Au reste, il préfère consacrer son argent à sa passion des chevaux qui, à la vérité, lui coûte cher. Coco insiste. Il ne veut rien savoir. En revanche, Boy qui initialement n'était pas loin de partager l'opinion d'Étienne, prend le parti de Coco avec une telle chaleur que son hôte commence à comprendre :

— Ma parole ! tu es amoureux d'elle !

Certes, il n'ignorait pas que Boy était aussi l'amant de la jeune femme et il n'y voyait guère d'inconvénients, mais la situation est cette fois bien différente. Par une réaction très classique, Coco prend soudain à ses yeux une importance dont elle ne bénéficiait pas jusque-là. Il a remarqué que Gabrielle revient de moins en moins souvent dormir à Royallieu... Parbleu, c'est parce qu'elle passe la nuit chez Capel... elle n'a qu'un saut à faire pour aller le retrouver. Serait-il jaloux ? Ce serait trop bête.

Plus tard, Coco, faisant allusion à ces moments-là, racontera à Paul Morand qu'il y eut alors entre eux trois des pleurs et des disputes à n'en plus finir. Cette vision romanesque des choses semble avoir été imaginée par la fervente amatrice de feuilletons qu'elle n'a jamais cessé d'être. En fait, on est entre hommes bien élevés, entre *gentlemen*, et aussi entre gens raisonnables. Étienne comprend vite qu'il serait stupide de sa part de s'opposer aux sentiments authentiques qui unissent Boy à Coco. Selon les déclarations de Balsan, il aurait dit à Capel en substance :

— Elle te plaît vraiment ?

— Ma foi... oui !

— Elle est à toi, mon cher !

Et pour sceller cet accord, Étienne aurait sonné son majordome pour lui demander du champagne.

Il est permis de penser que les choses se sont passées d'une façon moins directe.

Comme il n'est pas mesquin, Étienne continue naturellement à prêter sa garçonnière à Coco. Mais c'est Boy qui, à l'automne 1910, se charge de lui ouvrir à sa banque un crédit grâce auquel elle loue, pour y installer ses ateliers, un grand appartement au premier étage du 21 rue Cambon, voie parallèle à la rue Royale. À côté de la porte, une plaque porte l'inscription *Chanel modes*. Cette rue Cambon longe l'arrière de l'hôtel Ritz. Hélas, ce n'est pas avec Lucienne Rabaté qu'elle s'y installe : celle-ci, en effet, n'a pu supporter l'autoritarisme souvent maladroit de Gabrielle qui, selon elle, ne tient pas suffisamment compte de ses suggestions et de son expérience de la clientèle. Deux ans après, la « première » passe au service de la maison Caroline Reboux dont elle sera plus tard l'efficace directrice.

Malgré le départ de Lucienne, le succès de Coco ne se dément pas. Les amies de Boy, qui a ses entrées partout, deviennent ses clientes. Capel et elle-même passent fréquemment le week-end à Royallieu, y retrouvant Étienne lequel, visiblement, regrette l'époque où Gabrielle vivait sous son toit. Il jalouse l'Anglais, sans le laisser jamais paraître.

À Paris, celui-ci, très amoureux de Coco, a loué pour eux avenue Gabriel un agréable appartement qui donne sur les marronniers du jardin des Champs-Élysées. Le couple le décore luxueusement de paravents de Coromandel, aux laques noires brodées d'or. Durant toute son existence, Gabrielle ne pourra se passer de ces meubles (elle en aura jusqu'à trente-deux). Elle les disposera dans tous ses logis successifs – ainsi qu'on le faisait au Moyen Âge avec les tapisseries –, sans doute comme un rappel de son premier amour[1].

Avenue Gabriel, elle apprend à mieux connaître un Boy qui est très différent d'Étienne, même si tous deux sont des sportifs. Boy est aussi flegmatique que son ami est exubérant, aussi attaché à une élégance discrète qu'Étienne est peu préoccupé par sa tenue. Et puis, à l'inverse de Balsan, Capel adore lire... Ses lectures sont très disparates : aussi bien Nietzsche que Voltaire ou Proudhon, les pères de l'Église que les *Essais politiques* d'Herbert Spencer.

1. On peut encore en voir, actuellement, dans son appartement de la rue Cambon.

Mais, esprit original et curieux, il lui arrive aussi de se plonger dans des ouvrages bizarres, productions de quelques esprits chimériques ou illuminés. Il donnera même dans la théosophie. Quelques années plus tard, il se mettra à écrire et publiera à Londres un volume de réflexions politiques. Parce qu'ils impliquent une culture qu'elle n'a pas, Boy ne peut guère s'entretenir avec Coco de sujets qui lui passent par-dessus la tête. Et c'est en vain qu'il prétend, non sans quelque naïveté, lui faire lire les *Mémoires* de Sully. Mais il ne lui en tient nulle rigueur. Il a tôt fait de comprendre que, si elle ne sait guère tout ce qui s'apprend, elle connaît à merveille tout ce qui ne s'apprend pas, forme d'intelligence supérieure qu'il est loin de posséder au même degré.

Il n'empêche ! Coco admire que le champion de polo soit aussi un « intellectuel ». Elle est également impressionnée par ses talents d'homme d'affaires, sa capacité de travail, son aptitude à prendre des décisions rapides. Elle aime surtout cette ambition acharnée qui, comme la sienne, est une volonté de revanche sur un passé qu'on préfère oublier. « À trente ans, à l'âge où les jeunes gens dilapident leur fortune, Boy Capel avait déjà fait la sienne, dans les frets charbonniers », dira-t-elle.

Dans cette liaison, l'attrait physique qu'il a tout de suite exercé sur Gabrielle joue un rôle capital. Ce bel homme aux cheveux d'un noir de jais, épais et drus, aux yeux verts, à la mâchoire volontaire et à l'autorité tranquille, la subjugue. Sa nonchalance distinguée, son accent même... tout lui plaît.

Écoutons-la nous dire elle-même ce dont elle allait lui être le plus reconnaissante : « Il fut la plus grande chance de ma vie : j'avais rencontré un être qui ne me démoralisait pas (.....) il a su développer en moi ce qui était unique aux dépens du reste[1]. »

---

1. Paul Morand, *op. cit.*

Et c'est très consciemment d'ailleurs que Boy agit de la sorte : lorsque Gabrielle s'installe rue Cambon, il lui adjoint pour l'aider une professionnelle de la mode, Mlle de Saint-Pons, avec cette unique recommandation : tout faire pour son agrément, « pourvu qu'elle ne change pas ». Quelle plus belle preuve d'amour mais aussi de respect et de confiance une femme peut-elle souhaiter ? Il veut qu'elle ait foi en elle et brise tous les obstacles intérieurs qui peuvent l'empêcher d'assumer son identité.

C'est aussi dans cet esprit que Boy s'oppose souvent à ce qu'elle fréquente trop ses amis :

— Mais pourquoi ?

— Ils t'abîmeraient...

Cela ne l'empêche pas d'emmener exceptionnellement Coco dîner chez Maxim's, mais, d'une façon générale, « nous ne sortions jamais ensemble », dit-elle. C'est que Boy, l'époque est ainsi, ne peut se permettre de la présenter aux gens du monde.

Pendant plusieurs mois, Coco, tout à l'ivresse de cette sorte de lune de miel qu'elle vit, préfère rester le plus possible le soir avenue Gabriel, sans chercher à sortir, ce qui convient parfaitement à son côté « femme de harem », comme elle le dit. Ces habitudes casanières arrangent bien Capel, étant donné les mœurs du temps.

Rue Cambon, le commerce de Gabrielle est de plus en plus florissant, du moins à ce qu'elle s'imagine, car elle va bientôt, stupéfaite, mesurer l'étendue de son ignorance des affaires. Boy, en lui ouvrant un compte, lui a fait établir un carnet de chèques.

— Quand tu veux de l'argent, tu vois, c'est très simple : tu inscris la somme ici, et tu signes là...

En effet, c'est très simple, tellement simple qu'elle dépense sans compter, elle multiplie les achats de Coromandel, elle s'empare des plus beaux qu'elle trouve. Mais qu'importe, puisque ses affaires marchent très bien et qu'elle est riche.

— Ils sont coûteux, tu sais, confie-t-elle à Boy.

— Oh ! je le sais, hier encore la Lloyds m'a téléphoné pour me signaler que tu tirais un peu fort sur elle... Mais ce n'est pas grave.

— La banque t'a téléphoné ? Et pourquoi pas à moi ? Je dépends donc de toi ?

Ce que Capel n'a pas voulu lui dire, par délicatesse, mais aussi pour qu'elle reste elle-même et ne se transforme pas en femme d'affaires ou en machine à calculer, c'est qu'il a déposé des titres en garantie à la Lloyds. Et cela afin que Coco dispose des fonds nécessaires au démarrage de son entreprise. Mais pour le moment, l'argent qu'elle a retiré est évidemment de l'argent emprunté – grâce à la caution de Boy – et pas du tout gagné par elle comme elle se l'imagine.

Ces révélations atterrent la jeune femme. Il les lui fait au moment où il l'emmène dîner à Saint-Germain-en-Laye, au pavillon Henry-IV. Inutile de dire qu'elles coupent l'appétit de Coco. Elle s'enfonce dans la forêt, marchant droit devant elle, jusqu'à l'épuisement, suivie à grand-peine par Boy qui, tout sportif qu'il est, déteste la marche... Le couple rentre à Paris, monte à l'appartement, avenue Gabriel. « Je jetai les yeux, confie-t-elle à Paul Morand[1], sur les jolis objets achetés avec ce que je croyais être mon bénéfice. Alors tout cela était payé par lui ! Je vivais à ses crochets ! Je me pris à haïr cet homme bien élevé qui payait pour moi. Je lui jetai mon sac en pleine figure et m'enfuis. »

Son compagnon la poursuit dans l'avenue, puis place de la Concorde, sous une pluie battante.

— Coco ! Tu es folle ! Allons ! Sois raisonnable !

Il finit par la rattraper sous les arcades de la rue de Rivoli, devant la librairie Smith. Elle sanglote,

---

1. Paul Morand, *op. cit.*

ruisselante de pluie, les cheveux défaits, collés sur le visage...

Il la ramène à la maison. La blessure faite à son amour-propre devenant un peu moins douloureuse, il parvient à l'emmener souper... très tard...

— Tu es orgueilleuse, lui dit Boy, l'air soucieux, tu n'as pas fini de souffrir...

Le lendemain, à la première heure, elle arrive rue Cambon :

— Angèle, dit-elle à sa « première », le regard dur, je ne suis pas ici pour m'amuser, pour dépenser à tort et à travers. Je suis ici *pour faire fortune*. Dorénavant, personne n'engagera un centime sans m'en référer.

Elle se fait apporter par Mlle Saint-Pons les livres de comptes que, par discrétion et pour faire plaisir à Capel, on ne lui a jamais présentés. Elle ignore tout ce qui est investissement, amortissement, prix de revient, chiffre d'affaires, profit ou bénéfice... Mais elle aura vite fait de rattraper son retard, même si, par coquetterie, elle répétera toute sa vie qu'elle n'a jamais su compter... Mais, à dater de ce jour, c'en est fini à jamais de son insouciance...

Rapidement, la rigueur toute nouvelle de sa gestion porte ses fruits. Un an plus tard, la caution apportée par Capel est devenue inutile et il peut retirer les valeurs qu'il avait données en garantie. Les bénéfices engrangés par *Chanel modes* ont suffi.

D'autant plus, d'ailleurs, que le mouvement de curiosité suscité au début par la petite modiste du boulevard Malesherbes s'est encore amplifié. On commence à parler d'elle dans les tribunes et les pesages des champs de courses... Un jour, elle reçoit la visite d'une grande dame qui lui avoue sans ambages :

— Je suis venue pour vous voir.

Or, plus on veut la voir, plus Coco se dérobe. Elle qui a passé tant d'années loin du monde, et surtout de ce monde-là, en a gardé un caractère passablement farouche. Elle ne peut supporter de se sentir le point de mire d'une foule d'inconnus. Elle est comme paralysée. Alors elle se cache... Si elle apprend qu'une cliente insiste trop pour la voir, saisie de panique, faute de pouvoir rentrer sous terre, elle s'engouffre dans un placard comme un héros de vaudeville, tout en disant à sa première :

— Allez-y, Angèle !

Chose curieuse, cette fille de forain – quel paradoxe – ne sait pas vendre. Est-ce pour marquer sa différence ? Toujours est-il que, là encore, elle refuse le contact.

— Je ne peux pas. Si on trouve le chapeau trop cher, je suis fichue de le donner.

La liaison de Coco avec Boy n'a pas mis un terme aux relations amicales que l'un et l'autre entretenaient avec Balsan. Cependant, quelque temps après que le couple s'est installé avenue Gabriel, Étienne part pour l'Argentine. Ce départ est-il provoqué par la jalousie qui est née en lui et par une sorte de désespoir amoureux qu'il aurait conçu devant la passion qui unit ces deux êtres ? Ce n'est pas certain, malgré ce que Coco insinuera. Manifestement, elle a voulu ajouter à la réalité une touche de romanesque enjolivante. Mais il est fort possible aussi qu'il s'agisse tout simplement d'un voyage d'affaires en rapport avec l'industrie textile qui assure la prospérité des Balsan, ou avec ses activités hippiques. Toujours est-il que lorsqu'Étienne revient d'Amérique du Sud, après avoir demandé à Coco « où elle en est avec son Anglais », il ajoute ironiquement :

— Alors, il paraît que tu travailles. Capel ne peut donc pas t'entretenir ?

On juge de la fureur de Coco devant de tels propos, alors que « ne rien devoir à personne » est précisément le but qu'elle vient enfin d'atteindre. Cet

« éleveur de cocottes » – pour employer sa propre expression – n'est même pas capable d'imaginer qu'elle ait le moindre sens de sa dignité...

Quelle différence avec Boy qui, lui, avait parfaitement compris ce dont Coco avait besoin, même si c'était avec un peu de retard !

Capel juge déplorable que Coco n'ait d'autres amies que les demi-mondaines qu'elle rencontre à Royallieu. Passe encore pour Émilienne d'Alençon, courtisane de haut vol qui, par la qualité de ses relations et un certain usage du monde, a pu la rendre un peu moins ignorante, combler certaines lacunes, lui épargner certaines bévues. Mais les autres ? Le vide de leur conversation ou plutôt de leurs bavardages dépasse toute imagination. Ils ont pour seul sujet le manque d'adresse de leur coiffeuse, la jalousie de leur protecteur, ou les ragots qui courent sur le maître d'hôtel... Quelle misère ! Il est vrai que les entreteneurs de ces jeunes femmes n'ont jamais songé à leur demander autre chose que d'être jolies... et dociles. Mais Coco, estime Capel, mérite d'autres fréquentations, celles qui pourraient la faire sortir de son inculture...

Aussi Boy, à défaut de pouvoir l'introduire dans le monde, lui ouvre-t-il les portes du milieu artistique. Il l'invite au théâtre, lui fait connaître l'actrice Gabrielle Dorziat[1]. Il l'emmène à l'Opéra-Comique et la présente à la cantatrice Marthe Davelli qui vient d'y débuter. Elle est quasiment son sosie... Mais, contrairement à ce qui se passe d'habitude, les deux femmes n'en conçoivent aucune haine réciproque, bien au contraire. Capel met aussi Coco en relation avec une charmante actrice du Gymnase,

---

1. De son vrai nom Gabrielle Sigrist-Mobbert, (1886-1979). Remarquée par Guitry et par Cocteau, elle s'est illustrée au cinéma autant qu'au théâtre.

Jeanne Léry. Il emmène toutes ces jeunes femmes à Royallieu où Étienne ne demande pas mieux que de les accueillir. Boy ouvre ainsi l'esprit de Gabrielle, élargit son horizon. Sans s'en douter le moins du monde, il prépare cette petite provinciale ignorante au rôle si important qu'elle jouera dans la vie artistique et littéraire d'entre les deux guerres.

Avant de se consacrer corps et âme à la mode, Gabrielle, dont la vocation n'est pas alors vraiment déterminée, éprouve encore quelque penchant pour les métiers du spectacle. Certes, elle semble avoir abandonné l'idée de chanter en public. Mais faute de don pour cet art, elle le fera pour son plaisir personnel, toute sa vie. Déjà, boulevard Malesherbes, Lucienne Rabaté était fort étonnée de l'entendre fredonner – avec sa sœur – toutes sortes d'airs, en se livrant à son travail. Son répertoire allait des refrains d'opéra-comique, *La Fille de Madame Angot* par exemple, à des airs d'opéras, comme *Faust* de Gounod, chantés avec un inégal bonheur mais avec une si visible satisfaction qu'on ne pouvait lui en vouloir.

La danse l'attire aussi. Une nouvelle conception de cet art est alors à la mode qui en fait une sorte de philosophie, ou à tout le moins une méthode éducative à résonances mystiques... Le gourou du genre est alors Dalcroze qui vient de fonder à Dresde un Institut de la danse. Une foule de snobs parle de lui et de ses cours de « rythmique » avec une admiration sans nuances. Étienne de Beaumont et son ami Jean Cocteau, un instant séduits, se lassent vite. Colette, pour sa part, exécute sur une scène parisienne des mimodrames mis en scène par Georges Wague. Elle s'y exhibe presque nue au grand scandale du Tout-Paris, qui, cette fois, refuse de déceler dans son spectacle la moindre signification ésotérique... C'est dans ce contexte que Gabrielle entend parler, par des amies de Boy, d'Isadora Duncan[1]. Elle se rend chez elle, avenue de Villiers. Devant un nombreux public de fidèles, la maîtresse de maison improvise, se livrant à une gestuelle excessive aux yeux de Coco et d'un érotisme trop provocant qui la gêne. On n'est pas impunément l'élève des religieuses du Saint-Cœur de Marie pendant sept années... Elle ne peut supporter le spectacle d'un des admirateurs de la danseuse, un jeune rapin barbu, un nommé Van Dongen, qui, pour manifester son enthousiasme, pétrit publiquement les fesses d'Isadora, à travers le pallium transparent qu'elle a revêtu pour faire grec... Et tout le monde d'applaudir ! Comme des boissons fortes circulent plus que généreusement au cours de la réunion, Coco, expéditive dans ses jugements, a tôt fait d'attribuer aux effets de l'alcool une chorégraphie à laquelle rien ne l'a préparée. Elle ne remettra plus les pieds chez Isadora qui, dans son souvenir, restera une vulgaire pocharde.

Mais n'étant pas de celles qui se découragent, elle déniche un autre professeur, Caryathis, danseuse dite « de caractère », ex-cousette chez Paquin et future épouse de Marcel Jouhandeau. Elle habite alors un studio de Montmartre, rue Lamarck, aux côtés de son amant, Charles Dullin. Elle mène une existence extravagante et il n'est pas de folies qu'elle ne commette, multipliant les aventures avec des partenaires indifféremment des deux sexes, ce qui n'est pas toujours du goût de son compagnon. Curieusement, Coco ne tient pas rigueur à « Carya », comme on l'appelle, de ces mœurs dissolues... Est-ce parce qu'elle voit en elle un remarquable professeur ? Hélas, les efforts de Gabrielle, bien que tenaces, et les mois d'assiduité aux cours restent inefficaces :

---

1. Isadora Duncan (1878-1927), danseuse américaine dont les recherches et les improvisations révolutionnèrent le ballet classique. Cf. Maurice Lever, *Isadora Duncan*, Presses de la Renaissance.

elle ne se révèle pas plus douée pour la danse que pour le chant...

Nous sommes en 1911. Voilà deux espoirs définitivement liquidés. Mais n'est-ce pas mieux ainsi ? Pas de regrets... Désormais, elle progressera d'autant plus vite dans sa carrière qu'elle ne regardera plus jamais en arrière... Elle ne se consacrera plus qu'à la rue Cambon.

Ses déceptions, elle les supportera sans trop de difficultés parce qu'elle se sent aimée de Boy, parce qu'elle est l'objet de sa sollicitude, qu'il la prend au sérieux... et qu'elle l'aime éperdument. Il est son amant mais, confiera-t-elle plus tard, il fut aussi pour moi « mon frère, mon père et toute ma famille ». Mieux encore, elle est certaine, à cette époque, qu'il l'épousera... D'ailleurs ne lui a-t-il pas présenté sa jeune sœur Bertha, dont elle est devenue une amie ? N'est-ce pas bon signe ?

On parle de plus en plus de la nouvelle modiste. Émilienne d'Alençon porte partout ses canotiers et pas seulement dans les tribunes des champs de courses. En 1912, c'est la consécration : le journal *Les Modes*, celui dont l'audience est la plus vaste, met en vedette le talent de Gabrielle Chanel et publie sur des pages entières les photos de ravissantes artistes coiffées de ses chapeaux : on peut y voir ses amies, Gabrielle Dorziat ou Geneviève Vix, cantatrice de grand talent. De plus, Coco obtient que dans l'adaptation au théâtre de *Bel-Ami* [1], Dorziat, habillée par Doucet et qui interprète le premier rôle de la pièce, celui de Madeleine Forestier, soit coiffée par elle. Il faut mesurer l'importance des débuts de Chanel, apparemment modestes, sur la scène : ils annoncent son rôle considérable, plus tard, quand un Cocteau, par exemple, lui deman-

---

1. D'après le roman de Maupassant publié en 1885.

dera d'« habiller » ses pièces parce qu'elle est la « plus grande couturière de son temps ».

Dans d'autres domaines artistiques aussi, Coco fait un grand pas. Ainsi, le 29 mai 1913, assiste-t-elle au théâtre des Champs-Élysées, tout récemment construit, à la première du *Sacre du printemps* de Stravinski, créé par les Ballets russes de Diaghilev, avec une chorégraphie de Nijinski. Elle, si étonnamment inculte, se retrouve d'emblée en présence de l'avant-garde la plus provocante. Elle assiste, sans y comprendre goutte, à la guerre entre les deux clans de spectateurs déchaînés, au milieu des insultes et des coups, Stravinski lui-même n'échappant au lynchage que par la rapidité de sa fuite. Que pense Gabrielle de cette soirée, une fois sortie de l'ahurissement dans lequel elle la laisse ?

Pendant ce temps, Arthur Capel devient un personnage de plus en plus important : il développe sa flotte de cargos charbonniers, fait la conquête du vieux Clemenceau dont les relations lui sont précieuses. Gardant l'œil sur le Maroc, il projette de faire de Casablanca le principal port d'importation de la houille en Afrique du Nord. Il fréquente quotidiennement hommes politiques, banquiers et rois de la presse, qu'il s'agisse d'Henri Le Tellier (*Le Journal*), d'Adrien Hébrard (*Le Temps*) ou d'Alfred Edwards (*Le Matin*).

5

De Deauville à Biarritz

Juillet 1913. Deauville. Devant l'entrée du Normandy, le palace à colombages inauguré l'été précédent, orgueil de la station, s'arrête une rutilante Daimler. Le portier suivi d'une nuée de grooms se précipite. De la voiture, descendent Arthur Capel qui, se passant de mécanicien, a tenu à prendre lui-même le volant, et Mlle Chanel.

Depuis quelques mois, l'attitude de Boy à l'égard de son amie s'est modifiée, il faut dire qu'elle-même a évolué. Est-ce au contact de son amant ? Toujours est-il qu'il n'est plus possible de la considérer exclusivement comme une modiste de talent et l'une des femmes les plus élégantes de Paris... Elle s'est affinée et civilisée. Encore un peu timide, elle ose s'exprimer plus souvent devant les amis de Boy. Son sens de la repartie, son esprit, son art de la formule assassine commencent à éclore, pour le plus grand plaisir de son compagnon. Encouragé par cette heureuse évolution à laquelle il n'est pas étranger, Boy profite de son séjour sur la côte normande pour présenter Gabrielle à d'importants personnages. Et il est vrai qu'en villégiature, ils se montrent beaucoup plus accessibles qu'à Paris. De la sorte, elle pourra aisément prolonger dans la capitale les relations qu'elle a entamées avec eux à Deauville.

Mais Capel fait davantage encore pour elle. Il est vrai qu'il éprouve quelques scrupules à la laisser seule trop souvent. Et comme d'un autre côté il est très sensible à son sens artistique et à son talent créateur, il décide que le moment est venu de la lancer définitivement. Il entend lui offrir une boutique à Deauville. Là, pense-t-il, sa réussite sera plus rapide et plus décisive que rue Cambon où, bien entendu, elle bénéficiera, à la rentrée, de la clientèle qu'elle se sera créée sur la côte pendant la saison.

En homme d'affaires avisé, Boy estime qu'au sein du public passablement snob qui fréquente alors cette station, Coco, qui continue à n'être pas « comme les autres », sera plus aisément en vue. Son style simple et détendu conviendra mieux à l'atmosphère de liberté et de vacances qui y règne qu'à celle de Paris.

Coco s'installe dans une boutique de la rue Gontaut-Biron, rue vouée au commerce de luxe. L'une de celles qui donnent sur la plage, dans un quartier soigneusement choisi. On est ici très près du Normandy et du nouveau casino de style Trianon, lui aussi inauguré en juillet précédent. La boutique élégante au store rayé noir et blanc qui porte en lettres capitales le nom de Gabrielle Chanel, attire vite une clientèle très chic. Il est vrai que sa réputation de modiste est déjà faite à Paris. Elle n'est alors aidée que par deux gamines de seize ans sachant à peine coudre. Quelques jours après l'ouverture, elle met en vitrine, outre ses chapeaux, quelques toilettes de sa conception. Un type de vêtements qu'elle a créé pour elle-même au cours des deux années précédentes. Un jour, elle a froid en assistant à une course et enfile le sweater d'un lad. Voilà comment naissent les modes ! Une autre fois, c'est le spectacle d'une casaque de jockey traînant sur une chaise qui déclenche l'inspiration. En 1912, elle passe quelques jours à Étretat, dont elle adore les falaises crayeuses, elle y observe des pêcheurs normands qui tirent leur embarcation sur les galets de la crique.

Son attention est attirée par les marinières des hommes d'équipage, avec leurs profondes échancrures et leurs larges bavolets que le vent plaque sur leurs nuques. Il n'en faut pas davantage à Coco pour imaginer une veste trois-quarts à poches plaquées qu'elle dotera d'une ceinture assortie. Très vite, elle la confectionne, la porte et la montre. Elle la teste sur elle-même : c'est ainsi qu'elle travaille...

Gabrielle tient le plus grand compte de son propre physique : elle bâtit sa mode selon ses besoins spécifiques, un peu comme certains animaux marins sécrètent la carapace qui leur est le mieux adaptée. Étant elle-même trop mince pour l'époque, elle conçoit des vêtements non pas ajustés mais flottants qui masquent ce défaut. Sportive, elle y trouve son compte. Elle déteste les jupes « entravées » mises à la mode par Poiret, ainsi que les lourds tissus dans lesquels elle se sent engoncée, « empaquetée », comme elle dit. Elle préfère utiliser le tricot. Ses confrères n'y ont jamais pensé : ce matériau qui n'a aucune tenue est à leurs yeux tout juste bon à faire des gilets de travail ou des écharpes pour les milieux populaires. Et leurs clientes croiraient à une mauvaise plaisanterie s'ils avaient l'idée saugrenue de le leur proposer. Gabrielle, à l'inverse, estime que souple et léger, le tricot convient à merveille à cette période de détente qu'est une villégiature.

Elle juge illogique, stupide même, que l'on s'habille là-bas exactement comme à Paris, et qu'il n'y ait pas de mode adaptée aux périodes de loisirs. Les femmes assistent aux sports comme au XVe siècle les dames à hennin assistaient aux tournois, explique-t-elle en riant. Elle veut changer tout cela.

On retrouve exposés rue Gontaut-Biron cette marinière qu'elle a inventée, ses casaques de jockey et puis des vestes légères, des jupes en toile, des blouses de soie, quelques manteaux pour les soirs un peu frais de Deauville, des bijoux... Ainsi agit-elle comme Jeanne Lanvin qui, après avoir été long-temps créatrice de chapeaux, a peu de temps aupa-ravant évolué vers la couture...

Gabrielle a fait venir de Vichy la jolie Adrienne. Elle est accompagnée de son fidèle Maurice de Nexon, et, bien entendu, pour les convenances, de l'iné-vitable Maud Mazuel. Une photo de cette époque montre Adrienne et Coco, vêtues en Chanel bien entendu, posant devant la luxueuse boutique, très à l'aise, comme de vrais mannequins qu'elles sont deve-nues pour la circonstance. Bientôt Antoinette, la petite sœur de Coco, vient se joindre à elles. Avec Adrienne traînant en laisse ses deux petits King Charles, elles vont chaque jour toutes deux arpenter la promenade des « planches » aux heures où il faut être vu. Elles changent de tenue et d'accessoires aussi sou-vent que possible, tout ce qu'elles prennent étant évi-demment emprunté à la boutique. Et si bien porté que le chiffre d'affaires de Coco monte en flèche. On ne parle plus dans le tout-Deauville que des trois demoi-selles Chanel. Exactement comme on le faisait déjà à Moulins, dix ans auparavant, mais dans des condi-tions autrement prestigieuses. Parfois Coco y songe : que de chemin parcouru depuis lors ! Mais elle détourne vite sa pensée de cette période qu'elle préfère oublier, époque de semi-misère, d'humiliation et d'échec. Elle est une femme de présent, ou plutôt, d'avenir...

Quand ses affaires ne l'appellent pas ailleurs, Boy, cet homme pressé, vient faire un saut à Deauville, dispute et gagne un match de polo, et repart au volant de sa puissante Daimler. Sans doute pourrait-il rester un peu plus souvent aux côtés de Gabrielle. D'autant plus que son attitude inquiète la jeune femme : on lui a dit que Boy dîne souvent chez Larue ou au Café de Paris en compagnie de belles étrangères de la haute société. Mais elle n'est pas jalouse... Du moins le lui dit-elle par orgueil et, sans doute, pour dissimuler sa propre inquiétude. Car depuis quelque temps l'idée s'insinue dans son esprit que Boy, malgré l'attachement très réel qu'il lui manifeste, risque fort de ne pas l'épouser. Certes, il fait tout pour l'aider à se lancer. Mais il est trop ambitieux, elle le sent, pour oser une mésalliance qui ruinerait sa position sociale. Le meilleur ami du duc de Gramont, le commensal de maints grands seigneurs d'Angleterre s'unissant à une modiste ! Fallait-il qu'elle fût sotte pour croire à cette chimère ! Ou trop jeune ! Maintenant elle a trente ans. Fini de rêver. Au terme de ces réflexions, il ne lui reste plus qu'à se réfugier encore davantage dans son travail.

Ses préoccupations professionnelles l'ont sans doute empêchée de remarquer la présence fréquente à Deauville d'un petit homme que Jean Cocteau a portraituré d'une façon inoubliable :

« Un insecte féroce, mal rasé, ridé, adoptant au fur et à mesure qu'il les pourchassait les tics de ses victimes. Ses doigts, son bout de crayon, ses lunettes rondes, les calques de papier pelure qu'il chiffonnait et superposait, sa mèche, son parapluie, sa silhouette naine de lad semblaient se ratatiner et se grouper autour de sa volonté de mordre[1]. » Ce personnage n'est autre que le caricaturiste Sem[2], homme redoutable s'il en fût : songeons qu'il s'astreignait à attendre, quasiment jusqu'à l'aube, que les jolies femmes qui étaient son gibier préféré fussent assez lasses pour que leurs traits relâchés trahissent enfin leur vrai visage...

Or c'est lui qui, se tenant aux aguets à la terrasse des cafés bordant les « planches », la Potinière notamment, dessine les vêtements des femmes qui

---

1. *Portraits-Souvenir*, Grasset, 1935.
2. De son vrai nom Georges Goursat, né à Périgueux en 1863, mort à Paris en 1934.

passent pour être à la mode. Mais, caricaturiste « engagé », il prend parti et publie au printemps de 1914, une série d'albums intitulée *Le Vrai et le Faux Chic*. Il y apparaît que le « vrai chic » est celui de Chanel. Sem s'amuse à représenter Arthur Capel sous l'aspect d'un centaure joueur de polo étreignant sur son poitrail Gabrielle. Pour que nul ne l'ignore, un grand carton à chapeau où s'étale le nom de Coco figure en bonne place à la droite du dessin. Voilà qui contribue amplement à lancer la jeune couturière dans le monde. On peut douter qu'elle ait vraiment apprécié cette révélation au grand jour de sa vie privée. Mais lucide et réaliste, elle préfère ne considérer que l'aspect positif de ce qui lui advient. Elle félicite Sem, qui, fidèle admirateur, ne cessera de la soutenir.

Dès le printemps de 1914, elle est évidemment revenue à Deauville où sa présence est de plus en plus remarquée : au polo, notamment, où sa tenue, son col blanc ouvert, son chapeau de cavalière, une sorte de melon modifié par ses soins, tranchent avec les façons habituelles de se vêtir. Lorsque la saison est plus chaude, elle est une des rares femmes qui osent se baigner, frissonnantes, dans une mer à 16 degrés, à l'intérieur d'un petit enclos délimité par des cordages tendus entre des piquets fichés dans les premières vagues. Elle a créé pour son propre usage un vêtement spécifique en tissu éponge bleu marine qui laisse voir beaucoup moins de peau qu'une robe du soir. Mais il n'est pas dépourvu d'élégance avec ses bords à triple ganse blanche... Devant ces hardies baigneuses qui se trempent mais ne nagent jamais, il est plaisant de voir sur la rive un fort attroupement de curieux qui, en costume de ville, commentent leur comportement ou leur anatomie.

Coco fait de nouveau appel à Adrienne et à Antoinette. Elle est heureuse de se retrouver en famille.

Mais un chagrin vient la frapper, la mort de Julia, sa sœur aînée, rongée par la tuberculose. Elle laisse un garçonnet qui risque d'échouer à l'Assistance publique. Très généreusement, Arthur Capel décide de se charger du petit orphelin et l'envoie, à ses frais, faire ses études à Beaumont, le collège anglais dont il a été lui-même l'élève. Aux yeux de Gabrielle, très touchée, ce geste est une nouvelle preuve de la profondeur des sentiments que Boy éprouve pour elle. Mais elle est trop clairvoyante pour être certaine qu'elle finira ses jours avec lui...

Quant à son commerce, il est de plus en plus florissant. Elle bénéficie d'un incident survenu entre la baronne Henri de Rothschild, Kitty pour ses proches, et son couturier, le célèbre Poiret, avec lequel elle vient de se fâcher. Les circonstances de cette brouille valent la peine d'être contées : un jour la baronne désire renouveler sa garde-robe d'été. Mais un peu trop consciente de l'altitude de son rang social, elle ne daigne pas se déplacer. Elle exige de Poiret qu'il lui envoie une petite troupe de mannequins pour présenter ses modèles. Un beau matin, dans son hôtel particulier, n'ayant même pas pris la peine de quitter son lit, elle les examine de derrière un face-à-main dédaigneux pendant qu'une bande de petits jeunes gens dont elle est friande se livre à des plaisanteries salaces sur le physique des jeunes femmes. Averti de l'odieuse façon dont elles ont été traitées, Poiret s'étrangle de colère. Lorsque la baronne se présente chez le couturier, elle se voit, toute baronne qu'elle est, proprement mise à la porte...

Ivre de rage et avide de vengeance, elle décide de ne s'adresser désormais qu'à la seule Gabrielle, dont les tendances sont exactement à l'inverse de celles de Poiret. Commandant d'ordinaire des dizaines de robes et de manteaux, elle fait plus encore : elle envoie à Coco toutes ses riches amies... C'est donc un pactole inattendu qui se déverse rue Gontaut-Biron.

En juillet 1914, à Deauville, les habitués des planches ne perçoivent guère les rumeurs inquiétantes qui émanent des chancelleries européennes. Certes, des perspectives de guerre ont plusieurs fois été évoquées, notamment en 1905 et en 1911. Mais les splendeurs de l'été semblent cette fois les reléguer dans un lointain avenir. Comment un azur aussi radieux pourrait-il tolérer ces tueries sanglantes que promettent à leurs lecteurs des romanciers à l'imagination morbide, les auteurs d'ouvrages tels que *La Guerre future* ou *La Planète en feu* ? D'ailleurs l'assassinat le 28 juin à Sarajevo de l'archiduc François-Ferdinand n'a pas entraîné les conséquences que craignaient certains esprits chagrins. Hélas, brutalement, à l'extrême fin de juillet les événements se précipitent : c'est la mobilisation générale le 28, puis le 3 août, la guerre. Deauville se vide depuis quelque temps et, à certaines heures, la rue Gontaut-Biron ressemble à une rue de Pompéi. Les volets de maintes villas sont clos et si le Normandy est encore ouvert, le Royal, faute de clients, a dû fermer ses portes. Dans les rues, ne circulent plus guère que des hommes d'un « certain âge », des enfants ou des femmes... Boy a été mobilisé mais, avant de partir, il a très sagement conseillé à Coco :
— Surtout, ne ferme pas... attends et vois...
Ce qui est on ne peut plus anglais ! Adrienne, de son côté, pleure le départ de Maurice de Nexon, parti rejoindre son régiment de dragons. Elle se console un peu parce que tout le monde lui répète que la guerre se terminera en moins de six semaines avec la victoire des Français, bien entendu... D'ailleurs, on n'a pas prévu de tenues d'hiver... C'est dire !
En fait, les événements ne se déroulent pas exactement comme notre état-major l'avait prévu. Nos

troupes, dès le début bousculées par l'ennemi, écrasées par son artillerie lourde et ses Minenwerfer, hachées par ses mitrailleuses, sous-équipées, sous-entraînées refluent, souvent en désordre. Après la défaite de Charleroi, le 23 août, l'invasion de toute une partie du territoire français provoque l'exode de nombreux réfugiés du nord et du nord-est de la France à Deauville, sans compter les Parisiens qui, comme en 1870, estiment la Normandie plus sûre que la capitale. Ces réfugiés qui affluent sont pour la plupart des bourgeoises ou des aristocrates qui possèdent sur la côte ces grandes villas de style normand qu'elles ont fermées quelques semaines auparavant. Par ailleurs, on rouvre le Royal pour en faire un hôpital militaire. Au Normandy, en revanche, se concentre une bonne part du Tout-Paris : comédiens, directeurs de théâtre, auteurs comme Georges Feydeau et son jeune ami Sacha Guitry qui a été réformé mais s'occupe activement de galas au profit des blessés, magnats de la presse...

C'est dans ce contexte que Gabrielle commence vraiment à faire fortune. Comme elle l'expliquera, beaucoup de femmes élégantes avaient regagné la côte. « Il fallait non seulement les coiffer, mais bientôt, faute de couturier, les habiller. Je n'avais avec moi que des modistes. Je les transformais en couturières. » Cette clientèle n'avait pas le choix, la boutique de Coco étant la seule qui fût ouverte...

Elle met en vitrine les articles qu'elle a créés à son propre usage ou qu'elle a déjà proposés mais en les simplifiant. Ainsi les chapeaux n'ont plus la moindre ornementation... C'est une mode simple et commode, une mode de guerre en somme, commandée par la circonstance. Il existera toujours chez Chanel une étonnante aptitude à savoir s'adapter rapidement aux conditions nouvelles.

De plus, le Royal étant rempli de centaines de blessés, nombre de clientes se transforment en infirmières bénévoles. Il faut leur dessiner et leur confectionner des dizaines de blouses, sans compter des coiffures qui soient plus seyantes que les ridicules bonnets de dentelles en usage jusqu'alors. Heureusement Gabrielle, qui a été formée à la dure école de l'orphelinat d'Obazine et a bénéficié de l'expérience de la tante de Varennes, s'en tire très bien. Naturellement, il lui faut, devant l'afflux des commandes, embaucher du personnel. Elle fait revenir d'urgence Antoinette et Adrienne qui étaient parties au début d'août alors que Deauville se vidait.

Curieusement, il ne lui vient jamais à l'idée de devenir elle-même l'une de ces infirmières bénévoles qu'elle habille, ne serait-ce que quelques heures par semaine. Et elle ne rend pas la moindre visite aux blessés. Manque de cœur ? Manque de temps ? Priorité absolue donnée au commerce dans un désir effréné de sa réussite ? En fait, c'est plutôt la volonté de rompre totalement avec la période de Moulins. Il lui faut éviter à tout prix de rencontrer sur un lit d'hôpital ou au détour d'un couloir un de ces officiers de la garnison qui l'ont connue jolie, certes, mais si pauvre, si pitoyable. Elle veut oublier l'époque minable où on lui a attribué ce surnom ridicule de « Coco » qui restera collé à sa personne jusqu'à la mort. Elle entend encore résonner à ses oreilles ces deux syllabes que ces jeunes gens scandaient pour exiger un *bis*, dans cette Rotonde enfumée où ils traînaient leur samedi soir, attablés à des guéridons chargés de bocks...

Fini, tout cela ! Maintenant Gabrielle obtient un succès de meilleur aloi et un succès si vif qu'elle doit, pour faire patienter sa clientèle, installer sièges et petites tables sur les trottoirs de la boutique. Lorsque le store est baissé – car le soleil est encore ardent – on a l'impression de voir la terrasse d'un café de luxe...

Certes, on n'y consomme pas. Mais on y bavarde, on y commente les nouvelles, on s'y passe les journaux, réduits maintenant à une feuille ou deux. La situation est inquiétante. Le gouvernement a jugé prudent de s'installer à Bordeaux. Les « tournedos à la bordelaise », a sobrement commenté Feydeau, au bar du Normandy, entre deux bouffées de son énorme cigare... À mesure que les troupes allemandes progressent, affluent d'autres vagues de réfugiés, mais aussi de nouvelles fournées de blessés acheminés pour la plupart dans des wagons de marchandises, et parfois à même la paille souillée qui a déjà servi au transport des chevaux vers le front. Gabrielle apprend que Royallieu est occupé par l'état-major d'une division allemande... Ainsi les pur-sang qu'elle a connus ont fait place aux lourds chevaux de la cavalerie allemande et Royallieu n'est plus... Avec lui, c'est encore tout un pan de son passé qui s'évanouit, un passé dont elle n'était pas fière et qu'elle décide de rayer pour toujours de sa mémoire, en même temps que les années humiliantes de Moulins et d'Obazine.

Cependant, après la victoire de la Marne, l'étau allemand s'est desserré. L'ennemi, qui se voyait déjà défilant sur les Champs-Élysées, a dû reculer – mais en ordre, hélas – sur les rives de l'Aisne. Les forces en présence, depuis la mer du Nord, en Belgique, jusqu'à la Suisse se sont enterrées dans des lacis de tranchées. Le front est stabilisé pour longtemps semble-t-il. Aussi, en octobre et novembre, Deauville se vide-t-il à nouveau. Les sœurs Chanel regagnent Paris et Adrienne Vichy. Coco, qui a laissé sa boutique deauvilloise à la garde d'une vendeuse de confiance, consacre désormais son temps à la rue Cambon, où l'a suivie une part importante des clientes de l'été. Ainsi, les malheurs de son pays ont-ils, sans qu'elle y soit pour rien, largement contribué à la prospérité de son entreprise...

Avenue Gabriel, elle est très seule. Arthur Capel, devenu officier de liaison du maréchal sir John

French[1], est trop absorbé par ses fonctions pour pouvoir s'échapper de son état-major et venir à Paris. Du moins, ne risque-t-il guère sa vie dans la situation où il se trouve, contrairement à ce pauvre Alec Carter, prestigieux jockey anglais, amant de cœur d'Émilienne d'Alençon. Engagé dans l'armée française pour pouvoir rester avec ses amis de Royallieu, il est tué, à peine huit jours après son arrivée sur le front...

Ce n'est pas ce qui peut advenir à Boy. En juillet 1915, il est nommé membre de la Commission franco-britannique chargée de l'importation du charbon en France. L'importance des problèmes que doit régler cet organisme saute aux yeux : 95 % des mines de houille française se trouvent en territoire occupé, dans les départements du Nord et du Pas-de-Calais. Or, sans parler des besoins domestiques, le charbon est d'une importance capitale pour les industries de guerre. Faut-il évoquer, pour expliquer cette nomination de Capel, l'intervention de son ami Clemenceau, alors président de la commission parlementaire de l'Armée ? C'est possible. Mais de toute façon, l'expérience acquise depuis des années par Boy dans les transports charbonniers rend sa présence à la commission hautement indispensable. Gabrielle, encore inquiète pour sa vie, respire. Il est définitivement hors de danger...

Avant de prendre ses nouvelles fonctions, Capel se voit octroyer quelques jours de permission : il en profite pour emmener Coco avec lui à Biarritz. Peut-être parce que c'est une des stations balnéaires françaises les plus éloignées du front, et où l'on peut le plus aisément oublier les horreurs de la guerre. Il a raison. Les deux palaces de Biarritz, le Miramar et

---

1. Sir John French (1852-1925), comte d'Ypres, s'était illustré dans la guerre du Transvaal. Maréchal depuis 1913, il avait été nommé à la tête du corps expéditionnaire britannique envoyé en France en 1914.

l'Hôtel du Palais, où descendait jadis l'impératrice Eugénie affichent « complet », occupés en grande partie par l'aristocratie espagnole qui y a, depuis des décennies, pris ses habitudes. De riches Français s'y rendent aussi, pour s'y divertir, pour s'y refaire une santé, pour savourer les effluves iodés d'un océan dont le spectacle ne lasse jamais. Si, dans le reste de la France, les dancings sont fermés, on danse ici, dans les grands hôtels, le tango, importé d'Argentine depuis 1912. Les autorités – tourisme oblige – ferment les yeux.

Une photo de 1915 montre, à demi allongés sur le sable de la plage de Saint-Jean-de-Luz, Boy et Gabrielle sur fond de tentes rayées. En leur compagnie, Constant Say, l'un des grands patrons de l'industrie sucrière. À côté d'eux, un panier d'osier chargé de victuailles, emporté en vue d'un pique-nique.

Au cours d'une de ces journées de détente, l'idée vient au couple que Gabrielle pourrait renouveler à Biarritz l'opération qui lui a si bien réussi à Deauville. C'est le même public riche, mondain, quelque peu snob aussi. Et Biarritz possède l'avantage d'être beaucoup plus éloigné du théâtre de la guerre que Deauville. La mode et ses frivolités, le luxe dont elle s'entoure, ont ici quelque chose de moins choquant que s'ils s'étalaient à faible distance des zones où les hommes meurent chaque jour par milliers. Le choix de Biarritz se justifie aussi par la proximité de l'Espagne, pays neutre : pas de difficultés d'approvisionnement pour Coco en matière de tissus, de fils ou de produits annexes. Par ailleurs, son établissement de la rue Cambon – qu'elle ne veut nullement abandonner, bien entendu – profitera lui aussi de ces avantages.

Toujours est-il que Boy avance à Gabrielle les sommes nécessaires pour ouvrir une maison de haute couture, avec une collection et des robes qu'elle vendra très cher.

— Pas trop chères ? s'inquiète Boy.

— Bien sûr que si, sans quoi on ne me prendra jamais au sérieux, réplique Coco qui a depuis longtemps pénétré les comportements psychologiques des acheteuses.

Gabrielle loue ainsi à Biarritz une grande villa, la « Villa de Larralde », rue Gardère, bien placée, face au casino, et pourvue d'une vaste cour intérieure. Elle présente un aspect sinon majestueux du moins extrêmement cossu. Dès le début de septembre, l'aménagement des salons de réception, des ateliers et des appartements privés est terminé, le personnel recruté. Coco fait venir de la rue Cambon des premières particulièrement expérimentées qui veilleront aux essayages. Naturellement Antoinette, sur laquelle sa grande sœur peut toujours compter, est là. Adrienne, qui attend fébrilement l'autorisation de rendre visite à son amoureux dans la zone des armées où son régiment, le 25e dragons, va être au repos, n'arrivera que plus tard, ce que Gabrielle ne lui pardonnera pas. Depuis quelque temps, en effet, celle-ci apparaît sous un nouveau visage. Elle attend que tout et tous lui cèdent, particulièrement en ce qui concerne son travail. Curieux, à vrai dire, ce trait de caractère qui jusque-là n'était guère apparu et se fait jour, chez elle, à trente-deux ans... En fait, le succès et sa situation dominante lui permettent de devenir ce qu'au fond elle n'avait jamais cessé d'être.

En tout cas, ses prévisions et celles de Boy étaient justes. Mieux qu'un succès, c'est un triomphe. Défilent, dans les salons de Gabrielle, nombre d'aristocrates espagnoles parmi lesquelles les femmes les plus en vue de la cour d'Alphonse XIII, de riches bourgeoises des provinces basques, de Biscaye, de Navarre et d'Aragon, sans compter les riches Parisiennes en villégiature sur la côte.

Très vite, les soixante ouvrières engagées par Gabrielle sont insuffisantes pour exécuter les commandes qui affluent. Elle se voit contrainte de faire travailler un de ses ateliers parisiens exclusivement pour Biarritz. Début décembre, elle décide de retourner rue Cambon et de confier la maison de la côte basque à Antoinette. Celle-ci hésite pourtant beaucoup à endosser seule une telle responsabilité. Mais Coco la rassure et à l'occasion la rudoie : l'affaire est sur les rails, lui dit-elle. Que demander de plus ? Antoinette ne devrait-elle pas être ravie de bénéficier d'un tel pouvoir sans encourir le moindre risque ? Allons ! qu'elle cesse de faire des manières !

En fait, ce n'est pas uniquement pour lui faire plaisir que Coco a confié à sa sœur la direction de Biarritz. C'est avant tout parce que le siège de la maison Chanel se situant dans la capitale, elle ne peut se permettre de s'en absenter longtemps. Mais c'est aussi pour rejoindre Boy. Car, pour pouvoir assumer ses fonctions à la Commission, il doit le plus souvent résider à Paris alors qu'elle-même ne s'y trouve pas. Voilà quatre ou cinq mois qu'il en est ainsi. Elle n'aime guère cette situation qu'elle juge périlleuse pour leur entente. Elle sait bien que Boy, tel le Lewis de Paul Morand[1] auquel on l'a si souvent comparé ne peut se passer d'aventures rapides et multiples. C'est plus fort que lui. Elle a beau lui répéter qu'elle ne s'en soucie pas, elle préfère malgré tout être à ses côtés le plus souvent possible.

Rue Cambon, la besogne ne manque pas. D'autant plus que, depuis quelques mois, le principal concurrent de Gabrielle, Paul Poiret, se consacre exclusivement à la confection militaire. En ce qui la concerne, ce sont maintenant trois cents ouvrières, au total, qu'elle emploie. Et chez elle, on ne plaisante pas avec le travail ! Certes, elle verse des salaires très corrects, mais, dure avec elle-même, elle l'est avec les autres et chasse impitoyablement celles qui ne prennent pas leur tâche au sérieux.

---

1. *Lewis et Irène*, Grasset, 1924.

Un soir, rue Cambon, un peu avant la fermeture, Gabrielle, croisant son comptable, lui pose quelques questions à propos d'un point de détail. L'employé, après avoir fourni les explications nécessaires, ajoute avec une espèce de fierté dans le ton et le regard :

— Du reste, avec la trésorerie dont nous disposons, nous n'avons évidemment rien à craindre...

Or Gabrielle, qui, accablée de travail, n'avait pas eu le loisir de vérifier les comptes de la maison depuis quelque temps, se sent prise de curiosité... Où en est-elle au juste ? Elle sait que ses affaires sont prospères, mais à quel point ? Elle suit donc le comptable qui étale sous ses yeux de grands registres noirs auxquels elle ne comprend goutte. Les explications techniques qu'on lui fournit lui passent par-dessus la tête. Finalement, elle demande quelle somme elle peut retirer sans mettre la maison en péril. Lorsqu'elle obtient enfin un chiffre précis, elle est stupéfaite : il est tel qu'elle est parfaitement en mesure de rembourser à Boy tout ce qu'il lui a avancé jusqu'ici et d'y ajouter même des intérêts fort convenables...

Elle n'attendra pas...

Elle pourrait – pourquoi pas – lui annoncer qu'elle va bientôt lui régler tout ce qu'il lui a avancé, ne serait-ce que pour voir comment il accueillera cette nouvelle. Mais il serait bien capable de lui répondre qu'elle ne lui doit rien, d'autant plus qu'il est devenu très riche.

Il n'en est pas question.

Elle veut être indépendante. À ses yeux, c'est à cela que sert l'argent et à rien d'autre. Alors, le lendemain, à la première heure, elle fait virer au compte de Boy la somme nécessaire, au centime près...

Sans l'en avertir...

C'est sa banque, la Lloyds, qui l'en informera.

Boy, un peu vexé par le geste de Coco, lui dira, non sans quelque tristesse, un jour de septembre où ils se promènent tous deux sur la plage de Biarritz :

— Je croyais t'avoir donné un jouet, je t'ai donné la liberté...

Mais Boy n'y perd rien. Elle lui avait dit un peu avant la guerre : « je ne saurai vraiment si je t'aime que lorsque je n'aurai plus besoin de toi ! » Eh bien, c'est le cas. Elle sait, maintenant, à quel point elle tient à lui.

Bien des années plus tard, elle dira : « MM. Balsan et Capel avaient eu pitié de moi ; ils me croyaient un pauvre moineau abandonné. En réalité, j'étais un fauve. J'apprenais peu à peu la vie, je veux dire, à me défendre contre elle. »

À Paris, Gabrielle, consciente d'avoir créé un style original, cherche à prolonger et à développer son succès en restant la plus proche possible des orientations qu'elle a déjà prises. Tout ce qu'elle invente ou renouvelle en matière de mode s'inspirera très directement de ce qu'il y a de plus profond en elle, de ses origines, de son passé, mais surtout de sa personne physique...

On a vu qu'elle s'oppose brutalement, dans la mode de son époque, à tout ce qui tend à accentuer la féminité. Et pour cause ! Son propre corps, d'une minceur presque androgyne, ne s'y prête pas. Elle s'en est vite aperçue. Elle a aussi constaté que tout ce qui est riche ne lui va pas. Pour quelles raisons ? Elle l'ignore, c'est ainsi. Sans qu'elle en fasse un principe, mais presque d'instinct, elle est attirée non point par des tissus somptueux mais par le tricot, pourtant populaire et bon marché. Le tricot pour la haute couture ? Qui diable eût jamais pensé à cela ? Poiret, quelque peu jaloux, avait trouvé la bonne formule pour qualifier la chose : la « pauvreté pour milliardaire ». Comment lui est venue l'idée du tricot ? Tout simplement de l'observation de certaines pièces de vêtements portées par des hommes : gilets de palefrenier, pull-over de garçon d'écurie, sweaters de Boy. Plus généralement, elle adore se revêtir d'emprunts au vestiaire masculin : jodhpurs d'un lad de Royallieu, pardessus de Léon de Laborde. Toute sa vie, on observera cette tendance de la mode de Chanel. Avec un goût sûr, elle a compris que cela lui va, à elle, mais aussi à un grand nombre de femmes qui pourront jouer avec cette ambiguïté, avec ce charme de l'équivoque. Elle a découvert une nouvelle manière d'accentuer la féminité : moins voyante, plus subtile mais non moins efficace.

Faut-il lier le goût de Chanel pour le tricot à ses origines provinciales et modestes, à toutes ces soirées auxquelles elle a assisté dans son enfance qui se déroulaient au rythme monotone du jeu des aiguilles ? C'est assez vraisemblable. Mais Gabrielle, si acharnée à effacer tout ce qui concerne son passé, ne l'eût pas volontiers admis.

En cet hiver 1916 où l'étoffe est rare, Coco a besoin pour ses futurs modèles d'une matière pauvre qui ne s'éloigne pas trop du tricot, qu'elle a déjà utilisé, et qui, employée pour une activité de luxe, serait d'une noblesse inattendue. Elle va trouver ce qu'elle cherche. Il advient, en effet, que, peu de temps avant la guerre, l'industriel Rodier, fabricant de textiles, possédait un stock de jersey conçu pour la bonneterie. Mais les fournisseurs avaient boudé ce nouveau tissu, le jugeant trop austère, même pour des sous-vêtements masculins, si bien qu'une partie en était restée invendue. Apprenant cela, Coco, femme de décision, l'achète immédiatement sans barguigner. Et du même coup, elle demande à Rodier d'en fabriquer à nouveau, car il lui en faut davantage. Elle se heurte alors à un net refus de la part de l'industriel qui craint d'avoir un nouveau stock sur les bras. Il prend un air dégoûté :

— Les femmes en voudront encore moins que les hommes ! Croyez-moi, c'est un tissu qui poche, qui godaille, qui grigne... Vous n'en ferez rien, rien de rien !

Mais Coco, qui n'aime pas qu'on lui résiste, insiste. Son regard s'assombrit, le ton monte rapidement. Peu s'en faut qu'elle n'insulte Rodier. Aussi obstiné qu'elle, il ne cédera que lorsque Gabrielle lui aura prouvé qu'il se trompe...

En effet, prêchant d'exemple, elle crée pour elle-même et porte systématiquement un ensemble d'une simplicité quasi monacale comportant une veste trois-quarts en jersey qui n'est pas marquée à la taille... Est-ce, comme on l'a suggéré, parce que le nouveau tissu se travaille très mal, que la moindre tentative pour le pincer au-dessus des hanches se solde par un démaillage catastrophique ? Coco aurait alors, dit-on, piqué une crise de colère terrifiante. Puis, refusant de s'avouer vaincue, elle aurait résolu le problème en supprimant délibérément cette maudite taille. Ce serait bien dans la ligne de son caractère.

Très vite, Gabrielle prépare pour ses clientes de Biarritz d'autres modèles : comme celui qui paraît en 1916 dans le *Harper's Bazaar* – le premier de sa conception qui ait été publié – c'est une robe, encore une fois, sans taille : à sa place, elle noue une écharpe flottant négligemment sur les hanches. L'encolure s'ouvre non sur un corsage mais sur un gilet d'allure masculine. C'est ce modèle que la commentatrice américaine, séduite, mais manquant du vocabulaire adéquat pour une création aussi surprenante, appelle « *a charming chemise dress of Chanel* ».

Ajoutons que Gabrielle raccourcit délibérément la robe – par rapport aux usages de l'époque. Poiret a certes commencé à montrer le pied : mais cette fois-ci, c'est toute la cheville et même un peu plus qu'elle découvre. Quelle révolution ! Quelle nostalgie bientôt chez les hommes qui avaient pris l'habitude d'épier chez les inconnues le moment délicieux où, franchissant un trottoir, elles relevaient si délicatement le bas de leur jupe, faisant ainsi apparaître un tout petit peu d'elles-mêmes. C'était d'ailleurs devenu un des thèmes préférés des peintres de genre, comme Jean Béraud ou Albert Guillaume.

Quoi qu'il en soit, Rodier reconnaît son erreur et remet en fabrication ce jersey dont Gabrielle, qui a le sens de la formule, dira plus tard : « Le jersey ne servait alors qu'aux dessous ; je lui fis les honneurs de la surface. »

En fait, la révolution opérée par Gabrielle ne se limitera pas au choix de nouvelles matières. Naguère, c'était l'aspect décoratif du vêtement féminin qui était la préoccupation essentielle des couturiers (couleurs vives, tissus riches, broderies, dentelles, nœuds, volants, gazes, voilettes, ruchés, pompons, multiples bijoux, raffinements de toute nature...). Aux yeux de Chanel, c'est la silhouette générale, la ligne, qui doit primer. Il est urgent de la débarrasser de tous les ornements superflus, de toutes les fanfreluches et, plus généralement, de tout procédé qui puisse en altérer la pureté. En somme, Gabrielle se livre pour le vêtement à la même opération que pour les coiffures [1]. Cette quête incessante de la rigueur et du dépouillement, jointe à l'usage de matières bon marché, fait de l'ex-pensionnaire des religieuses une janséniste de la couture. Et il n'est pas exclu que l'austérité de l'architecture d'Obazine, la rigueur de l'uniforme des « sœurs » qui éduquaient la petite Gabrielle soient pour quelque chose dans l'orientation des goûts de Coco Chanel.

La très parisienne rue Cambon n'est pas si loin de la Corrèze...

---

1. La confection des chapeaux n'est plus pour elle qu'une activité très accessoire.

À côté de cette tendance, il en est une autre qui coexiste chez Gabrielle, c'est celle qui la pousse à promouvoir la liberté physique de la femme, la mobilité de son corps. Il n'y a pas si longtemps, après avoir renoncé aux « traînes » qui balayaient la poussière, les élégantes portaient encore des jupes dites « entravées ». Celles-ci rendaient nécessaire le port de jarretières spéciales reliant étroitement les jambes, de telle façon que la femme ne pût faire que de tout petits pas[1]. En 1916, on n'en est plus là... Depuis le départ de millions d'hommes à la guerre, les femmes, contraintes de mener une vie active, acquièrent une indépendance toute nouvelle. Or, Chanel a et aura toujours le talent de savoir adapter la mode aux conditions sans cesse changeantes auxquelles ses clientes – comme elle-même – se trouvent assujetties. Les vêtements flottants qu'elle crée, leur absence de taille tout juste indiquée, cette renonciation à souligner à tout prix le buste et la cambrure, cette condamnation sans appel du corset, ces jupes raccourcies, vont tout à fait dans le sens d'une liberté croissante du corps féminin à l'intérieur de vêtements desserrés. Toutes ces innovations correspondent au nouveau genre d'existence que mènent ses clientes depuis 1914. Il y a maintenant des femmes d'affaires qui prennent la direction d'une entreprise pendant l'absence de leur mari mobilisé, des sportives, des golfeuses, des automobilistes qui participent aux courses... et, tout simplement, des personnes qui empruntent le métro ou l'autobus. À l'inverse, les femmes exhibées naguère aux pesages de Longchamp ou de Chantilly, surchargées de bijoux, de fourrures et de chapeaux extravagants apparaissent comme des

---

1. Dans une interview de 1916, Feydeau se félicite de la disparition de ces jupes entravées : « Avec l'ancienne mode, il était impossible de suivre une femme dans la rue. Au bout de trois pas, on l'avait dépassée, tandis que maintenant... » (Voir H. Gidel, *Feydeau*, Flammarion, 1991.)

survivantes d'un autre âge. « J'ai rendu au corps des femmes sa liberté, dira Gabrielle. Ce corps suait dans des habits de parade, sous les dentelles, les corsets, les dessous, le rembourrage. » Ainsi, lorsque Chanel détruit une mode qu'elle haïssait et crée une silhouette de femme toute neuve, on entre dans un autre siècle...

Pendant ce temps, la guerre continue et elle n'est pas près de s'arrêter. Si, en 1916, la France a pu résister à Verdun au prix de trois mille morts par jour, si les Allemands n'ont pu passer, ils sont toujours là, occupant une dizaine de départements. Bonnes et mauvaises nouvelles alternent. En avril 1917, les États-Unis entrent en guerre aux côtés des Alliés. Mais, en mars de la même année, sous la pression révolutionnaire, le tsar Nicolas II abdique et l'armée russe se décompose. On pourra de moins en moins compter sur elle pour fixer les troupes allemandes à l'Est. Pis encore, quelques mois plus tard, les bolcheviks, ayant pris le pouvoir, vont demander une paix séparée qu'ils obtiendront à Brest-Litowsk. Et comme les États-Unis ne disposent encore que de maigres troupes mal entraînées, ce sont les Alliés qui devront subir les assauts d'une armée allemande dont les effectifs auront doublé. Ce sont deux cents divisions supplémentaires, commandées par le remarquable Ludendorff, qui vont se jeter sur la France.

Las de voir la guerre s'éterniser, toujours aussi sanglante et sans espoir d'une fin rapide, des soldats se mutinent, refusent de sortir des tranchées au moment de l'attaque, d'autres désertent. Ils profitent d'une permission pour ne pas regagner leurs unités. Des incidents de ce genre se produisent dans plus d'une centaine de régiments. Et on devra fusiller « pour l'exemple » une soixantaine de mutins.

Ces tragiques événements ayant lieu en mai 1917, on est d'autant plus surpris de voir paraître à Londres, chez Werner Laurie, sous la plume d'Arthur Capel, ses *Reflections on Victory and a Project for the Federation of Government*. La victoire ? Certes, on l'espère chez les Alliés. Mais de là à la considérer comme acquise en une période où la situation n'a jamais été aussi mauvaise... de là à se préoccuper déjà de savoir comment l'Europe devra s'organiser une fois la guerre gagnée..., n'est-ce pas aller un peu vite ? En fait Boy, dont l'admiration pour son ami Clemenceau est vive, partage sur ce point ses certitudes : « le Vieux », comme les soldats l'appellent, effectue de fréquentes visites dans les tranchées qu'il parcourt, sa canne à la main, coiffé d'un invraisemblable chapeau cabossé, emmitouflé dans un cache-nez sans âge. Il veille sur le confort du soldat, goûte la soupe préparée par les « roulantes », non sans que ses longues moustaches à la gauloise y aient plus d'une fois trempé. Circulant dans les tranchées, il s'expose imprudemment au feu de l'ennemi, donnant des sueurs froides aux officiers qui l'escortent. En définitive, il communique sa foi aux « poilus ». Quelques mois plus tard, on le surnommera « le Père la Victoire » ou « le Tigre ».

L'ouvrage de Capel ne passe pas inaperçu : il a les honneurs d'un compte rendu dans le *Times Literary Supplement*. Qu'un businessman joueur de polo ait pu l'écrire en surprend plus d'un. À côté de quelques bizarreries et de vues utopiques, on trouve chez l'auteur un adversaire implacable des patries, un partisan déterminé d'une fédération européenne ainsi que d'une décentralisation systématique. Enfin, plus lucide que Clemenceau sur ce point, il ne lui échappe pas qu'une paix exclusivement fondée sur l'esprit de revanche des uns et l'humiliation des autres ne pourra qu'engendrer à brève échéance une nouvelle guerre. Quelle clairvoyance !

Mais peut-être cette juste vision de l'avenir est-elle alors plus aisée à adopter par le ressortissant d'un pays dont le territoire n'a été ni envahi ni ravagé par le conflit...

La parution de son ouvrage et les nécessités de sa promotion ont contraint Boy à de nombreux séjours à Londres. Ses absences ne sont pas sans provoquer chez Gabrielle quelque amertume. Elle n'ignore pas qu'en Angleterre, Capel fréquente beaucoup cette gentry dont il sent que ses origines l'empêchent de faire vraiment partie, même si personne ne le lui a jamais fait sentir. Or il vit très mal cette situation sociale ambiguë, au point que Gabrielle s'estime délaissée au profit de considérations mondaines qu'elle juge dérisoires.

C'est durant cette période de demi-solitude qu'elle décide de couper sans pitié ces magnifiques cheveux noirs qui lui tombent jusqu'aux hanches. Elle avait jusqu'alors l'habitude de les relever en une triple natte pour en former une élégante masse arrondie.

Plus tard, elle expliquera ce geste cruel d'une manière compliquée : une explosion de son chauffe-eau à gaz qui, juste avant son départ pour l'Opéra, l'aurait couverte de suie et contrainte à couper une chevelure devenue imprésentable. Ce récit, mille fois modifié et enrichi au fil du temps, sera un des morceaux de bravoure de sa conversation...

Faut-il la croire ? Elle répète si souvent que la légende l'intéresse infiniment plus que la réalité...

En fait, sans doute est-ce l'esprit de vengeance qui l'anime lorsqu'elle sacrifie cette superbe toison d'un velouté de zibeline. Celle que Boy aimait tant lui voir dérouler sur ses épaules... C'est ainsi qu'elle le punit de sa trop longue absence...

Elle désire peut-être aussi effacer tout souvenir de la jeune femme qu'elle a été, à Royallieu comme à Moulins, périodes fertiles en espoirs déçus et en humiliations insupportables. Et puis, n'est-ce pas précisément chez Étienne qu'elle est devenue amoureuse de l'homme qui s'éloigne d'elle ?

Quoi qu'il en soit, elle estime que les cheveux courts lui vont bien et dégagent ce cou très allongé dont elle est si fière. Par la suite, avant chaque collection, elle ne manquera jamais de taillader ses cheveux aux ciseaux...

Gabrielle fait école en ce mois de mai 1917. Et cette nouvelle coiffure devient du jour au lendemain à la mode. Ce phénomène n'échappe pas à Paul Morand. Dans les pages du *Journal* qu'il rédige ce mois-là, il signale que, depuis quelques jours, la tendance est pour les femmes de porter les cheveux courts. « Toutes s'y mettent », note-t-il, à commencer par Chanel et Mme Le Tellier. Il pourrait ajouter le nom de Marthe Davelli, la cantatrice amie de Gabrielle, et celui d'Adrienne Chanel. Certes, Colette, une quinzaine d'années auparavant, avait, sur l'ordre de Willy, son mari, coupé la chevelure d'un mètre cinquante qu'elle portait jusqu'alors, et Polaire avait fait de même, mais elles avaient scandalisé sans faire d'émules. Cette fois, au contraire, Coco lance une mode qui va durer...

C'est en mai 1917 qu'une nouvelle rencontre va, une fois de plus, modifier son existence. L'un de ses amis lui a arrangé un dîner avec l'actrice Cécile Sorel, qu'elle a toujours admirée et désire passionnément connaître. « Dîner chez Sorel, c'était ce qui me paraissait le plus beau », confiera-t-elle plus tard. Cécile Sorel, âgée de quarante-quatre ans, sociétaire de la Comédie-Française, est alors au sommet de la gloire et tout le monde se souvient de son interprétation de Célimène dans *Le Misanthrope*. Extrêmement belle, elle incarne la diva aussi extravagante dans sa vie privée que sur la scène.

Mais Coco a trop idéalisé l'actrice chez laquelle elle remarque avec consternation que « tout est faux ». À commencer par sa denture : elle a constamment l'impression que son râtelier va tomber. Devra-t-elle se précipiter pour le rattraper ? En guise de nappe, et pour faire riche, Cécile Sorel a utilisé un tissu doré qui n'est plus tout neuf. Aux fenêtres, pendent des doubles rideaux en peau de léopard qui ont perdu une partie de leurs poils... Enfin, disposés sur le sol, des miroirs de forme irrégulière sont censés figurer des pièces d'eau ou des lacs peut-être... On ne sait trop. Pendant le repas, un pianiste exécute des marches funèbres... On devine l'exaspération de Gabrielle, maniaque du propre, du naturel, du simple, devant ce décor chichiteux qui est exactement l'opposé de ce qu'elle aime... C'est pourquoi elle ne desserre pas les dents de tout le repas et les plaisanteries faites par son voisin de table, le peintre José-Maria Sert, ne parviennent pas à la dérider. Tout au plus, au salon, après le repas, échange-t-elle quelques banalités avec les convives, parmi lesquels Misia Godebska [1], ex-Mme Edwards et future Mme Sert... Toujours est-il que Misia est totalement séduite par Gabrielle qui lui paraît douée d'une « grâce infinie », d'un « charme irrésistible » et lui évoque Mme Dubarry, rien de moins ! Au moment de partir, elle la félicite d'un très beau manteau de velours rouge bordé de fourrure qu'elle s'apprête à revêtir. Coco le place aussitôt sur les épaules de Misia, lui disant qu'elle est trop heureuse de lui en faire cadeau. Naturellement, celle-ci refuse le présent mais elle juge le geste si charmant dans sa spontanéité qu'elle trouve la jeune femme « ensorcelante ».

Dès le lendemain, elle se précipite rue Cambon. Dans la boutique, elle entend deux femmes parler d'elle en l'appelant « Coco ». Elle est choquée qu'on affuble de ce sobriquet si vulgaire à ses yeux un être aussi exceptionnel et son cœur se serre à cette pensée... Enfin, elle la rencontre et les heures passent en une conversation dont Misia fait presque tous les frais, Gabrielle parlant peu. L'emballement de Misia

1. Voir Arthur Gold et Robert Fizdale, *Misia, la vie de Misia Sert*, Gallimard, 1981, et *Misia par Misia*, Gallimard, 1952.

est si vif que Coco se sent obligée d'inviter sa nouvelle amie et son compagnon à dîner chez elle. Cette fois-ci Boy, qui n'avait pu assister au déjeuner de la veille, est présent...

Ce sera entre Gabrielle et Misia le début d'une amitié passionnée et orageuse, qui se développera surtout un an et demi plus tard, au cours d'un voyage qu'elle fera avec le couple.

« Je n'ai eu qu'une seule amie », dira Coco, au soir de son existence. Quelques mots sur cette personnalité hors du commun ne seront pas superflus.

Misia Godebska, née en 1872, est la fille de Cyprien Godebski, un sculpteur polonais très connu à l'époque dans toute l'Europe, à telle enseigne qu'il s'est acheté une carrière de marbre à Carrare pour être certain de satisfaire aux nombreuses commandes qu'il recevait. La mère de Misia se nomme Sophie Servais, fille d'un violoncelliste alors célèbre qui vit dans l'opulence à Halle, près de Bruxelles. Dans sa vaste et luxueuse demeure de style italo-belge, il donne l'hospitalité durant des semaines à des amis qui s'appellent Franz Liszt, souvent accompagné d'une femme habillée en homme, et qui se prénomme George..., Hector Berlioz, et des chefs d'orchestre, Hans von Bulow ou Charles Lamoureux. On y célèbre le culte de Beethoven, de Liszt bien entendu, et surtout de Wagner.

Misia est née dans des circonstances passablement romanesques. Sophie, sa mère, qui séjourne chez ses parents en Belgique, pendant que son sculpteur de père exécute des commandes à Saint-Pétersbourg pour les Youssoupov apprend, par une lettre anonyme, que son mari entretient là-bas une liaison avec la séduisante Olga, la propre tante de la jeune femme. Pis encore, l'épouse et la maîtresse du fringant artiste sont simultanément enceintes de lui. Sophie, malgré sa grossesse avancée, part aussitôt pour la Russie afin de mettre un peu d'ordre dans cette situation pour le moins inédite.

Dieu sait par quel miracle Sophie Godebska, malgré le glacial hiver russe, parvient jusqu'au terme de son voyage, une maison isolée ensevelie dans la neige.

Après avoir péniblement gravi les marches verglacées du perron, avant de sonner, elle s'appuie contre la porte pour reprendre son souffle : à ce moment-là, elle perçoit un rire qu'elle connaît bien, auquel répond en écho celui d'une voix féminine qui ne lui est pas moins familière... Elle n'ose pas sonner... Avoir parcouru trois mille kilomètres pour obtenir la confirmation de son malheur, c'en est trop pour la pauvre femme. Quelques heures plus tard, elle meurt en donnant le jour à Misia.

Tel est le drame qui a marqué son destin.

Malgré d'aussi désolants débuts, Misia ne va pas manquer d'atouts. Élevée par sa grand-mère à Halle, au sein de cette famille de musiciens que nous avons évoquée, elle connaît déjà ses notes avant même de savoir lire. Elle a même l'autorisation de jouer sur les genoux de Liszt. D'une intelligence précoce, fantasque, elle connaît une existence chaotique : deux belles-mères, des déplacements incessants entre la Pologne, la Belgique et la France. À quatorze ans, excellente pianiste, elle est devenue très belle. Une allure de reine, bien en chair, comme on aime les femmes à l'époque. La plénitude de ses formes, associée à la finesse de sa taille, un visage trahissant une gourmandise sensuelle, tout évoque en elle les créatures démoniaques sorties de l'imagination de Félicien Rops, l'artiste belge qu'elle a d'ailleurs bien connu chez son père...

À dix-huit ans, elle fait une fugue à Londres, revient à Paris où elle vit de leçons de piano que lui procure Fauré. À vingt et un ans en 1893, elle épouse son cousin, le jeune Thadée Natanson, l'un des trois fils d'un riche banquier juif polonais et d'une Russe.

Or, les frères Natanson connaissent le Tout-Paris des Lettres et des Arts. Ils ont, quatre ans plus tôt, fondé un mensuel, *la Revue blanche* (subventionnée par leurs parents) qui accueille les articles des meilleurs écrivains de l'époque : énumérer les noms de ceux qui collaborent à la *Revue* équivaudrait à reproduire l'index d'un manuel d'histoire de la littérature française : Barrès, Claudel, Fénéon, Jammes, Jarry, Mallarmé, Mirabeau, Péguy, Proust, Zola...

Le jeune couple s'installe rue Saint-Florentin. Les murs de l'appartement sont garnis de tableaux peints par les amis du jeune marié. On découvre, au bas des toiles, les noms des artistes : Bonnard, Redon, Vuillard... La plupart d'entre eux illustreront les affiches publicitaires qui font connaître la *Revue*. On ne s'étonnera pas qu'ils reproduisent plus d'une fois les traits du visage et l'élégante silhouette de la belle Misia. Tous sont subjugués par son charme, son talent de pianiste, sa fantaisie, son extravagance et ses mots provocants. On pourrait constituer un petit musée en rassemblant tous les portraits d'elle exécutés alors – et plus tard – par les maîtres les plus prestigieux. Ainsi Renoir, les mains presque paralysées, les pinceaux attachés à ses doigts, la peint à huit reprises, profondément désolé, cependant, qu'elle ne lui ait jamais permis de reproduire ses seins...

En 1905, Misia, qui a divorcé, devient l'épouse du richissime Alfred Edwards, homme d'affaires ventripotent, propriétaire notamment du *Matin*. Il se prend pour elle d'une violente passion et l'arrache pour ainsi dire à son mari. À ce moment-là, tout en conservant ses amis peintres, Misia fait la connaissance d'un milieu passablement cynique de journalistes, d'affairistes et de cocottes qu'elle ignorait complètement jusqu'alors. Quatre ans après ce mariage, lasse du comportement d'Edwards qui, tout en la trompant, se montre d'une jalousie obsessionnelle et d'une incroyable violence, elle divorce en 1909. Bien lui en prend car, peu de temps après, Edwards va être soupçonné d'avoir étranglé et noyé dans le Rhin sa nouvelle femme, la jolie actrice Geneviève Lantelme...

Misia se lie ensuite avec un peintre et décorateur alors célèbre, un Catalan, nommé José-Maria Sert. Fils d'industriel, il n'est pas moins riche que son prédécesseur mais beaucoup plus cultivé. C'est un artiste baroque aussi extravagant que sa nouvelle compagne. Souvent vêtu d'une cape et coiffé d'un sombrero, il ne passe pas inaperçu. Bien qu'alcoolique et morphinomane, il n'a rien perdu de son énergie et de sa gaieté. Petit homme trapu et volubile, il peint des toiles gigantesques, ou décore des cathédrales comme celle de Vich, en Catalogne, à moins que ce ne soient les salons du Waldorf-Astoria à New York (on l'appelle ironiquement le Tiepolo du Waldorf), ce qui ne l'empêche pas d'enjoliver les boudoirs de la rue de Longchamp. Les peintres amis de Misia peuvent ricaner et le surnommer M. Jojo. N'empêche que c'est lui qui a fait connaître à sa compagne et à eux tous un étrange personnage, dont la chevelure noire est curieusement traversée d'une mèche toute blanche... C'est Diaghilev, le génial animateur des Ballets russes à la promotion desquels Misia va consacrer tant d'efforts...

Telle est, en 1917, la personnalité originale et complexe de celle qui pendant des années jouera avec Sert un rôle si considérable dans le destin de Gabrielle...

À l'issue de cette même année 1917, la situation militaire des Alliés est franchement mauvaise. La France se retrouve pratiquement dans les désastreuses conditions d'août 1914. On fait alors appel à Clemenceau qui, le 16 novembre, devient président du Conseil avec la mission de sauver le pays. Le poids politique de Capel s'en trouve accru. D'autant

130

plus qu'il court voir son ami à l'hôtel Matignon pour lui proposer de mettre à la disposition de la France l'ensemble de ses cargos charbonniers : le geste est beau... car les « U boat », les sous-marins de la kriegsmarine, risquent d'en envoyer par le fond une bonne partie. Le président accepte et ne cessera de chanter partout les louanges de son Anglais...

Dès son accession au pouvoir, il s'efforce de galvaniser les énergies nationales.

Malgré la lourdeur de sa tâche et le poids de l'âge, l'alerte vieillard continue à parcourir les tranchées et, comme le président Poincaré s'obstine à l'y suivre, il lui jette avec mépris : « Il y a deux choses parfaitement inutiles : la prostate et la présidence de la République. »

Pendant ce temps, les affaires de Coco sont florissantes : elle peut se permettre maintenant d'acheter pour 300 000 francs-or la grande villa de Biarritz, siège de sa succursale, dont elle n'était jusqu'alors que la locataire.

Les magazines de mode de l'époque se font évidemment l'écho de ces succès croissants. Dès 1916, les *Élégances parisiennes* reproduisent plusieurs de ses modèles en jersey. La réputation déjà européenne de Chanel s'étend à l'Amérique. Dès 1915, on peut lire dans le *Harper's Bazaar* : « *The woman who hasn't at least one Chanel is hopelessly out of the running in fashion.* » (Une femme qui n'a pas au minimum un Chanel est irrémédiablement démodée.) Dès 1917, la majorité des clientes de Gabrielle est maintenant composée d'Américaines qui la connaissent comme « *the dictator of jersey* », et le *Vogue* d'outre-Atlantique note la présence de ses robes de jersey en avril à Palm-Beach, en Floride. Quant au *Harper's*, il décrète : « *This season, the name of Gabrielle Chanel is on the lips of every buyer.* » (Cette saison, le nom de Gabrielle Chanel est sur les lèvres de tous les acheteurs.) Mais la couturière a suffisamment de sens commercial pour substituer au noir, au beige et au gris foncé dont elle use pour les Parisiens des couleurs plus vives comme des rouges bordeaux ou des verts lorsqu'elle destine ses créations aux USA moins directement impliqués dans le conflit, malgré leur récent engagement au côté des Alliés. Un énorme album, encore imaginaire, représentant les centaines de modèles conçus par Coco durant la guerre, surprendrait le lecteur par la prodigieuse richesse d'invention dont il témoigne. En ce qui concerne les matières utilisées, outre le jersey, elle emploie aussi le satin, le crêpe de Chine, la serge, le velours, la faille, le tulle, la dentelle... De plus, elle aime border les vêtements de bandes de fourrures considérées comme communes, telles... le lapin, la taupe ou le castor, en réaction contre celles, très coûteuses, utilisées habituellement dans la haute couture, et qu'on se procure beaucoup plus difficilement comme le vison ou la zibeline. Mais, outre d'évidentes raisons économiques, il faut ici tenir compte de la répulsion de Gabrielle pour les matériaux « riches » : ils lui semblent interférer fâcheusement dans la mode. Laquelle se doit d'être essentiellement rigueur, simplicité, discrétion et non étalage d'opulence.

En ce qui concerne ses créations proprement dites, Coco ne veut pas rester à l'écart des tendances générales de l'époque. Ainsi, en 1917, et jusqu'en 1920, fabrique-t-elle des robes de ligne « tonneau » plus ou moins accentuée, avec des drapés latéraux pour élargir les hanches. Mais tout ce qu'elle invente tient le plus grand compte des nouvelles conditions de vie des femmes, vestes trois-quarts avec jupes très vagues – le tout en jersey –, multiples sahariennes munies de poches profondes, conçues pour qu'on puisse y enfouir les mains, longues et chaudes écharpes... Cette politique de mode systématiquement appliquée vaut à Gabrielle de grands succès...

Malheureusement, sa vie privée est loin de lui offrir les mêmes satisfactions : Boy, devenu un personnage très important, fréquente de plus en plus la haute société – anglaise ou française. Il est ambitieux, très ambitieux. Un peu trop pour Gabrielle. Un jour, dans la zone des armées, il rend visite à l'une de ses compatriotes, la duchesse de Sutherland... C'est une de ces grandes dames de l'époque, si bien dépeintes par Cocteau dans *Thomas l'imposteur*, qui organisent des services d'ambulances. Parmi les infirmières, il retrouve une jolie jeune femme qu'il a déjà remarquée à Londres, Diana Lister, née Ribblesdale. Fille et belle-fille de lords, à peine mariée, elle est devenue veuve, destin, hélas, trop fréquent en cette tragique période. Autant que son nom, la régularité de ses traits, sa douceur résignée, son évidente fragilité, l'injuste malheur qui la frappe, tout cela émeut profondément Boy. Il peut même s'imaginer qu'il l'aime, ce qui d'ailleurs l'arrange. Lorsqu'il fait savoir officiellement qu'il voudrait l'épouser, sa demande est aussitôt agréée. Ainsi obtient-il tout ce qu'il désire. Fiancé à Diana, le voici, même s'il n'est pas noble, entré quasi officiellement dans la « gentry ». En outre, il est nommé secrétaire politique de la section britannique au Grand Conseil interallié de Versailles. Que peut demander de plus ce roturier qui a toujours souffert de l'obscurité de sa naissance ?

Son mariage aura lieu en octobre 1918 chez le beau-frère de Diana, Lord Lovat, aristocrate écossais, dans la chapelle privée de Beaufort Castle, son fief du Comté d'Inverness. Le site du château pourrait être celui d'un roman anglais qui se déroule à l'époque victorienne dans les milieux aristocratiques : arbres séculaires, immenses prairies à moutons parsemées d'étangs bordés d'ajoncs.

Revenons en mars 1918, au moment où Boy vient de se fiancer. L'heure est venue pour lui d'en infor-

mer Coco. De vive voix. Par lettre, ce serait pire...
Mais lorsqu'il se trouve devant elle, qu'il la voit si
ardente et si vulnérable à la fois, le cœur lui
manque... il cherche des phrases... Il ne trouve pas.
C'est elle, horrible situation, qui doit l'aider. D'ailleurs, elle s'en doutait. Plus tard, elle confiera à ses
amis : « Avant qu'il parle, je savais... »

Devant lui, elle reste très digne. Son amour-propre la contraint à faire bonne figure.

Après son départ, elle se donne tout entière à son
chagrin. Maintenant, elle va pleurer... des heures et
des heures. Certes, elle savait, mais elle vivait
comme si elle ignorait tout... si bien que le choc
qu'elle reçoit est tout aussi insupportable.

Une franche rupture serait la suite logique de la
scène qui vient d'avoir lieu. Or il n'en sera rien... Il
semble qu'à aucun moment, l'idée de quitter
Gabrielle n'a effleuré l'esprit de Boy... Quant à elle,
toute blessée qu'elle est par la décision de son
amant, elle est trop éprise de lui pour envisager
jamais de lui fermer sa porte. Elle lui accorde même
mille excuses, d'autant plus qu'elle discerne, entre
elle et lui, une extrême similitude de caractère et de
destin. Tous deux ont un compte à régler avec un
passé d'humiliation. D'où cette soif urgente de réussite sociale et cette rage de gagner qui consume
toute leur énergie. D'ailleurs, n'est-ce pas dans cette
perspective qu'ils ont, chacun à leur manière, toujours dirigé leur existence ? Pourquoi reprocher à
Boy d'être ce qu'elle est elle-même ? Ne sont-ils pas
nés pour être complices ? C'est de cette façon,
semble-t-il, que Coco se résigne à envisager leurs
nouveaux rapports...

Quoi qu'il en soit, elle ne peut plus loger chez
Boy, boulevard Malesherbes [1]. Par l'intermédiaire de

---

1. Ils avaient quitté l'avenue Gabriel depuis 1914.

Misia, elle loue alors un appartement meublé près de l'Alma, 46 quai de Billy (maintenant quai de Tokyo). C'est un simple rez-de-chaussée, assez curieusement décoré. L'alcôve est entièrement tapissée de miroirs, l'antichambre aussi. Le plafond est laqué d'un noir de jais particulièrement brillant et un Bouddha doré de grande dimension y impose sa présence obsédante.

Ce décor obsédera longtemps Gabrielle qui en reproduira plus d'une fois les thèmes et les éléments dans les résidences qu'elle occupera tout au long de sa vie. Lié au lancinant souvenir de Boy, il ne cessera de hanter son esprit...

Le Paris de cette époque n'est plus la ville de fête qu'il était avant la guerre, et encore moins la « ville-lumière » : les réverbères teintés de bleu pour ne pas rendre la capitale trop facilement identifiable par les bombardiers ennemis ne dispensent qu'un éclairage sinistre.

Un jour de mars 1918, un événement incompréhensible stupéfie les Parisiens : le 23, dix-huit bombes s'abattent sur la ville, faisant quinze morts et trente blessés, sans que soit apparu dans le ciel le moindre appareil allemand. Il faut se rendre à l'évidence : le front a beau se trouver à cent vingt kilomètres de Paris, l'ennemi est parvenu à construire un canon d'une portée jusqu'alors inconnue. Et les prétendues bombes sont bel et bien des obus. La « Grosse Bertha » (du nom de Mme Krupp von Bohlen, épouse du constructeur), canon de 240, est installé dans la forêt de Saint-Gobain, aux environs de Soissons. Le tube de la pièce est si long qu'il nécessite une impressionnante béquille d'acier pour qu'il ne se rompe pas en sa partie médiane. Le 29 mars, c'est la tragédie : un projectile atteint l'église Saint-Gervais (derrière l'Hôtel de Ville) pendant l'office du vendredi saint.

La voûte s'effondre, tuant quatre-vingts personnes et blessant deux cents autres fidèles... Généralement, ces obus ne démolissent que la partie supérieure des immeubles, si bien que ceux qui en ont les moyens viennent s'installer dans les deux ou trois premiers étages des palaces parisiens comme l'Hôtel Meurice, ou le Terminus ; d'autres, en grand nombre, quittent Paris. Le danger est d'autant plus grand qu'aucune sirène d'alerte ne peut avertir la population de gagner les abris. La capitale est aussi bombardée par les « gothas », grands bimoteurs triplaces qui, lorsqu'il fait beau, viennent déverser leurs projectiles presque tous les soirs vers les onze heures. On voit leurs silhouettes blanchâtres à croix noires se découper dans les faisceaux des projecteurs. C'est devenu une attraction de choix pour les badauds parisiens inconscients ou fatalistes qui s'agglutinent sur les ponts de façon à jouir d'un champ de vision plus dégagé...

Pour ceux qui aiment le théâtre mais pas au point de risquer leur vie, un ingénieux directeur, Gustave Quinson, a fait aménager une salle souterraine de quatre cents places, nommée l'Abri, où l'on vient applaudir la première de l'opérette *Phiphi*...

Quant aux personnes que le hurlement des sirènes fait descendre dans les caves des immeubles, Gabrielle est loin de les avoir négligées : elle a conçu pour ses clientes un pyjama spécial de satin blanc ou bordeaux. Ainsi gardent-elles toute leur séduction dans des conditions où elles risquaient fort de ne pas paraître à leur avantage.

Toujours attentive aux conditions réelles dans lesquelles vivent les femmes de son époque, Gabrielle constate que la pénurie de « mécaniciens » (ils sont tous mobilisés) contraint ses clientes à faire leurs courses à pied par tous les temps. Elle crée alors à leur usage des manteaux de pluie caoutchoutés, inspirés de ceux des chauffeurs, équipés de vastes poches et conçus pour être rapidement fermés. Elle

136

les « décline » en noir, blanc, rose ou bleu... C'est un triomphe mondial : aux États-Unis, au Brésil, en Argentine, on se les arrache[1].

À l'inverse, les affaires de la France ne sont pas aussi satisfaisantes. Entre mars et juillet 1918, Ludendorff lance quatre grandes attaques qui portent les troupes allemandes jusqu'à la forêt de Villers-Cotterêts, à 65 kilomètres de Paris... On en est presque revenu au contexte de septembre 1914. Un million de Parisiens sont partis. Les Anglais prévoient le rembarquement de leurs troupes par les ports de Calais et de Boulogne (Dunkerque étant trop près des lignes). Les causes de cette défaite ? Ce sont très exactement celles que l'on prévoyait : l'Allemagne a pu jeter sur la France une masse de divisions aguerries, libérées par la défection des Russes. Alors que du côté des Alliés, les Américains ne pourront intervenir efficacement qu'à partir d'août...

Pendant cet été 1918, Coco, outre les voyages professionnels qu'elle a l'habitude d'effectuer à Deauville et à Biarritz, se rend, pour y suivre une cure, à Uriage, dans l'Isère. Elle s'y est laissée entraîner par le dramaturge Henry Bernstein. Ils séjournent dans une résidence de location, la « Villa des jardins », où s'est également installée Nadine de Rothschild[2]. Bernstein est-il l'amant de Gabrielle ? On n'en saura rien. Certes, on n'ignore pas que le nombre des conquêtes faites par l'auteur du *Secret*, don juan boulimique, est infini. Et l'on peut présumer que la conduite de Boy à l'égard de Coco est de nature à lui faire reprendre sa liberté. Une aventure entre eux est donc plausible. Toujours est-il qu'Antoinette

1. Janet Wallach, *Chanel : Her style and her life*, Doubleday, New York, 1998.
2. Voir Georges Bernstein-Gruber et Gilbert Maurin, *Bernstein le magnifique*, J.-C. Lattès, 1988.

Bernstein, la femme d'Henry, vient à Uriage avec leur fille Georges rejoindre son mari et reste avec lui et Coco une huitaine de jours. Les deux femmes s'entendent à merveille. Des photographies de cette époque les montrent vêtus, tous les trois, de ces pyjamas de satin blanc que Gabrielle vient de mettre à la mode. Ils sont déjà « unisexe », comme on dit à présent, mais cette fois il s'agit de vêtements de soleil et non plus de tenues d'alerte aérienne comme quelques mois auparavant. On ne s'étonnera pas de cette intimité entre les Bernstein et Gabrielle. Celle-ci les connaissait déjà et tout particulièrement Antoinette qu'elle avait comme cliente, à Deauville et à Paris, avant son mariage en 1915. Qu'une brève aventure ait eu lieu entre Bernstein et Gabrielle ou non, les deux amies continueront à s'écrire et à se voir. Mieux encore, Coco s'instaure l'affectueuse conseillère de la jeune Antoinette, comme le prouvent les nombreuses lettres de Gabrielle que conserve Mme Georges Bernstein-Gruber, la fille du dramaturge. Les deux correspondantes sympathisent d'autant plus qu'elles ont affaire au même type d'homme, totalement incapable de la moindre fidélité. Henry Bernstein, pour sa part, a loyalement prévenu Antoinette avant même leurs fiançailles : un « artiste » comme lui ne pourra jamais être l'homme d'une seule femme, sous peine de « mourir à son art ». Ce qui ne l'empêche pas de concevoir pour elle une « immense tendresse ». Quant à Boy, qui d'ailleurs n'a pas l'excuse d'être un « artiste », il appartient à la même race et ne s'en cache pas.

Aussi, lorsque plus tard Bernstein trompe Antoinette avec Odette Péreire, une de ses amies de jeunesse, Coco par ses lettres vient au secours de la jeune femme, la console, lui prodigue les encouragements : « le reste n'est pas grave, ma petite Antoinette, le futur est entre vos mains, pensez-y, pensez-y souvent (.....) Ne vous fatiguez pas, pensez à être jolie. Cela aussi a bien de l'importance[1] ».

Une autre fois, alors qu'Antoinette décide de ne pas participer à un bal costumé parce qu'elle sait que son mari va y rencontrer sa maîtresse, Coco intervient, la fait venir chez elle, la farde, l'habille comme elle seule sait le faire, la force à avaler deux cocktails très forts et la dépose au bal... C'est la bonne fée... Se sent-elle coupable vis-à-vis d'Antoinette ? ou est-ce pure amitié ou encore solidarité féminine dans le malheur ?

Tout cela n'empêche pas Gabrielle de rester une amie d'Henry Bernstein. Plus tard, elle lui donnera une grosse somme d'argent pour lui permettre d'acheter le théâtre du Gymnase. Des années après, il s'en étonnait encore, lui qui avait tant dépensé pour les femmes, et il disait : « c'est la seule d'entre elles qui m'ait jamais donné de l'argent ! »

Après l'armistice, ils continuent à se voir avec ou sans Antoinette, comme en témoignent ces lignes extraites du *Journal* de la belle Liane de Pougy, l'ex-maîtresse d'Henry, à la date du 12 septembre 1919 : « Bernstein s'est fait annoncer par une énorme gerbe d'énormes roses rouges. Il nous a amené Gabrielle Chanel, fée par le goût, femme par le regard et la voix, petit voyou gamin par la coupe des cheveux et le genre menu et souple. »

La situation militaire des Alliés, si critique encore en juin 1918, ne tarde pas à s'améliorer considérablement et à finalement se renverser. L'arrivée des Américains sur le front et la participation de centaines de chars Renault, vont permettre, en août et septembre, deux offensives victorieuses qui libèrent totalement le territoire français. En outre, une gigantesque opération se prépare en Lorraine qui a

---

1. Georges Bernstein-Gruber, *op. cit.*

pour but d'envahir l'Allemagne. Celle-ci, lâchée par ses alliés, épuisée, en proie à la Révolution, sollicite et obtient l'armistice le 11 novembre.

Très vite, Paris change d'aspect. Lampadaires et réverbères brillent à nouveau. La réouverture du champ de courses de Longchamp est l'objet d'une véritable fête. Une incroyable fièvre de plaisir s'empare de la société française avide d'effacer quatre années d'angoisse et de deuil. C'est le début de ce que l'on a appelé si justement les « Années folles ». Une de leurs manifestations les plus visibles est la frénésie de la danse. On danse partout, à toute heure, même dans les théâtres : pendant l'entracte, les spectateurs, quittant précipitamment leurs fauteuils, se ruent au foyer où ils se trémoussent en mesure. Et lorsque retentit la sonnerie annonçant la reprise du spectacle, c'est un « oh ! » de désappointement. Certaines salles, comme Marigny ou les Bouffes-Parisiens, ouvrent même leur hall à vingt heures pour permettre au public d'exécuter quelques tangos ou fox-trot avant le lever du rideau !

Dans ce climat d'euphorie, le chiffre d'affaires de Chanel, déjà considérable, s'accroît encore. Maigre consolation pour elle. Impossible, en ce qui la concerne, de participer à la joie générale. Ce n'est pas elle qui, le 11 novembre, aurait l'idée de parcourir avec une foule enthousiaste les boulevards méconnaissables tant ils sont pavoisés, ou d'orner comme tout le monde sa poitrine d'une cocarde tricolore... ou d'embrasser les passants. Ce jour-là, son visage reste de marbre. Elle le passe seule...

D'ailleurs, elle n'habite plus Paris. Boy lui a vivement conseillé de louer une résidence dans les environs : « Toi qui aimes tant la campagne et le grand air. » Veut-il éloigner une maîtresse encombrante ? Ou plutôt continuer à la fréquenter, mais en toute discrétion ? C'est probablement son véritable point de vue : ainsi disposera-t-il à la fois d'une épouse qui l'établit définitivement dans la haute société, et d'une maîtresse qu'il adore. Avec celle-ci, il aura exactement les mêmes relations que par le passé. Difficile d'imaginer solution plus pratique...

Le lieu que, docile, Gabrielle a choisi d'habiter est Rueil, à proximité immédiate de la Malmaison et de l'étang de Saint-Cucufa (celui où, paraît-il, Joséphine de Beauharnais, faisant une promenade en barque avec le tsar Alexandre Ier, contracta la pneumonie qui devait l'emporter). Gabrielle a loué « La Milanaise », une villa d'où l'on jouit d'une superbe vue sur Paris. Dans le parc, abondent lilas et rosiers au parfum desquels la future créatrice du *Chanel N° 5* se montre particulièrement sensible. Bientôt, elle se procure deux chiens-loups qu'elle appelle « Soleil » et « Lune », en souvenir des astres évoqués dans les mosaïques d'Obazine et qui avaient fasciné son enfance. Est-ce cette solitude qui la fait revenir à cette époque où elle n'était pourtant pas si heureuse ? Mais, par comparaison avec ce qu'elle ressent, elle trouve quelque douceur à ressusciter une période de sa vie qu'elle idéalise pour la circonstance.

Après son mariage, Boy revient à Paris. Rien n'a changé dans son attitude à l'égard de Gabrielle. Seuls les lieux de leur rencontre sont différents. Imaginons-les au cours de leurs promenades, dans les bois environnants : leurs deux silhouettes sont précédées de celles des chiens qui courent loin devant eux. Ils font craquer sous leurs pas les feuilles couleur de rouille, plus loin, c'est l'étang et ses nénuphars. Visions romantiques s'il en est. Cependant, Gabrielle n'est pas satisfaite de son sort. Elle supporte mal la clandestinité de sa situation sentimentale : elle vit cachée alors que, professionnellement, elle est devenue un personnage de premier plan qui travaille sous les feux de l'actualité... Son orgueil supporte mal ce statut équivoque, mais la passion qu'elle éprouve pour Capel finit toujours par l'emporter sur sa révolte.

Quant à Boy, tout lui a réussi, mais en apparence seulement. Son épouse ne tarde pas à l'ennuyer, elle lui paraît bien fade par rapport à Coco, si spontanée, si vive d'esprit, si drôle... Est-ce que la satisfaction de ses ambitions sociales et politiques méritait le sacrifice de sa vie privée ? Il commence à se le demander...

Il n'empêche : sa femme attend de lui un enfant, qui naîtra en avril 1919, et dont Clemenceau sera le parrain. Il s'agit d'une fille qui, d'après les dates, a été conçue nettement avant le mariage, ce qui, dans la haute société britannique à laquelle Boy est parvenu à s'intégrer, n'est peut-être pas très bien vu. Lui-même est fort désappointé : il désirait absolument, pour assurer la survie de son nom, un héritier mâle...

Maintenant que son succès dans la haute couture est assuré, Coco a besoin de locaux beaucoup plus vastes. À la fin de septembre, elle émigre au 31, rue Cambon, tout en abandonnant l'atelier du 21, où elle disposait d'une patente de modiste dont elle n'a plus que faire. Le 31 sera désormais, et encore de nos jours, le sanctuaire de la Maison. À présent, il faut aussi à Gabrielle un véhicule à la mesure de son importance sociale et des prix qu'elle pratique. Elle commande une Rolls bleu foncé avec l'intérieur en cuir noir. Le noir, le sombre, la rigueur, là encore, c'est sa marque... En un domaine où régnaient des couleurs vives : rouge, bleu, vert, jaune canari... C'est elle qui lance la mode des carrosseries noires. Très vite, là aussi, elle représentera le vrai chic, exactement comme elle l'avait fait quelques années plus tôt pour la haute couture...

Naturellement, elle engage un « mécanicien », c'est le terme que l'on utilisait alors pour désigner un chauffeur et qu'elle emploiera toute sa vie, même lorsqu'il sera depuis belle lurette tombé en désuétude. Vu la fréquence des pannes, il fallait bien que le conducteur possédât de sérieuses connaissances en mécanique. Toujours est-il qu'elle choisit un certain Raoul qui, chaque jour à la fin de la matinée, ouvre rue Cambon la portière de la Rolls d'où descend avec une allure royale la fille du colporteur nîmois. L'arrivée de la « patronne », signalée par une arpète embusquée à l'une des fenêtres des ateliers, se répercute immédiatement sur l'ensemble du personnel. Et chacun de s'appliquer à son travail car « Mademoiselle » – tel est le nom que l'on commence déjà à lui attribuer – se montre d'une terrible exigence en ce qui concerne le fini du travail. Parfois, son humeur est atroce, se manifestant alors par des crises de colère monstrueuses et sans aucun rapport avec la gravité du délit ou du pseudo-délit. C'est peut-être ce qui a fait dire qu'elle était le seul volcan d'Auvergne qui ne fût pas éteint... Ajoutons à sa décharge qu'elle oublie, dès le lendemain, les fureurs dont elle semblait envahie et s'adresse à ses victimes avec calme, voire avec bienveillance et même avec des élans de générosité comme si rien n'avait jamais eu lieu. Il faut s'y faire... ou peut-être imaginer la gravité du désarroi intime auquel cette femme blessée est en proie, et ne pas attribuer à quelque méchanceté de sa nature ce qui ne résulte que des coups du destin.

On ne saurait retracer avec justesse l'existence de Gabrielle sans tenir compte de ce qu'elle doit à l'amitié de Misia Sert, née deux ans auparavant.

Misia a raconté, plus tard, dans ses souvenirs[1], qu'elle avait immédiatement pressenti le rôle de premier plan que Gabrielle jouerait dans son siècle, un rôle qui dépasserait largement celui d'une couturière

---

1. Voir Arthur Gold et Robert Fizdale, *op. cit.*

de grand talent. L'assimilant à un diamant brut, elle se flatte de l'avoir extraite de sa gangue et avoue avec fierté en avoir été la première éblouie... Il y a peut-être quelque excès dans ces déclarations, très slaves, d'une femme aussi passionnée que Misia. Mais elles sont exactes pour l'essentiel. Ce sont en effet les Sert, et au premier chef Misia, qui introduisent vraiment Gabrielle dans la haute société (ce que Boy, trop préoccupé par ses ambitions mondaines, n'a fait qu'esquisser). C'est elle aussi qui lui fait connaître tous les artistes et les écrivains dont elle est l'amie. C'est encore elle qui lui ouvre les yeux sur le monde des arts et de la littérature dont il faut bien avouer qu'elle ne connaissait pas grand-chose, malgré les louables efforts d'Arthur Capel.

« Sans Misia, je serais morte idiote », confessait-elle à Marcel Haedrich[1] avec une modestie un peu excessive... Du moins ne serait-elle pas devenue l'un des plus grands mécènes que l'histoire ait connu.

À partir de 1917, Misia fait connaître à son amie toute l'avant-garde culturelle : Diaghilev, Nijinski, Boris Kochno, Serge Lifar, Stravinski, Picasso, Salvador Dalí, Cocteau, Reverdy, Radiguet, Max Jacob, Satie, Auric, Milhaud, Poulenc, Ravel... Or la plupart de ces artistes ne cessent, devant elle, de parler des œuvres auxquelles ils travaillent. C'est un ballet que l'on monte, une toile que l'on peint, une musique que l'on compose, un roman que l'on écrit... avec tous les problèmes que cela leur pose. Alors pour une personne aussi inculte que Coco, qui a déjà atteint trente-quatre ans, quelle école plus efficace et plus féconde peut-on imaginer pour la sortir de son ignorance ? C'est à l'élaboration même des œuvres qu'elle a la chance d'assister. Pas directement, certes, mais, à travers les propos échangés, elle prend vraiment conscience de ce qu'est la créa-

---

1. *Chanel secrète*, Robert Laffont, 1971.

tion littéraire ou artistique. Aussi s'enthousiasme-t-elle pour tous les aspects qu'elle revêt.

On pourrait penser qu'elle-même se considère comme une artiste. En concevant pour sa prochaine collection des dizaines de nouveaux modèles, ne rejoint-elle pas les grands créateurs ? Et Dieu sait si elle fait preuve dans ce domaine d'imagination, de fantaisie, de goût, pour inventer. Or, paradoxalement, elle juge stupide qu'on parle d'art à propos des activités qu'elle exerce. « Nous ne sommes que des fournisseurs », répète-t-elle à maintes reprises, estimant ridicules les prétentions de ses confrères à être autre chose que de simples artisans... Le pense-t-elle vraiment ou se laisse-t-elle aller à son irrépressible penchant pour la critique et l'invective ?

Pendant l'été de 1919, Antoinette Chanel, trente-trois ans, rencontre un jeune Canadien de huit ans son cadet, venu comme volontaire en Europe pour s'engager dans les forces aériennes britanniques. Il est bien de sa personne, enthousiaste, d'une grande fraîcheur d'esprit. Son uniforme, sa casquette plate d'aviateur surtout, impressionnent vivement Antoinette dont l'âme est encore ingénue. L'élu de son cœur s'appelle Oscar Edward Flemming. Son père est avocat à Toronto et il habite la ville de Windsor... ce qui sonne bien. Elle est amoureuse de cet Oscar et imagine, à ses côtés, une vie luxueuse se déroulant des deux côtés de l'Atlantique. Là-bas, ses toilettes suprêmement chics, signées Chanel évidemment, feraient d'elle la femme la plus élégante et la plus fêtée de la région. Ainsi, connaîtrait-elle un bonheur auquel cette pauvre Gabrielle n'avait jamais pu accéder.

Le mariage a lieu à Paris en 1919. Les fiancés ont choisi pour la cérémonie la date du 11 novembre. C'est pour être sûrs que les invités la retiennent, expliquent-ils en riant. Les témoins d'Antoinette ne sont autres qu'Arthur Capel et Maurice de Nexon, l'éternel « fiancé » d'Adrienne. Il y a là, aussi, Léon de Laborde, Étienne Balsan, Jeanne Léry, Gabrielle Dorziat... toute la joyeuse bande de Royallieu... ne parlons pas de la robe de la mariée et de la somptueuse Rolls dont on n'aura aucun mal à deviner la provenance.

Peu de temps après la cérémonie, le jeune couple part pour le Canada. Il doit loger chez les parents d'Oscar à Windsor, ville industrielle située à proximité de la frontière des États-Unis, de l'autre côté de Detroit, le fief de Ford. Antoinette a vu grand. Elle emmène avec elle sa femme de chambre. Les soutes à bagages du paquebot ne renferment pas moins de dix-huit lourdes malles à son nom. Elles contiennent une incroyable quantité de toilettes de luxe avec lesquelles elle compte impressionner sa nouvelle famille. Et puis, au cas où elle en aurait emporté trop, elle pourra toujours en vendre quelques-unes à bon prix... Mais pourquoi parler d'argent puisqu'Oscar, c'est évident, est richissime ?

En fait, les mois qui suivront l'arrivée du couple au Canada ne seront pour Antoinette qu'une longue série de déceptions. D'abord, sa femme de chambre, sous un prétexte futile, l'abandonne. D'autre part, comme elle ne sait pas un traître mot d'anglais, et que sa belle-famille ne comprend pas davantage notre langue, les malentendus se multiplient. Et puis elle fume, en public en plus ! À son instar, ses jeunes belles-sœurs s'y mettent à leur tour. Elle apparaît alors à ses beaux-parents comme l'une de ces Françaises sans morale qui ne manquent jamais de semer le désordre dans les familles les plus vertueuses. Les Flemming, enfin, désirent voir Oscar achever ses études de droit à Toronto, à trois cents kilomètres de chez eux. Mais ils ne veulent pas que son épouse l'accompagne : son travail s'en ressentirait, prétendent-ils. Alors Antoinette, seule à Windsor, s'ennuie à mourir. De plus, elle s'aperçoit qu'Oscar et sa famille n'ont jamais eu d'argent : ils vivotent, voilà tout... Elle informe alors Gabrielle de sa situation. Coco, pour occuper sa sœur, la charge de représenter la maison Chanel au Canada. Mais les toilettes qu'elle montre aux acheteurs ne leur plaisent pas : elles paraissent excentriques à la clientèle canadienne, qui a conservé des goûts très sages. Antoinette, définitivement écœurée, est prête à tout plaquer, son mari, les Fleming et le Canada, pour regagner la France. C'est alors que Gabrielle demande au jeune couple de bien vouloir accueillir à Windsor un étudiant argentin, un garçon de dix-neuf ans, qui, après un séjour d'études à Paris, désire connaître le Canada avant de retourner chez ses parents. C'est un jeune fils de famille, manifestement fortuné, qui répond tout à fait au stéréotype de l'Américain du Sud : chevelure de jais lustrée à la gomina, teint olivâtre, yeux noirs, effarante volubilité, accent si prononcé qu'on a peine à le comprendre. Âge mis à part, il évoque irrésistiblement les rastaquouères des vaudevilles de Feydeau. Lassée de son Oscar, qui est ennuyeux comme la pluie, Antoinette se montre très vite sensible au charme exotique de l'Argentin, qui se trouve être un merveilleux danseur de tango. Il n'en faut pas davantage pour qu'elle se laisse enlever et emmener en Argentine... Elle ne sera restée à Windsor qu'une dizaine de mois. Avec le successeur d'Oscar, l'idylle sera encore plus brève. Bientôt, Antoinette se retrouve seule, sans le sou, dans un pays inconnu. Cette fois encore, la grande sœur vient à son secours, lui envoie de l'argent et la charge à nouveau de représenter sa société, en Amérique du Sud cette fois. Quelques mois plus tard, elle meurt dans des conditions qui aujourd'hui encore restent mystérieuses. Est-elle l'une des innombrables victimes de la grippe espagnole qui sévit à cette époque ? S'est-elle suicidée après toutes les déconvenues qu'elle a subies ? Les deux hypothèses ont été formulées sans que rien de certain ait été découvert. Ainsi, au début de 1920, Julia ayant disparu en 1913, Coco est la seule des trois sœurs qui soit encore en vie...

Qu'en est-il à cette époque des autres membres de la famille ? Le père de Coco se situe, évidemment, bien loin du personnage mythique que, fillette, elle évoquait complaisamment à Obazine. Loin de posséder des hectares de vignobles et d'avoir fait fortune aux États-Unis, comme elle le prétendait, il avait quitté sa profession d'aubergiste à Brive pour reprendre celle de forain. C'était un vagabond né. Toujours égal à lui-même, il continuait à courir la gueuse. En 1909, son second fils, Lucien, âgé de vingt ans à l'époque, qui lui avait pardonné, le retrouva au marché de Quimper où il essayait de vendre des vêtements de travail. Il vivait avec une dame, une ivrogne comme lui, qui, à peine Albert eut-il le dos tourné, s'empressa de lui faire des avances. Épouvanté, le jeune homme, auquel son père avait proposé de travailler avec lui, s'enfuit à toutes jambes. Il courut à Varennes-sur-Allier, où son oncle Henri-Adrien, quasi octogénaire, s'était retiré avec sa femme. Non loin de chez eux, se trouvaient encore la tante Julia et Costier, le cheminot. De Vichy, où elle habitait, Adrienne venait les voir tous les quatre de temps à autre, mais son extraordinaire élégance stupéfiait les habitants du bourg et provoquait des cancans à n'en plus finir. À Varennes, pressé de questions, Lucien raconta tout ce qu'il savait de la vie d'Albert : d'abord ce qu'il avait vu de ses yeux, mais aussi ce que lui avait appris un jour la concubine de son père. C'était sûrement vrai car elle était trop ivre, à ce moment-là, pour songer à mentir. Albert, révéla-t-il, avait disparu pendant un certain temps, recherché par la gendarmerie pour quelque filouterie sur laquelle elle n'avait guère de précisions... Peut-être pour tromperie sur la marchandise, voire vente d'objets volés et délit de recel. Après cet édifiant récit, Albert étant devenu la honte de la famille, celle-ci décida unanimement qu'il n'existait plus. Son nom même disparut définitivement des conversations...

Quant à Lucien, d'abord forain comme son père, il fut, à peine marié, mobilisé en 1915 et incorporé au 92e d'infanterie, un des régiments en garnison à Clermont-Ferrand. Il ne manquait jamais d'aller rendre visite à sa tante Gabrielle qui lui faisait toujours bon accueil.

Mais, curieusement, elle ne lui adressait pas, comme elle le faisait à son frère Alphonse, une pension mensuelle de 3 000 francs-or, le traitement d'un préfet de l'époque... Sans doute cette libéralité était-elle explicable, sans qu'elle en eût forcément conscience, par le fait que cet homme lui faisait irrésistiblement songer à son père, dont le souvenir n'avait jamais cessé de la hanter. N'était-il pas comme lui, porté sur la boisson, comme lui chroniquement endetté, comme lui incorrigible coureur de jupons ? D'où cette indulgence qui persévérera jusqu'en 1939, année où elle fermera sa maison de couture et où, semble-t-il, elle s'intéressera beaucoup moins à sa famille.

Pourtant, Gabrielle aimait les enfants d'Alphonse, au point de s'arranger pour qu'ils eussent accès à l'enseignement secondaire, à Nîmes et à Alès, à une époque où les familles les plus modestes n'y pouvaient même pas songer. Malgré tout, il y eut toujours dans l'attitude de Gabrielle à l'égard de sa famille des alternances d'attrait et de rejet. Ainsi, lorsqu'Alphonse vient la voir rue Cambon, il n'ose s'y attarder. Sinon, sa sœur lui adresse un brutal « Allez ! Fous le camp[1] ! » Ajoutons que Gabrielle se

_____

1. *Un Secret cévenol de Coco Chanel*, catalogue du Musée cévenol, Le Vigan, Gard, ouvrage qui contient de précieux renseignements sur la famille Chanel.

refuse, la plupart du temps, à tout contact direct avec les épouses, compagnes ou enfants de ses frères. En revanche, elle n'hésite pas à leur écrire ou à répondre à leurs lettres, ou charge Adrienne de leur rendre tel ou tel service particulier. Elle leur envoie des vêtements. Par ailleurs, elle entreprendra de faire suivre à Yvan Chanel – son neveu, un des trois enfants d'Alphonse – des études sérieuses, et de s'en occuper comme d'un fils qu'elle n'a jamais pu avoir. Mais ses parents refuseront. Frivole, ne pouvant s'empêcher de traîner dans les bistrots, de tempérament vagabond, comme la plupart des Chanel, Yvan finit dans les chemins de fer, au service des wagons postaux. Et il n'était pas question qu'il vînt rendre visite à Coco dont il avait si gravement déçu les espoirs.

22 décembre 1919. Rueil. Villa La Milanaise. Il est quatre heures du matin. D'une voiture qui vient de stopper brutalement en faisant crisser le gravier, sort un homme de grande taille, qui, escaladant le perron, sonne et resonne nerveusement à la porte de l'édifice. Joseph, l'ex-valet de chambre de Misia, que Gabrielle a pris à son service depuis deux ans[1], s'inquiète. Qui peut bien venir à pareille heure ? Se penchant par une fenêtre du premier, il ne parvient pas à reconnaître la silhouette du visiteur... Celui-ci s'explique : il s'appelle Léon de Laborde, il vient annoncer un accident survenu au capitaine Capel. Joseph ouvre au visiteur et le conduit au salon...

— Vite, réveillez Mademoiselle ! demande Laborde.

— Ça ne peut pas attendre jusqu'à demain ? balbutie Joseph qui, entrevoyant le choc que la nouvelle va provoquer chez Gabrielle, juge plus sage de différer...

Mais Laborde insistant, il ne peut que s'exécuter.

---

1. Joseph Leclerc sera le domestique de Gabrielle jusqu'en 1934.

Laborde racontera, plus tard, la pénible scène à laquelle il a alors assisté[1]. Il voit surgir Gabrielle, en un pyjama blanc. « Une silhouette d'adolescent, un jeune homme vêtu de satin. » Elle, d'habitude si maîtresse de ses émotions, est incapable de dissimuler sa souffrance. Elle ne profère pas un mot, ne pousse pas un cri, ne verse pas une larme. Elle est littéralement pétrifiée...

Laborde, malhabile, tente de procéder par gradations...

— Ce n'est pas la peine, monsieur, Mademoiselle a compris, murmure doucement Joseph...

Que s'était-il passé ? Boy était parti en voiture avec son chauffeur Mansfield pour se rendre à Cannes où l'attendait sa femme, afin de passer en sa compagnie les fêtes de Noël. À cette époque, le trajet en automobile durait de 18 à 20 heures, sans compter les pauses éventuelles. Entre Fréjus et Saint-Raphaël, à la suite, semble-t-il, de l'éclatement d'un pneu, le véhicule quitte la route... Le mécanicien est légèrement blessé, mais son maître, victime d'une fracture du crâne, meurt sur le coup.

À peine remise de l'effarement provoqué par la terrible nouvelle, Gabrielle veut que, sur-le-champ, Laborde l'emmène là-bas. Le jour commence à poindre. Le temps de prendre un costume de voyage, elle est prête. C'est le mécanicien de Laborde qui conduit, relayé par Laborde lui-même. Ils arrivent à Cannes à trois heures du matin. Ils y retrouvent Bertha, la sœur de Boy. Hélas, le corps est déjà mis en bière et ils apprennent que les funérailles auront lieu à Fréjus. Les funérailles ? Non, elle n'ira pas. Qu'est-ce que cela signifie, les funérailles ? Cette singerie !

Malgré sa fatigue, pas question qu'elle aille dormir. Elle ne veut pas de lit. Non. Un fauteuil. Dès

1. Edmonde Charles-Roux, *L'Irrégulière ou Mon itinéraire Chanel*, Paris, Grasset, 1974.

l'aube, elle demande à être conduite seule sur les lieux de l'accident. Le chauffeur qui l'y mène en témoignera. Elle fait le tour de la voiture ou de ce qu'il en reste... touche à tâtons la ferraille à demi calcinée qui exhale encore une odeur de caoutchouc brûlé. Alors, enfin, assise sur le bas-côté, le visage courbé vers le sol, elle peut pleurer, pendant des heures... Elle vient de perdre le seul homme qu'elle aura jamais aimé...

6

Les années folles

Continuer à vivre dans les lieux mêmes que Boy a illuminés de sa présence, s'imaginer encore entendre sa voix, s'attendre à le voir surgir au détour d'un couloir, tout cela est au-dessus de ses forces. Aussi va-t-elle quitter La Milanaise pour s'installer villa Bel Respiro, à Garches, à l'angle des rues Édouard-Detaille et Alphonse-de-Neuville. L'acte d'achat est daté de fin mars 1920. À Bel Respiro, elle emmène, bien entendu, son maître d'hôtel Joseph, sa femme Marie qui lui sert de gouvernante et Raoul, son chauffeur. Ajoutons les chiens : Soleil, Lune et leurs cinq petits qu'elle appelle collectivement la Grande Ourse puisque cette constellation comporte 7 étoiles. La nouvelle résidence de Coco est plus vaste, le parc aussi. La vue panoramique sur Paris qui s'étale au loin, baignant dans une sorte de brume dorée, lui plaît plus que tout. Elle a l'impression que sur les hauteurs de Garches, loin de l'agitation parisienne, elle recouvrera enfin les forces nécessaires pour assumer l'épuisante existence qu'elle mène dans la capitale. Il y a d'ailleurs, dans le nom italien de la villa, la double acception de lieu où il fait bon respirer et d'endroit où l'on « respire », c'est-à-dire où l'on bénéficie d'un certain répit au sein d'une vie trop active. C'est très précisément ce qu'elle désire. Plus tard, après avoir quitté Bel Respiro, elle nommera sa villa du midi « La Pausa », ce qui dénote chez elle la permanence de cette préoccupation et de cette recherche d'une indispensable halte.

Au lendemain de la mort de Boy, Coco s'était cloîtrée à La Milanaise et avait immédiatement convoqué des tapissiers pour faire tendre de noir les parois et plafonds de sa chambre à coucher. Noirs aussi devaient être les rideaux, les draps et les couvertures... C'était un reflet de son tempérament porté aux extrêmes et aussi peut-être un souvenir de son enfance paysanne, une réminiscence de ce noir éternellement porté par les veuves du milieu rural et généralement par les femmes de la campagne, une fois passé un certain âge. Mais elle-même, à trente-sept ans, n'avait-elle pas vieilli d'un seul coup, au cœur de la sinistre nuit du 20 décembre 1919 ? « Cette mort, dit-elle plus tard, fut pour moi un coup terrible. Je perdais tout en perdant Capel. » D'où cette idée de s'enfermer dans un tombeau... Fort heureusement, très vite, son inépuisable énergie, son vouloir-vivre reprennent leurs droits. Elle étouffe dans ce sépulcre. Elle regrette de s'être laissée aller, elle qui a toujours prôné les vertus de la volonté. Alors, elle se fait préparer un lit dans une autre chambre, de couleur rose... Non pas qu'elle veuille oublier le moins du monde l'homme qu'elle a aimé, mais désormais, sa plaie restera secrète. Elle se jure de ne pas porter son cœur en écharpe.

Il n'empêche que, dans l'intimité de sa chambre, elle fait resurgir maintes images de sa vie avec Boy... par exemple n'est-ce pas lui qui avait découvert que certains défauts oculaires, dont une grave myopie, l'empêchaient de voir quoi que ce fût avec netteté, sauf de très près. Alors, gentiment, il l'avait conduite chez son médecin. À peine chaussée de sa première paire de lunettes, elle avait failli hurler tellement les gens lui paraissaient hideux. Sa mauvaise vue les avait idéalisés... Quels fous rires alors, avec Boy !

154

D'autres souvenirs étaient moins gais. Elle se revoit dans sa chambre, à la clinique où l'avait amenée une fausse couche. Le chirurgien n'avait rien pu faire : elle n'aurait pas d'enfant de Boy... Tout cela, semble-t-il, à cause d'un avortement pratiqué à Moulins et où l'intervention, faite dans des conditions désastreuses, avait entraîné des séquelles sans doute irrémédiables. Le docteur Faure ne le lui avait pas caché... Et maintenant Diana, la femme légitime de Capel, attend un enfant de lui... alors que Coco a été, pour sa part, incapable de lui en donner.

Quelques semaines plus tard, Gabrielle apprendra par Agenor de Gramont, l'exécuteur testamentaire de Boy, que celui-ci ne l'a pas oubliée dans son testament... Sur les 700 000 livres que représente la fortune d'Arthur Capel, Gabrielle en reçoit 40 000, de même qu'une autre femme, une Italienne, veuve de guerre. Boy laisse aussi un peu d'argent à ses sœurs, tout le reste revenant à Diana son épouse. Coco n'est ni très surprise, ni jalouse – à titre posthume – de cette maîtresse dont il a tenu à faire une de ses légataires. Elle ne le connaît que trop... Et puis, maintenant, tout cela a si peu d'importance...

Dans son désarroi, Gabrielle ne sait vers qui se tourner pour bénéficier de quelque réconfort. Elle ne peut compter sur sa famille. Certes, il y avait bien la bonne Adrienne, mais elle est trop obsédée par son « adoré » pour lui être du moindre secours. Quant à ses amies, peut-elle vraiment compter sur Geneviève Vix ou sur Maud Mazuel ? Cette dernière a eu la chance de dénicher un richissime Texan à grand chapeau qui l'a emmenée avec lui outre-Atlantique. Quant à Misia, qui s'est prise pour elle d'une toquade inattendue, comment croire à la sincérité d'une affection qui risque sans doute de disparaître aussi vite qu'elle est née ? Il faut se méfier du tempérament capricieux de ces Slaves...

Alors, en dehors des heures consacrées à son travail – son vrai refuge –, elle se terre à Bel Respiro.

155

Au grand étonnement du voisinage, elle fait repeindre en noir les volets de sa villa... un peu comme on porterait un crêpe au revers d'une veste. Et elle s'arrange pour éviter le plus possible les Bernstein – Henry et sa femme Antoinette –, dont la propriété est contiguë à la sienne : une simple haie de charmes les sépare...

Au début de l'été cependant, Gabrielle, après avoir sous divers prétextes refusé les invitations de Misia, accepte enfin de la revoir. Peut-être a-t-elle tort, comme son amie le lui répète, de se cloîtrer à Garches où elle est en train de sombrer dans la « neurasthénie », comme on appelle alors la dépression. Mais il faut qu'elle se méfie de Misia : on l'a souvent mise en garde contre la Polonaise : elle est attirée par le malheur, lui dit-on, comme l'abeille par certains parfums. « Elle est généreuse, dira plus tard Coco, à condition qu'on souffre, elle est prête à tout donner, à tout donner, ajoute-t-elle, pour qu'on souffre encore. » Telle est la complexité perverse de cette femme hors du commun dont Gabrielle fera néanmoins son amie, tout en restant parfaitement lucide sur ce qu'elle peut en attendre, en bien ou en mal.

Invitée chez Misia chez laquelle elle se rend plus par raison que par plaisir, elle assiste à maintes réceptions. Au début, elle s'y borne, sans ouvrir la bouche, à écouter tout ce qui se dit... D'ailleurs, on la laisse parfaitement tranquille et on ne lui pose pas de question. Elle n'en demande pas plus. Devant elle, les amis de la maîtresse de maison ne parlent que du prochain retour dans la capitale de Stravinski, installé en Suisse depuis 1914. Le compositeur de *L'Oiseau de feu*, de *Petrouchka*, du *Sacre du printemps*, ballets confiés à Diaghilev, va retravailler avec lui à une nouvelle œuvre intitulée *Pulcinella*, dont décors et costumes seront dessinés par Picasso. Ainsi Gabrielle, grâce à Misia, entre-t-elle de plain-pied dans le monde de l'art : ces créateurs dont elle entend parler, et bien d'autres qui leur succéderont, vont devenir ses amis. Avec la disparition d'Arthur Capel et l'entrée dans le cercle de Misia, s'ouvre pour Coco une nouvelle époque où sa sensibilité va s'enrichir et le champ de ses curiosités s'étendre considérablement.

En cet été 1920, José-Maria Sert et Misia Godebska vivent ensemble depuis douze ans déjà. Elle a quarante-huit ans et lui, quarante-cinq. Ils décident soudain de se marier. Pourquoi ? On ne sait trop. Marcel Proust, l'un des nombreux amis de Misia, lui écrit : « J'ai été bien touché que vous prissiez la peine de m'écrire pour m'annoncer ce mariage qui a l'auguste beauté des choses merveilleusement inutiles. Quelle femme Sert eût-il pu trouver et vous, quel mari, aussi prédestiné, aussi uniquement dignes l'un de l'autre ? »

Après leur mariage qui a lieu le 2 août à Saint-Roch, les Sert emménagent dans ce qui va être leur nouvelle résidence, une vaste suite à l'hôtel Meurice, qui, située à un étage élevé, donne sur les cimes des marronniers des Tuileries. Très peu de temps après, ils partent pour leur voyage de noces à Venise, emmenant Coco qu'ils veulent arracher à la vie de recluse qu'elle mène depuis la mort de Boy.

À Venise, comme dans les autres villes d'Italie que le trio visite en voiture, c'est José-Maria Sert qui sert de guide : qu'on se représente ce gnome barbu, au terrible accent espagnol qui transforme le français en une bouillie incompréhensible. Avec force gestes, il explique aux deux femmes les beautés de l'Italie. Tout peintre qu'il est, ce ne sont pas les tableaux des musées ou des églises qui l'intéressent spécialement, mais la vie extérieure de la cité. Savourer une glace au citron sur une banquette du Café Florian, souper à une terrasse au-dessus d'un canal où glissent de noires gondoles, écouter le clapotis de l'eau qui lèche la mousse verdâtre des vieux murs, voilà ce qu'il enseigne à ses compagnes.

Mais cela ne l'empêche pas de tout savoir : le catalogue des tableaux de Boltraffio, les itinéraires d'Antonello de Messine, la vie des saints, ce que Dürer avait gravé à quatorze ans, quel vernis employait Annibale Carrache. Il pouvait disserter des heures sur l'emploi de la laque de garance chez Tintoret...

En voyage, il est naturellement fastueux... il commande des vins rares, des menus qui font ressembler leur table à une peinture de Véronèse. Impossible pour Gabrielle de régler la moindre addition :

« Ce dîner est à môa, mademachelle, dit-il.

— Ne commandez plus rien, je ne le mangerai pas, monsieur, réplique Gabrielle qui a un appétit d'oiseau.

— Vous ne le mancherez pas, mais che commanderai encore trois sabayons au marasquin, mademachelle, que vous le vouliez ou non !

Insensible à la fatigue de ses compagnes de voyage, à peine arrivées à Rome après un épuisant parcours sous le soleil d'août, il les traîne jusqu'au Colisée qu'il tient à leur faire visiter au clair de lune, leur contant des choses merveilleuses sur son architecture, ou sur les somptueuses fêtes que l'on pourrait donner dans ses ruines.

— Che voa oune décorationne de ballons captifs tout en or, mademachelle, quelque chose d'aérien, par oppochichion avec la rigueur de l'ârchitectûre... L'ârchitectûre, c'est l'esquélette des villes. L'esquélette, mademachelle, tout est là : un visage sans os ne dure pas : ainchi vôu, mademachelle, vous ferez une très belle morte[1]. »

Il est un sujet que Coco préfère ne pas aborder avec Sert, c'est sa peinture : ces excès d'or et d'argent, ces muscles soufflés, les contorsions démentes de ses personnages, tout cela la laisse confondue et bloque les éloges dans sa gorge.

---

1. Paul Morand, *op. cit.*

— Je sens que tu détestes ça, mais fais qu'il ne s'en aperçoive pas, lui souffle Misia.

Un jour, Gabrielle vient demander à saint Antoine de Padoue de ne plus pleurer... la voici dans l'église, devant la statue du saint. Laissons-la raconter elle-même, ce qui lui arrive alors : « Un homme, devant moi, laissait reposer son front contre la dalle. C'était une figure si triste et si belle, il y avait en lui tant de rigidité et de douleur, ce front épuisé touchait le sol avec une telle lassitude que le miracle se produisit en moi. "Je suis une loque, me dis-je. Quelle honte ! Comment oserais-je comparer mon chagrin d'enfant perdu, moi pour qui la vie commence à peine, à cette détresse ?" Une énergie nouvelle m'envahit aussitôt. Je repris courage, décidée à vivre. »

C'est ce qu'elle tentera de faire dès son retour à Paris. Dans un premier temps, elle décide de ne plus laisser son visage refléter ses peines. Au moins personne ne s'apitoiera sur elle, ce qui lui est fort pénible. Peut-être ainsi sa guérison apparente deviendra-t-elle, avec le temps, effective...

À Venise, elle avait assisté sans dire un mot aux nombreux entretiens de Serge de Diaghilev avec Misia. Serge voulait à tout prix, pour la rentrée, présenter une nouvelle version du *Sacre du printemps* (la création remontait à 1913) réglée par Massine. Mais les frais entraînés par cette reprise étaient tels qu'elle risquait bien de ne jamais avoir lieu. Serge et Misia discutaient presque quotidiennement des divers moyens de trouver les sommes nécessaires... À qui s'adresser ? À la princesse de Polignac, née Singer (les machines à coudre), à Maud Cunard (les paquebots) ? On ne trouve aucune solution.

Revenue à Paris, Gabrielle, cette petite brune à laquelle Serge n'avait accordé aucune attention particulière, se présente à l'hôtel où il est descendu, demande à le voir... Son nom ne lui dit rien. Il hésite à recevoir cette inconnue qui va lui faire perdre son temps. Il se décide enfin à la rencontrer et reconnaît en elle la silencieuse amie de Misia : elle savait très exactement de quelle somme – énorme – avait besoin Diaghilev. Elle lui tend un chèque qui dépasse toutes ses espérances, un chèque de 300 000 francs[1], mais elle met à ce fabuleux cadeau une condition : que jamais il n'en parle à qui que ce soit. Malgré la promesse qu'il fait, Serge révélera quelques mois plus tard la générosité de Gabrielle à son secrétaire, Boris Kochno (futur auteur de nombreux ballets et codirecteur de la compagnie). C'est par lui qu'on le saura. Lorsque Gabrielle insiste pour que son geste ne soit connu de personne, c'est probablement à Misia qu'elle songe, car aider à ce point Diaghilev, c'est marcher sur ses brisées, c'est entrer en concurrence avec elle. Gabrielle en est bien consciente. Qu'il y ait beaucoup de générosité dans son geste, c'est indubitable mais en même temps, il lui permet de se hausser au niveau de Misia et même de la surpasser puisqu'elle sauve le projet de reprise du *Sacre*, pour lequel son amie ne pouvait rien. C'est le premier épisode d'une rivalité entre les deux femmes qui ne peuvent se passer l'une de l'autre, et qui durera jusqu'à la mort de Misia. Que celle-ci ait été informée du geste de Coco par Serge, ou qu'elle ait deviné qui était le donateur, il est certain que Misia en est quelque peu humiliée. Mais il semble qu'aucune brouille ne soit survenue à cette occasion entre les deux amies. Pourtant, la Polonaise était bien capable, estimait Chanel, de faire échouer un projet à partir du moment où elle n'y jouait pas le rôle essentiel.

Cette brillante entrée dans le club des mécènes la valorise à ses propres yeux, et elle en a bien besoin. Être une petite couturière qui a réussi et qui gagne de l'argent, la belle affaire ! Pour elle, on l'a vu,

---

1. 1 500 000 F de nos jours.

fabriquer robes et manteaux, dessiner une jupe ne font pas de vous un artiste, comme le prétendent certains de ses confrères gonflés d'une vanité ridicule.

Et puisque son activité ne relève que de l'artisanat, du moins peut-elle, grâce au produit de son travail, aider les chefs-d'œuvre à éclore. Or elle a senti en Diaghilev le génie créateur à l'état pur. Elle saura évoquer comme personne son air de chat fourré gourmand, son rire à grosses lèvres ouvertes, ses joues pendantes, l'œil bon et narquois sous le monocle dont la ganse noire se promène au vent.

C'était, raconte-t-elle, l'ami le plus charmant. Elle l'aimait dans sa hâte à vivre, dans ses passions, dans ses guenilles, si loin de sa légende fastueuse, des jours sans manger, des nuits à répéter, habitant un fauteuil, se ruinant pour donner un beau spectacle, présentant les plus beaux peintres aux plus beaux musiciens...

En définitive, Diaghilev aura probablement été pour Coco l'intercesseur des arts, celui sans lequel elle n'aurait jamais acquis, quel que fût son génie de la mode, cette dimension supplémentaire qui fait d'elle une autre femme que la plus grande couturière de son temps...

Ayant inauguré avec Diaghilev sa carrière de mécène, Coco ne s'arrête pas là. Apprenant que Stravinski est en proie à de graves difficultés financières, elle l'invite lui, sa femme, et ses quatre enfants à Bel Respiro où ils séjourneront et où elle pourvoira à leur entretien – dans le plus grand confort, naturellement. Pendant deux ans, la villa s'emplira de la puissante musique du compositeur...

La générosité de Gabrielle ne cessera pas avec le départ d'Igor en 1922. Onze ans après, il continuera à figurer sur la liste des « pensionnés de la Grande Mademoiselle », comme les surnommait l'éditeur Bernard Grasset. Une lettre du 6 février 1933, adressée par Igor à Misia nous le révèle – ainsi que la misère dans laquelle se trouve encore à cinquante ans passés, l'un des plus grands musiciens du siècle :

> *Chère Misia,*
> *Je suis terriblement désolé de toujours vous demander quelque chose ou de vous ennuyer avec mes petits problèmes, mais vous savez que Chanel ne nous a rien envoyé depuis le premier et que nous n'avons pas un radis pour vivre ce mois-ci. Je vous demande donc d'être assez gentille pour le lui signaler*[1]...

Biarritz, septembre 1920. Tout le monde le sait, c'est la meilleure période de la saison balnéaire, un air pur, un climat doux, le souffle tonique et iodé de l'océan... À peine a-t-elle installé les Stravinski à Bel Respiro, Gabrielle y court pour s'y reposer, certes, mais aussi pour jeter un coup d'œil sur ce qui se passe dans sa succursale. C'est d'ailleurs là, bien plus qu'à Paris ou à Deauville, qu'elle réalise ses meilleures ventes de septembre. Se doute-t-elle alors que va survenir l'un des événements qui vont bouleverser son existence ? C'est peu probable. Toujours est-il qu'elle rencontre là-bas deux de ses amies de Royallieu, Gabrielle Dorziat, l'actrice, et Marthe Davelli, la chanteuse de l'Opéra-Comique qui vient de triompher dans *Butterfly* et dans *Carmen*. Les trois femmes, heureuses de se retrouver, se rendent dans une boîte de nuit. Là, Davelli présente à Gabrielle le grand-duc Dimitri Pavlovitch, cousin du tsar, dont elle est présentement la maîtresse. Elle profite d'une brève absence de son amant pour lui glisser à l'oreille : « Si tu le veux, je te le laisse ! Il est un peu cher pour moi ! »

---

1. Arthur Gold et Robert Fizdale, *op. cit.*

La présence du grand-duc à Biarritz n'offre rien de surprenant. La côte basque, comme la Côte d'Azur, est peuplée d'aristocrates russes qui ont dû émigrer dans les années qui ont suivi la révolution d'octobre 1917. Ils sont tout naturellement revenus sur les traces de leur bonheur passé. Mais la plupart d'entre eux ont, dans l'intervalle, perdu leur fortune... tout en conservant leurs goûts de luxe, leur attrait pour cette « noce » que l'expression « la tournée des grands ducs » évoque avec tant de justesse. Si bien que, pour une femme, les fréquenter n'est pas toujours une bonne affaire... Ces considérations vulgaires n'embarrassent pas Gabrielle qui juge Dimitri fort bel homme, et qui apprécie sa haute taille, les longues jambes des Romanov, ses yeux verts, et un je ne sais quoi d'irrémédiablement mélancolique. Et puis, sans doute, le célèbre charme slave opère-t-il... Ajoutons que la destinée de Dimitri est extrêmement romanesque. Il a participé à l'assassinat de Raspoutine, ce moine illuminé et lubrique qui s'était acquis la faveur de la tsarine Alexandra et lui avait fait croire que la vie de son fils hémophile dépendait de lui. La colère d'Alexandra l'avait alors fait exiler en Perse où il avait dû se rendre, accompagné par Piotr, son fidèle valet, géant débonnaire de deux mètres qui veillait sur lui depuis son enfance. Or c'est précisément cet exil, loin de la Russie, qui l'avait sauvé des bolcheviks et de la mort. Elle n'eût pas manqué de le frapper à Ekaterinbourg, avec le tsar et les autres membres de la famille impériale, et son sang eût éclaboussé le papier peint rayé de la maison Ipatiev lors de la sinistre nuit de juillet 1918 où le massacre avait eu lieu.

Ce qui attire aussi Gabrielle chez Dimitri, c'est, malgré l'extrême différence des conditions dans lesquelles ils ont vécu l'un et l'autre, une certaine similitude dans les débuts de leur existence. Tous deux ont connu des années sans joie. « Les princes du sang, dira Gabrielle, m'ont toujours fait immensément pitié ; leur métier, quand ils l'exercent, est le plus triste qui soit. Et quand ils ne l'exercent pas, c'est pire. » Dimitri, petit-fils d'Alexandre II, neveu d'Alexandre III, cousin de Nicolas II, orphelin de mère dès sa naissance, a été élevé exclusivement par des nurses. Ne parlons pas de son père, le grand-duc Paul. Commandant de la garde impériale, il ne faisait que de rares apparitions. Et lorsque son fils Dimitri eut onze ans, il fut lui-même exilé. On confie alors l'enfant au grand-duc Serge, gouverneur de Moscou, et à sa femme. Mais Serge périt dans un attentat... Très tôt, les contraintes de l'étiquette ont pesé sur Dimitri, l'empêchant de s'épanouir librement. À douze ans, le voici colonel du IIe régiment de grenadiers, avec un rutilant uniforme à brandebourgs. Alors qu'il eût cent fois préféré jouer à la guerre en compagnie de gamins de son âge, ou tout seul avec des soldats de plomb, on le nomme à quatorze ans colonel du 4e régiment de tirailleurs de la famille impériale... Il doit les passer en revue, en grand uniforme, selon un protocole précis qu'il lui faut apprendre et répéter sans relâche. Quant à son instruction et à son éducation, elles ont été confiées à des précepteurs et ont donné lieu à d'interminables tête-à-tête avec des messieurs chenus pleins de prévenances et de respect, mais si profondément ennuyeux... Comme il eût souhaité être tout simplement l'élève anonyme d'une classe de lycée et jouer ou bavarder avec les camarades qu'il n'aurait pas manqué de se faire. Hélas, il ne connaissait ces plaisirs que par ouï-dire ou par les récits des rares romanciers qu'on lui permettait de lire.

Cette enfance et cette adolescence d'orphelin, si avares en joie, avaient laissé à Dimitri ce beau regard vert teinté de mélancolie. Qui, mieux que Gabrielle, est capable d'en mesurer la détresse ?

À quoi s'ajoute présentement la misère financière dans laquelle se débat le grand-duc, comme en témoignent son veston râpé et l'empeigne de ses souliers, dont le cirage dissimule mal les craquelures. À la fois séduite et émue par Dimitri, de huit ans son cadet, et presque encore un jeune homme – il n'a que vingt-neuf ans – Coco l'invite en septembre à venir s'installer à Garches avec Piotr, son fidèle valet. Il y retrouvera, ajoute-t-elle, son compatriote Stravinski et les siens. Bel Respiro est bien assez grand pour les accueillir tous...

Mais des complications vont surgir. En effet, Stravinski est tombé passionnément amoureux de Gabrielle. Ses sentiments, hélas, ne sont nullement partagés. Tout en éprouvant pour lui une profonde admiration, Coco ne peut lui offrir qu'une sincère amitié : avec ses bésicles de fer, sa courte moustache, son long nez busqué, ses cheveux déjà clairsemés et sa tête de rongeur, il ne l'attire guère. Et lorsqu'il lui avoue son amour :

— Vous êtes marié, Igor, objecte-t-elle. Quand Catherine, votre femme, saura...

Et, lui, très Russe :

— Elle sait que je vous aime. À qui donc, sinon à elle, pourrais-je confier une chose si grande ?

Cette désarmante réplique ne modifie pourtant pas l'attitude de Coco...

Malgré sa discrétion, son amie Misia soupçonne quelque chose. Or elle déteste que quoi que ce soit se passe à son insu entre ses amis. Aussi interroget-elle brutalement Coco :

— Mais enfin, qu'est-ce que vous faites ? Où allez-vous ? On me dit qu'Igor sort ton chien ! Qu'est-ce que cela veut dire ?

Gabrielle se taira...

En fait, Stravinski travaille sans relâche : c'est pendant son séjour à Garches qu'il composera entre autres le *Concertino pour quatuor à cordes*, les *Sym-*

phonies d'instruments à vent dédiées à la mémoire de Claude Debussy, ou de courtes mélodies pour piano qui sont autant de petits chefs-d'œuvre.

Un jour, Gabrielle s'aperçoit qu'Igor paraît extrêmement préoccupé. Il finit par lui révéler l'objet de ses inquiétudes :

— Le directeur de la salle Gaveau aimerait que je donne un concert, mais l'affaire ne se fera pas. Je n'ai pas de garanties financières suffisantes...

— Si ce n'est que cela, réplique Gabrielle en riant, je m'en charge.

Cependant, comme elle a horreur des querelles et connaît la susceptibilité de son amie, elle prend ses précautions...

— Et maintenant, Igor, il faut que vous informiez Misia.

Stravinski n'a pas l'air enchanté, il hésite...

— Allez-y ! lui enjoint Coco de ce ton sans réplique que ses familiers connaissent bien.

Dès le lendemain, Misia l'accable de reproches :

— Je suis suffoquée de chagrin quand je pense que Stravinski a accepté de l'argent de toi !

Misia, qui a le génie de l'embrouille, s'active pour dramatiser : elle s'imagine que Stravinski va divorcer pour épouser Coco. Sert, qui ne veut pas être en reste quand il s'agit d'exagérer, s'en prend à Igor qu'il insulte :

— Môssieur, M. Capel m'a confié mademachelle. Un homme comme vous, Môssieu, ça s'appelle un maquereau !

L'ineffable Misia redouble d'efforts pour compliquer encore la situation : prenant un ton tragique, elle dit à Coco :

— Stravinski est dans la chambre à côté, il veut savoir si tu l'épouseras ou non. Il se tord les mains [1].

Gabrielle aura beaucoup de mal à mettre un terme à ces scènes délirantes et à obtenir que Stra-

---

1. Paul Morand, *op. cit.*

vinski s'assagisse et ne lui demande que son amitié. Il se calme. Il lui parle de la musique, il évoque également la mystérieuse Russie... Elle le croit guéri... Un jour cependant, les Ballets russes partent pour l'Espagne. Igor invite Gabrielle à venir le voir à Barcelone où il dirigera l'orchestre. Elle accepte sans méfiance. Mais quelque temps après, changeant d'idée, elle décide de se rendre, non plus en Espagne mais à Monte-Carlo : elle s'est dit qu'il serait beaucoup plus agréable pour elle d'y passer quelques jours avec un homme qui lui plaît, le beau Dimitri de Russie. Elle l'invite en toute simplicité :

— Je vais à Monte-Carlo pour essayer une nouvelle voiture... Voulez-vous m'accompagner ?

Le grand-duc hésite... ses moyens financiers, explique-t-il, sont limités.

— Nous partagerons les frais, le rassure-t-elle. Et d'ailleurs, nous ne serons pas obligés de descendre dans le plus grand hôtel... Quant à l'essence, c'est le garagiste qui la paiera. Il en a les moyens, croyez-moi !

Finalement, Dimitri accepte... Mais Misia veille au grain. Foncièrement perverse, assoiffée de catastrophes, elle envoie un télégramme à Igor qui, n'ayant jamais renoncé à conquérir Gabrielle, l'attend fébrilement à Barcelone. Elle libelle ainsi sa dépêche : « Coco est une midinette qui préfère les grands-ducs aux artistes. »

En fait, Coco pensait effectivement se rendre aussi en Espagne, après son escapade à Monte-Carlo. Mais le télégramme de Misia met Igor dans une telle rage que Diaghilev, affolé, télégraphie sur l'heure à Gabrielle cette mise en garde : « Ne viens pas, il te tuerait ! » Naturellement Misia, devant les violents reproches que lui adresse Coco, nie farouchement être l'auteur de cette odieuse dénonciation. Mais sa victime n'en croit pas un mot. Elle sait de quoi est capable son amie... Les voilà brouillées pour plusieurs mois...

Lorsque Gabrielle revient de Monaco, Dimitri est son amant. Pendant les quelques jours qu'ils ont passés là-bas, ils se sont amusés comme des fous : les Romanov savent faire la fête. Entre le casino, l'hôtel de Paris et les boutiques, ils avaient de quoi se divertir. Elle lui offre d'élégants vêtements et, de son côté, il lui fait cadeau de somptueux bijoux qu'il avait pu rapporter de Russie : colliers de perles, chaînes d'or massif, croix incrustées de rubis, diamants, émeraudes et saphirs...

Ils resteront ensemble un an environ, jusqu'à l'automne de 1921, ne se quittant pratiquement jamais. Par la suite, Dimitri épousera une richissime Américaine, Audrey Emery, et résidera aux États-Unis, gardant jusqu'à sa mort en 1942 une vive amitié – partagée, d'ailleurs – pour Coco, ce que confirmera plus tard le fils de Dimitri, Paul Romanov Ilyinski, installé outre-Atlantique dans l'Ohio.

Durant sa liaison avec le grand-duc, Gabrielle connaît une période particulièrement heureuse : elle prend deux mois de vacances. D'abord descendue avec lui à l'hôtel du Palais à Biarritz, elle préfère la solitude à deux. Elle loue alors à l'entrée du bassin d'Arcachon, au Moulleau, une grande villa blanche nommée Ama Tikia, dont les flots viennent lécher la terrasse. Elle y fait venir son maître d'hôtel Joseph Leclerc, accompagné de Marie, sa femme et le fidèle Piotr. Tous les matins, une de ces pinasses à moteur si caractéristiques du Bassin vient chercher les amants pour les déposer sur une plage déserte, bordée de pins. Ils se baignent, ils se dorent au soleil, ils font des pique-niques, ils se promènent dans la forêt odorante, foulant de leurs espadrilles le sol élastique que forment les aiguilles... Vers les trois heures, le pêcheur qui les avait amenés vient les reprendre... Parfois, ils excursionnent dans les environs, visitent quelques vignobles du Médoc, se hasardent jusqu'à Bordeaux... Ils ne reçoivent que quelques rares intimes dont Jean Cocteau qui est un habitué du Piquey, à quelques kilomètres de là, sur le Bassin[1]. Le reste du temps, ils se livrent au plaisir d'être à deux, et... de ne rien faire. C'est d'ailleurs la première et dernière fois de sa vie qu'il en sera ainsi pour Coco. Mais elle n'en sait rien encore. En fait chaque fois que, par la suite, elle disposera de quelque loisir et quittera Paris, elle sera toujours entourée d'une foule d'amis et de relations.

La liaison avec Dimitri aura été bénéfique pour Gabrielle, non pas qu'elle lui ait fait oublier Boy... elle ne l'oubliera jamais et dira toute sa vie que c'est l'homme qu'elle a le plus aimé. Du moins, le grand-duc l'a-t-il aidée à surmonter son chagrin, à reprendre confiance en elle-même et en son destin.

Mais là ne s'arrête pas le rôle de Dimitri dans la vie de Coco, il s'étend au domaine professionnel. En effet, elle va engager dans son entreprise un certain nombre de Russes émigrés et d'abord ceux qui étaient des amis, ou des parents plus ou moins éloignés du grand-duc. Naturellement, il s'agit surtout de femmes de la haute société qui ont perdu tous leurs biens et qui ont absolument besoin de travailler pour vivre. Gabrielle les engage comme mannequins quand leur physique le leur permet, ou comme vendeuses. Elle embauche aussi le comte Koutousov, ancien gouverneur de Crimée, sa femme et ses deux filles. (Ce Koutousov est le descendant du maréchal de ce nom qui a battu Napoléon Ier à Krasnoié.) Elle l'héberge, lui et sa famille, à Bel Respiro qui devient avec les Stravinski et Dimitri une véritable colonie russe.

Ce n'est pas tout ; la fréquentation de Dimitri incite Coco à s'inspirer dans ses créations des Russes et de la Russie sous tous leurs aspects... Le même phénomène s'était produit, en plus discret,

---

1. Henry Gidel, *Cocteau*, Flammarion, 1998.

avec Boy Capel et l'influence anglaise. L'inspiration slave, quant à elle, est beaucoup plus « voyante ». C'est le mot qui convient devant ces broderies de couleur, inspirées du folklore russe, qui ornaient robes à bretelles, blouses ou chemises paysannes. Certes, les Ballets de Diaghilev, dès 1909, avaient déjà popularisé ces formes artistiques colorées. Paul Poiret, après 1912, Jeanne Lanvin un peu plus tard, avaient aussi œuvré dans ce sens. Mais personne autant que Gabrielle ne va puiser dans cette source d'inspiration. Elle n'hésite pas à embaucher cinquante brodeuses. Elle les groupe dans un atelier à la tête duquel elle place la propre sœur de Dimitri, Maria Pavlov. Là encore son originalité éclate. « Nul mieux que Chanel ne sait orner ses modèles de broderies originales », remarque *Vogue* en mai 1922. Elle adore rehausser ses robes de crêpe, ses blouses et ses manteaux – à dominante noire ou marron – de dessins multicolores parfois exécutés, d'ailleurs, en perles de verre, ou en association avec des paillettes. Quant aux motifs, faisant feu de tout bois, elle ne les emprunte pas seulement à la Russie mais à la Roumanie, à la Perse, aux Indes et à la Chine...

L'apparition de ces dispendieuses broderies dans les collections de Chanel marquerait-elle la fin de ce « misérabilisme de luxe » que Paul Poiret reprochait à sa concurrente, faisant allusion aux matières « pauvres » qu'elle utilisait très souvent ? La réalité est beaucoup plus complexe : Gabrielle, douée d'un génie créateur foisonnant, ne connaît aucun interdit. Mais elle restera toujours fidèle à ses principes de simplicité, de rigueur et de commodités d'usage, qu'elle a définis dès son entrée dans le monde de la couture...

L'influence russe sur sa création ne s'arrête pas avec la fin de ses amours, à l'automne 1921. Bien au contraire, elle se fait sentir jusqu'en 1924. Pendant ces années-là, elle lance par exemple les *roubachka*, longues blouses des moujiks, et multiplie les présentations par des mannequins russes de fourrures et de pelisses. Rue Cambon, la langue de Tolstoï est autant, voire plus parlée que celle de Voltaire. Le comte Koutousov est devenu le chef de la réception et l'on se croirait volontiers au Palais d'Hiver ou à Tsarskoïe Selo lorsqu'on voit duchesses, comtesses et baronnes s'incliner respectueusement devant Dimitri et lui baiser la main en l'appelant « Majesté »...

À en croire Misia Sert, c'est elle qui aurait donné à Coco l'idée de créer un parfum à son nom. Gabrielle aurait d'abord, à son instigation, lancé sur le marché une eau merveilleuse dont le secret, disait-on, jalousement gardé par les Médicis, aurait permis à la reine Catherine de conserver jusqu'à la vieillesse un teint de jeune fille. Ce liquide miraculeux permettait aussi aux messieurs d'éviter le redoutable « feu du rasoir », si difficile à éteindre, comme chacun sait. Devant le succès remarquable obtenu par cette *Eau Chanel*, Misia, selon ses dires, aurait conseillé à Coco :

— Pourquoi ne ferais-tu pas, franchement, des parfums Chanel[1] ?

Une chose est certaine, en tout cas, Gabrielle, lors de son escapade dans le Midi avec le grand-duc, rend visite à Ernest Beaux, né à Moscou d'un père français, qui travaille à Grasse comme chimiste en parfums. Or, cet homme a passé la plus grande partie de sa jeunesse à Saint-Pétersbourg et son père a été employé à la cour des tsars. Il est donc infiniment probable que cette rencontre a été ménagée par Dimitri – auquel Gabrielle devrait, en partie, le triomphe de son premier parfum, le *Chanel N° 5*...

À vrai dire, en 1920, l'idée d'associer haute couture et parfumerie n'est pas neuve. Déjà Paul Poiret, par exemple, a commercialisé en 1911 des parfums

---

1. Arthur Gold et Robert Fizdale, *op. cit.*

comme *Lucrèce Borgia* ou *Nuits de Chine*. Mais sa tentative s'est soldée par un échec.

Ces parfums, comme tous ceux qui étaient jusque-là proposés aux femmes, étaient naturels, qu'ils fussent d'origine végétale (rose, muguet, jasmin, etc.) ou animale (musc, ambre, civette). On en composait de savants mélanges. Mais, depuis quelque temps, on commence à fabriquer des produits synthétiques. Ils permettent non pas de remplacer les essences naturelles mais d'en exalter la puissance odorante et de les faire « vibrer » : ainsi a-t-on utilisé de la coumarine pour obtenir *Fougère royale* (Houbigant) ou de la vanilline pour fabriquer *Jicky* (Guerlain).

Or il se trouve qu'Ernest Beaux travaille en ce moment sur les aldéhydes, produits de synthèse très efficaces mais aussi très instables, et qui entraînent beaucoup de frais. Pour cette raison, on ne l'a encore jamais utilisé. Mais il pense avoir trouvé une solution au problème. Il s'entend avec Gabrielle. Il est convenu qu'il lui proposera plusieurs mélanges entre lesquels elle choisira. Au cours de l'année 1921, le chimiste propose donc deux séries d'échantillons numérotés de 1 à 5 et de 20 à 24. Il combine avec subtilité pas moins de quatre-vingts ingrédients, dont beaucoup de jasmin, et une dose massive d'aldéhydes. Il prétend avoir reconstitué la délicieuse sensation qu'il a éprouvée au cours d'un séjour dans le Grand Nord où les hasards de la guerre l'avaient conduit. Là, il avait pu humer le parfum d'une fraîcheur délicieuse qu'exhalaient sous le soleil de minuit lacs et rivières... Gabrielle, qui a foi dans ses recherches, le guide. À défaut d'une formation technique, elle a mieux que cela, un don inné pour reconnaître la supériorité dans tous les domaines, y compris celui-ci. Même si l'on n'est pas obligé de la croire lorsqu'elle prétend, quand elle reçoit des fleurs, reconnaître l'odeur des mains qui les ont cueillies... Finalement elle retient le n° 22, qu'elle mettra en vente quelque mois plus tard, mais elle tient à lancer très vite le n° 5 pour la présentation de sa prochaine collection, le 5 mai 1921. Cette conjonction de chiffres est-elle pure coïncidence ou résultat d'une volonté précise ? Allez savoir !

On connaît le triomphe mondial de ce parfum, mais comment l'expliquer ? Sa qualité et sa nouveauté sont évidemment à mettre en compte au premier chef. Voici un parfum qui n'évoque aucune senteur déjà connue d'une fleur, ou d'un mélange de fleurs identifiable. C'est une pure création qui semble issue du néant et dont la séduction est d'autant plus profonde que la source en reste mystérieuse. C'est un parfum révolutionnaire. Comment n'en parlerait-on pas ?

Mais révolutionnaire est aussi la présentation. Jusqu'alors les fabricants, dont le plus célèbre était la cristallerie Lalique, créaient des flacons de fantaisie, de formes extrêmement variées, surchargés d'ornements, surmontés, par exemple, d'une danseuse en plein envol ou d'un Cupidon muni d'un carquois. Souvent, les parois du flacon étaient richement gravées. Certains amateurs les collectionnaient et continuent à le faire. Georges Feydeau en avait, disait-on, rassemblé plus de trois cents.

Au contraire, Gabrielle, éprise de simplicité et de rigueur, impose un simple flacon de forme parallélépipédique, qui laisse parfaitement admirer le liquide d'or qu'il renferme. On sort de l'époque cubiste qui a mis à la mode carrés et rectangles. Il est probable qu'elle a influencé les choix de Coco... En tout cas, l'objet est très fonctionnel. Les seules traces d'intentions décoratives que l'on y discerne datent de 1924, et apparaissent comme de menues concessions à ceux qui auraient pu juger l'objet un peu trop austère : il s'agit de la taille émeraude (taille à facettes) du bouchon, et des biseaux arrondis aux angles du flacon lui-même. En somme Gabrielle, avec ce bon sens paysan et cet esprit pratique qui ne la quitteront jamais, comprend très bien, à l'inverse de ses prédécesseurs, qu'il s'agit de mettre en valeur le contenu et non le contenant. A-t-elle en mémoire le « Qu'importe le flacon ! » du poète ? Elle agit en tout cas comme si elle était pénétrée de cette évidence.

Mais quel nom va-t-elle attribuer au nouveau parfum ? Ses prédécesseurs avaient coutume d'utiliser des appellations pseudo-poétiques : *Sourire d'avril*, *Désir princier*, *Cœur de Jeannette* ou *Ivresse d'un soir*. Quelle horreur ! C'est ridicule ! Aussi ridicule que ces jardins fleuris juchés sur les chapeaux des dames d'avant 14. Mais alors, que faire ? se dit Gabrielle. Eh bien, puisque sa personne et sa maison sont déjà si connues en cette année 1921, pourquoi pas carrément Chanel ? Ainsi, le parfum profitera-t-il à plein de la célébrité de son nom, lequel l'entraînera ainsi dans son succès... Comment ne pas discerner ici le sens commercial aigu de ce chef d'entreprise qu'est maintenant Gabrielle ? Paul Poiret, qui avait échoué dans ses tentatives de lancement d'un parfum de couturier, n'avait pas osé, lui, malgré sa grande notoriété, exploiter son nom et s'était contenté de donner à certains de ses parfums le seul prénom de sa fille Rosine. Là était peut-être une des raisons de son échec.

Prévoyante, et croyant en son étoile – c'est sa force –, Gabrielle perçoit la nécessité, au cas où elle lancerait d'autres parfums, de caractériser le premier d'une manière plus précise qui le distingue de ses successeurs éventuels. Le plus simple, pense-t-elle, sera le meilleur... Puisqu'elle a choisi le flacon n° 5, pourquoi pas *Chanel N° 5* ?

— Mais ça ne s'est jamais fait ! balbutie Ernest Beaux, ahuri par cette audace.

— Justement, réplique Coco, qui adore rompre avec la routine, ça le distinguera des autres !

Et puis, il faut le souligner, cette idée d'un numéro ainsi mis en vedette se rattache à tout un pan de son passé. Déjà à Obazine, elle croyait lire dans les mosaïques qui pavaient la galerie du premier étage des chiffres mystérieux, une écriture secrète qui la faisait rêver... Cette fois-ci, elle rêve à nouveau... elle pense que le 5 va être un « bon numéro », celui sur lequel elle jouera et invitera à jouer – au sens Monte-Carlo du terme – l'ensemble du public. D'ailleurs, n'est-ce pas à l'occasion de son escapade à Monaco qu'elle a rencontré Ernest Beaux ? Nul doute qu'il ne lui a été envoyé par le destin, s'imagine-t-elle.

Ce goût de la simplicité, qu'elle a manifesté dans le choix de l'appellation du parfum, on le retrouve dans la conception de l'étiquetage : un rectangle tout blanc sur lequel se détache, avec une netteté presque provocante, le patronyme CHANEL en lettres noires. On retrouve ici le contraste noir-blanc qu'elle exploite si souvent dans ses créations vestimentaires et dont la fascination remonte au plus profond de son enfance, à cet univers de l'orphelinat. De plus loin encore semble provenir le sigle composé de deux C entrelacés que l'on discerne scellé sur le cachet circulaire attaché au bouchon. N'est-ce pas ainsi que l'ancêtre cabaretier de Ponteils « signait » les meubles qu'il s'était fabriqués ? Or ces deux C, Gabrielle les avait rencontrés sur les vitraux d'Obazine, qu'elle contemplait lors des innombrables offices auxquels il fallait qu'elle assistât. Mieux encore, le hasard avait voulu qu'à Moulins on la surnommât Coco... Ainsi, les deux C lui paraissant imposés par le destin, lui est-il impossible de ne pas les associer à l'avenir de son parfum...

Lorsque tout est prêt, Gabrielle ne place pas aussitôt le *N° 5* derrière les vitrines de la rue Cambon. Très ingénieusement, elle glisse dans les mains de chacune de ses amies du monde très chic dans lequel elle évolue, un des précieux flacons, comme si elle lui confiait son plus cher trésor :

— Je ne te le vends pas... Je te le donne... lui murmure-t-elle doucement.

Très vite se constitue, le bouche à oreille aidant, une espèce de club secret des fanatiques du N° 5. Et lorsque les flacons seront mis en vente (uniquement au 31, rue Cambon), le succès est immédiat... Le parfumeur François Coty doit s'en mordre les doigts. Il aurait, dit-on, refusé d'adopter cette fragrance que Beaux lui avait d'abord proposée : « Trop cher ! » aurait-il répondu, en haussant les épaules...

À vrai dire, Gabrielle, malgré ce beau succès initial, rencontre bientôt quelques problèmes dans la fabrication et la distribution du parfum. Il faut dire qu'Ernest Beaux, revenu en France en 1919, travaille pour le compte de la société des parfums Rallet, qui fournissait la cour de Russie, et que la Révolution bolchevique a contrainte à s'établir à Grasse. C'est donc tout naturellement à cette petite maison qu'échoit la fabrication du produit. Peut-être le personnel chargé du conditionnement a-t-il été trop hâtivement recruté ? Toujours est-il que, trop souvent, ce flacon ferme mal ou n'est qu'incomplètement rempli et se révèle très fragile. Plus grave encore, Rallet ne parvient pas à satisfaire en temps voulu les commandes qui affluent... Alors un brillant homme d'affaires, Théophile Bader, qui, une trentaine d'années plus tôt, a fondé les Galeries Lafayette, vient au secours de Gabrielle.

— Adressez-vous donc à de grands professionnels, lui conseille-t-il.

Et il lui présente les frères Wertheimer, Pierre et Paul. Elle en avait entendu parler à Deauville, comme possédant des chevaux de course, et en particulier le pur-sang « Épinard », le plus célèbre du monde à l'époque. Mais les Wertheimer sont aussi les propriétaires de la Société des cosmétiques Bourjois, fondée en 1863, et primitivement consacrée au maquillage de théâtre : la meilleure cliente de la maison n'était autre que Sarah Bernhardt... En 1912, Bourjois lançait le « Pastel joues », dont la boîte ronde en carton ornée de fleurs était devenue l'image-fétiche de la marque. Certaines couleurs fabriquées à l'époque font toujours partie de l'actuel catalogue. Bourjois, dès 1913, est présent à New York, puis à Londres, Barcelone, Sydney, Bruxelles, Buenos Aires, Vienne... C'est la maison qui, en 1929, lancera *Soir de Paris* d'Ernest Beaux, lequel va marquer plusieurs générations de femmes. Lorsque Gabrielle s'adresse aux Wertheimer, ils ont déjà lancé, en 1923, un premier parfum appelé *Mon parfum*. En 1924, donc, se constitue une Société des parfums Chanel, associant Gabrielle à Pierre Wertheimer, Ernest Beaux devenant le directeur technique. À la suite d'accords plusieurs fois modifiés ultérieurement, Gabrielle bénéficiera durant toute son existence de revenus dont on dira par litote qu'ils la mettront pour toujours à l'abri du besoin[1].

C'est en automne 1921, au moment où s'achevaient les amours de Gabrielle avec le grand-duc, qu'elle décide de quitter Bel Respiro pour s'installer à Paris. Les raisons de sa décision sont d'ordre purement pratique. La maison est trop petite, le trajet trop long, elle perd trop de temps. Cette grande travailleuse veut se rapprocher du lieu d'exercice d'une profession qui est devenue le centre de sa vie. Elle ne vend pas pour autant cette propriété, car ce serait mettre à la porte Stravinski et sa famille. Le compositeur, qui s'est résigné à ne pas voir partagée sa passion pour Coco, lui a offert un objet auquel il tient par-dessus tout, une icône qu'il a réussi à rap-

---

1. À sa mort, Gabrielle, selon le magazine *Times* (25 janvier 1971) laissa quinze millions de dollars de l'époque, soit environ 260 millions de francs de nos jours.

porter de Russie, et qui figurera toujours en bonne place chez elle jusqu'à sa mort.

La nouvelle demeure que Gabrielle se choisit dans la capitale, à cinq cents mètres de la rue Cambon, est grandiose. Sa fortune le lui permet à présent. C'est l'hôtel Pillet-Will, 29 rue du Faubourg-Saint-Honoré, construit en 1719. Coco loue au propriétaire le rez-de-chaussée et bientôt le premier étage, le comte Pillet-Will se réservant le second. Les pièces lui paraissent un peu trop vastes, mais elle aime les hautes portes-fenêtres qui donnent sur une terrasse d'où un escalier de pierre mène à un jardin à la française. Des platanes, des marronniers èt des tilleuls séculaires se mirent dans un bassin central qu'anime le cristal irisé d'un jet d'eau. Ce parc s'étend jusqu'à l'avenue Gabriel, dont le séparent de hautes grilles peintes en noir et or. C'est la même disposition que celle de la très voisine ambassade de Grande-Bretagne, ou de l'Élysée...

À peine arrivée, Coco charge son fidèle Joseph – qui a perdu sa femme – de recruter l'abondant personnel nécessaire à l'entretien de la nouvelle demeure. Il n'est pas question pour elle de la meubler et de la décorer en harmonie avec ce que son architecture classique semble impérativement réclamer. De plus, elle n'aime guère les boiseries dont sont revêtues les parois de l'édifice, ni leur couleur vert pâle, ni leurs filets dorés. Bien entendu, elle ne peut y toucher car l'hôtel est classé monument historique. Alors, elle les masque le plus possible, grâce à ses meubles préférés, les paravents en laque de Coromandel. Dès le début, le meuble roi, c'est un immense piano noir, un Steinway, le cœur de la maison. Pour en jouer, on a l'embarras du choix : Stravinski, Misia, Diaghilev, voire le pianiste des Ballets russes, et même Cocteau à l'occasion. Pour la décoration, elle demande parfois conseil à José-Maria Sert, dont le baroquisme l'enchante, sans trop s'inspirer de certaines fantaisies qu'elle juge outrancières. Elle utilise beaucoup plus que lui le noir, le beige et le marron ou plutôt le tête-de-nègre. « Partout, dira-t-elle plus tard en évoquant les lieux, un merveilleux tapis, couleur Colorado claro, à reflets soyeux comme les bons cigares et tissés à mon goût, des rideaux de velours marron à galons dorés qui ressemblent aux couronnes ceinturées de soie jaune de Winston (Churchill). Je ne discutais jamais les prix. Seuls mes amis protestaient et Misia s'arrachait le chignon... » Elle achète 100 000 francs-or un tapis de la Savonnerie. Elle se procure de grands sièges Louis XIV ou Louis XV en bois vieil or tendus de velours blanc, ce qui n'exclut pas la présence de multiples canapés. En toute saison, les fleurs blanches abondent, disposées en gerbes énormes. Et une profusion d'immenses miroirs multiplie à l'infini les perspectives de ce décor. Elle a veillé à ce que l'éclairage soit très doux. Grâce à de savants mélanges d'ancien et de moderne, et surtout bien entendu à sa personnalité, Gabrielle parvient à susciter une atmosphère magique qui va rassembler autour d'elle une foule d'artistes et d'écrivains.

Pendant des années, donc, l'hôtel du Faubourg sera le lieu de réunion des Sert, de Picasso, de Cocteau, de Radiguet, de Diaghilev, de Boris Kochno, de Morand, de Juan Gris, de Francis Poulenc et des autres musiciens du groupe des Six, d'Étienne de Beaumont, de quelques Rothschild et d'une foule d'autres gens du monde, parmi lesquels figurent nombre de clientes de Gabrielle. Certains de ses amis y bénéficient même d'une chambre attitrée : ils y passent une nuit ou... trois semaines. Par exemple Stravinski, Misia ou encore Picasso qui a horreur de la solitude nocturne : quand sa femme de l'époque, Olga Khoklova, l'une des danseuses de Diaghilev qui vient d'accoucher de Paulo, se repose à Fontainebleau, Pablo, au lieu de regagner son appartement de la rue La Boétie, demande l'hospitalité de Gabrielle.

C'est par l'intermédiaire de Misia qu'elle a connu le peintre, dès 1917 semble-t-il, alors qu'il préparait *Parade*, avec Cocteau, Diaghilev et Érik Satie. Il revenait de Rome où il avait rencontré Olga... Le Picasso que lui présente Misia Sert n'est plus le classique rapin à bouffarde qu'avait rencontré Cocteau en 1915, au 5 bis de la rue Schoelcher, à côté du cimetière Montparnasse. Il est plus riche maintenant : sa peinture se vend bien, notamment aux États-Unis. Et dans les années vingt, lorsqu'il vient rue du Faubourg-Saint-Honoré, il est élégamment vêtu, il porte la cravate et parfois la chaîne de montre... ce qui n'est pas sans provoquer l'indignation ou les railleries de ses confrères. En revanche, ce qui n'a pas changé chez ce petit homme au torse épais, c'est la mèche d'un noir d'encre qui lui barre le front, retombant sur son sourcil, et noir aussi cet œil rond et vif qui vous perce comme un stylet et qui met Gabrielle très mal à l'aise. Ces deux monstres sacrés s'observent, se jaugent et... se jugent. Ils s'estiment dignes l'un de l'autre...

Parmi les hôtes de Gabrielle, il en est un qui tient une place à part : c'est le poète Pierre Reverdy. Qu'on imagine un homme de petite taille, râblé, aux cheveux d'un noir de jais, au teint olivâtre avec un accent méridional très rocailleux. Son physique serait relativement banal si son regard très sombre n'était illuminé par un feu intérieur qui fascine tous ceux qui l'approchent. Elle l'avait rencontré chez Misia, quelques mois après la mort de Boy. Mais elle était, à ce moment-là, trop écrasée par son chagrin pour lui accorder la moindre importance. De six ans son cadet, il a alors trente et un ans. Né à Narbonne, fils d'un viticulteur ruiné par la crise de 1907, il est venu à Paris où il vit chichement de son métier de correcteur d'imprimerie. Il s'est installé à

Montmartre, rue Ravignan, et fréquente les artistes du Bateau-Lavoir, peintres ou écrivains comme Juan Gris, Picasso, Braque, Apollinaire ou Max Jacob. Il connaît bien, aussi, un bel Italien de Montparnasse qui vient souvent dans le quartier et dont les crises de violence ne terrorisent pas seulement sa compagne, mais aussi tous ses voisins, c'est Alberto Modigliani. L'atmosphère pittoresque qui règne dans ce milieu est si propice à la création qu'elle lui inspire, à la fin de la guerre, plusieurs recueils de poèmes comme *La Lucarne ovale* ou *Les Ardoises du toit* qu'illustrent ses amis peintres. Grâce à la générosité d'un ami suédois, il fonde la revue *Nord-Sud* (du nom de la compagnie qui exploite la ligne de métro unissant Montmartre à Montparnasse, ces deux pôles de la vie culturelle d'alors). Tout éphémère qu'elle est (16 numéros en 1917-1918), la revue devient un véritable laboratoire du surréalisme, publiant, outre Apollinaire et Max Jacob, Tzara, Aragon, Breton et Soupault. Et elle sert de lien entre peintres et poètes attirés par les tendances nouvelles.

Reverdy vit misérablement avec sa femme Henriette, qui travaille comme « petite main » dans une maison de couture. Le couple habite une bâtisse délabrée de Montmartre, 12, rue Cortot, où résident aussi le peintre Suzanne Valadon et son fils Maurice Utrillo, contraint par son éthylisme à faire de fréquents séjours à Villejuif au milieu des fous furieux...

Bien qu'adorant les peintres de Montmartre, Reverdy se refuse absolument à adopter le genre bohème, cheveux longs et sales, pipe nauséabonde, pantalon tire-bouchonné. Au contraire, sans qu'il soit né avec un pli de pantalon, comme le disait Picasso de Cocteau, il est toujours strictement vêtu d'un veston croisé et porte avec une chemise impeccable une cravate soigneusement nouée. Ce qui ne l'empêche pas de détester les gens du monde. Misia, bien entendu, n'en fait pas partie à ses yeux car elle s'entoure de peintres dont beaucoup sont ses amis. De plus elle l'a aidé dès 1917, faisant souscrire des abonnements à *Nord-Sud*, ou achetant fort cher des exemplaires de luxe à tirage limité de ses recueils de poésie.

À cette époque, Reverdy suscite de grands enthousiasmes parmi les jeunes poètes contemporains. Il est déjà celui qu'André Breton cite en 1924 parmi les précurseurs du surréalisme et qu'il proclame en 1928, en accord avec Soupault et Aragon, « le plus grand poète actuellement vivant. »

Or jusqu'en 1921, Gabrielle et Reverdy éprouvent l'un pour l'autre une solide amitié. Mais peu à peu ce sentiment se transforme en un amour partagé... L'attirance de Coco pour le poète s'explique-t-elle en partie par l'ascendance terrienne de Reverdy ? Son père, viticulteur du Midi ruiné par la mévente de 1907, ne lui fait-il pas songer à Albert Chanel qui rêvait lui-même de posséder des vignobles, et dont elle vantait l'imaginaire réussite auprès de ses petites camarades d'Obazine ? De plus, le pauvre garçon a été enfermé dans un pensionnat – comme elle-même au couvent. Tout cela la dispose beaucoup en sa faveur... Et puis son dénuement, son esclavage, la nuit, au marbre de *L'Intransigeant*. Tout cela lui confère une auréole de poète maudit, de Rimbaud d'après-guerre, qui n'est pas dépourvue de séduction. Sans compter certaines originalités de comportement : on le voit, au cours d'une brillante réception chez Coco, abandonner brusquement la compagnie pour filer dans le parc, sous la pluie, afin de ramasser les escargots... Voilà un homme peu banal ! Comme Gabrielle, qui prétend se ranger parmi les artisans et non les artistes, Reverdy, de son côté, se veut également un manuel : il adore réparer, bricoler... Enfin et surtout, il existe entre eux une communauté de tempérament. Ce sont des personnalités éprises d'absolu et de rigueur. Pas de concession. Mais sur ce point, chez Reverdy, cette tendance est si excessive qu'elle en devient pathologique...

Il faut avouer que l'attitude du poète peut sembler déconcertante : brillant causeur, il lui arrive de rester silencieux pendant des heures. Il méprise l'argent mais adore le luxe, misanthrope, et piquant d'affreuses colères contre « ce banditisme » qu'on appelle la vie en société, il manifeste à d'autres moments une confiance presque naïve envers l'humanité. Et s'il aime rester des semaines au Faubourg, il quitte Gabrielle sans crier gare pour regagner Montmartre où l'attend patiemment la pauvre Henriette. Athée, libre-penseur et fier de l'être, ne voilà-t-il pas que, soudainement touché par la grâce divine, il reçoit le baptême le 2 mai 1921 ? Sa ferveur religieuse ne l'éloigne d'ailleurs pas de Coco, du moins pour le moment. Mais il y a chez lui une maladive tentation de l'isolement, du repli sur soi, qui s'accentue avec le temps...

Déjà, il s'est éloigné des surréalistes. Leur « écriture automatique », leur vénération pour la création littéraire incontrôlée, tout cela lui paraît hautement ridicule... À quoi s'ajoute son inadaptation sociale. Sa brutale intransigeance, son refus sans nuance de ce qu'il appelle les « compromissions », son vertige de la pureté l'amèneront, malgré les efforts de Gabrielle qu'il adore, à la quitter. Comment ne le ferait-il pas ? L'absence de ce qu'il aime est justement la source principale de son inspiration poétique. N'a-t-il pas dit : « Le plus durable et le plus solide trait d'union entre les êtres, c'est la barrière » ? Alors cette barrière, mû par une logique perverse, il l'édifie consciencieusement. Le 30 mai 1926, il brûle solennellement devant ses amis nombre de ses manuscrits. Il se retire à Solesmes, non loin de la célèbre abbaye bénédictine, pour y vivre pauvrement avec Henriette, dans une très modeste maison. Jamais, cependant, Pierre et Gabrielle ne s'oublieront, et nous le verrons, leur roman n'est pas terminé...

Reverdy se doute-t-il, quand il quitte Paris et Gabrielle, de tout ce qu'elle fait pour lui ? Ainsi achète-t-elle en secret ses manuscrits. Elle verse d'importantes sommes à ses éditeurs pour qu'ils les lui redistribuent en lui faisant croire qu'il s'agit du versement mensuel de ses droits d'auteur... (Comme si un poète quasi inconnu pouvait en vivre !)

La bibliothèque de Gabrielle contient les œuvres complètes de Reverdy, en éditions originales et luxueusement reliées, ainsi que la plupart de ses manuscrits. La lecture des dédicaces adressées à elle par le poète montre qu'il ne cessera jamais jusqu'à sa mort, en 1960 (il avait alors soixante et onze ans) de lui vouer les sentiments les plus tendres. Ainsi, en 1924 : « À ma très grande et chère Coco, avec tout mon cœur jusqu'à son dernier battement. » Même en 1947, vingt-trois ans après, Reverdy n'a pas changé : « Chère et admirable Coco, puisque vous me donnez la joie d'aimer quelque chose de ces poèmes, je vous laisse ce livre et je voudrais qu'il soit pour vous une douce et discrète lampe de chevet. » Sa ferveur était nourrie par le souvenir constant de ce qu'il lui devait. De son côté, Coco considérera toujours Reverdy comme le plus grand poète de son époque. Elle lit et relit son œuvre, soulignant au crayon des vers ou des formules qu'elle considérait comme particulièrement remarquables. Lorsqu'elle s'apercevra que Georges Pompidou, en 1961, ne le fait pas figurer dans son *Anthologie de la poésie française*, elle sera prise d'une des plus violentes crises de colère de son existence. Et souvent lorsqu'on évoque devant elle le talent de Cocteau – qu'elle estime par ailleurs –, elle le déprécie brutalement, considérant tout éloge d'un autre poète que Reverdy comme une attaque contre lui. Elle enrage de le voir méconnu...

10 janvier 1922. Rue Boissy-d'Anglas. Onze heures du soir. C'est l'inauguration du « Bœuf sur le toit », une nouvelle « boîte » dirigée par Moysès, qui lui a donné le nom d'un tout récent ballet de Cocteau, lequel est évidemment le roi de la fête. S'y pressent les nombreux amis du poète, Misia et José-Maria Sert, Paul Morand, le comte et la comtesse de Beaumont, Raymond Radiguet, vingt ans, le nouveau compagnon de Cocteau. Immobile au bar, la tête toute droite, le monocle vissé à l'œil, le jeune écrivain possède déjà cet air obstiné et secret que lui donne le whisky dont il abuse. Il vient d'achever *Le Diable au corps*. Picasso, la princesse Murat, Max Jacob... Jean Hugo, l'arrière-petit-fils du poète et sa femme Valentine, Serge Lifar, le caricaturiste Sem, et puis les musiciens, Satie, Auric, Poulenc, Honegger et tant d'autres.

Dans l'atmosphère enfumée du bar, orné de peintures dadaïstes, on peut entendre, interprétés au piano par Clément Doucet (qui travaillera bientôt avec Jean Wiener), les airs américains en vogue à cette époque : *The man I Love*, *Black Bottom* ou *Sometimes, I'm happy*...

Le climat qui règne ici est à la fois si charmant et si excitant pour l'esprit que Proust, qui ne pourra jamais y passer une soirée, ne s'en console pas : « Je voudrais être assez bien portant pour aller au moins une fois au cinéma et au Bœuf sur le toit. »

Or il se trouve que presque tous les hôtes du Bœuf sont aussi ceux de Coco rue du Faubourg-Saint-Honoré. Bien qu'elle n'aime guère sortir, il lui est impossible de manquer ce rendez-vous avec ses amis et on entend résonner près du bar sa voix « brûlante et paysanne », comme la définissait le chroniqueur Maurice Sachs, lequel nous a laissé cette saisissante évocation de Gabrielle dans les années 1920 :

« Quand elle apparaissait, on était surpris par sa petite taille. Elle était mince. Ses cheveux noirs et drus étaient plantés bas, ses sourcils se rejoignaient, sa bouche riait, ses yeux étaient brillants et durs. Elle était presque toujours vêtue de la même façon, qui était très simple et généralement de noir. Elle mettait ses mains dans ses poches et commençait de parler. Son débit était extraordinairement rapide et précipité. » Non moins intéressant est le portrait intellectuel que Sachs fait de Coco :

« Son esprit suivait son thème et se développait jusqu'au terme. Elle n'avait pas, comme ont souvent les femmes, de ces fantaisies du raisonnement qui les font butiner dans la conversation, s'arrêter à tous les sujets incidents et n'atteindre nulle part. Le fil de sa pensée était ténu. On y retrouvait cette obstination paysanne qui est un de ses traits. Elle était très sûre dans ses jugements, très affirmative, son intelligence était taillée dans un bloc et reposait sur des assises inaltérables. Elle ne se trompait, semblait-il, jamais. Tout son instinct flairait juste. Elle possédait au plus haut degré le sens de la qualité et la reconnaissait dans les domaines mêmes qui lui étaient étrangers[1] ». Notation tout à fait pertinente lorsqu'on dresse la liste des écrivains ou artistes dont, femme inculte, elle a su s'entourer et qu'elle aide et protège chaque fois qu'elle le peut. Ainsi manque-t-elle rarement de demander à Moysès les additions souvent impayées par Cocteau et ses amis. Elle les règle sans en faire état...

Années du Bœuf sur le toit, les années folles sont également celles d'un livre, d'un best-seller comme on commence à dire, qui va en symboliser l'esprit et l'atmosphère. En juillet 1922, on peut lire en effet,

---

1. *La Décade de l'illusion*, Gallimard, 1950.

dans la majeure partie des journaux, le placard suivant :

« *La Garçonne* de Victor Marguerite. Lisez ce livre qui marquera de son empreinte la période littéraire actuelle. L'auteur n'a reculé devant aucune hardiesse de scène et d'expression... Quand vous aurez lu le roman passionnant, captivant, *La Garçonne* (Flammarion, édit. un vol. 7 francs), qui, en bien des endroits vous scandalisera peut-être, vous vous apercevrez que, de tant de bassesses, se dégage une pure et exaltante beauté. »

L'héroïne de ce roman, Monique Lerbier, dix-neuf ans, appartient à la bonne société. Déçue par la trahison de son fiancé, elle va se livrer à toutes sortes de « débauches », drogues de toute nature, aventures orthodoxes ou liaisons saphiques, orgies sans interruption dans des maisons closes, jusqu'à ce qu'elle rencontre enfin le grand amour sous les espèces d'un amant qui croit, lui, à l'égalité des sexes, la sauve et l'épouse. Il assistera avec elle aux réunions féministes...

Le scandale est énorme. Gustave Téry, dans *L'Œuvre* écrit : « Ce prétendu chef-d'œuvre n'est qu'une ordure. » Victor Marguerite est radié de l'ordre de la Légion d'honneur. Mais le livre est vendu à plus de 750 000 exemplaires...

Or ce type de femme : cheveux courts, poitrine effacée, pantalons de marins, fume-cigarette long de 50 centimètres, est au fond très proche de celui que Coco a lancé. Et il y a une certaine confusion des sexes dans la forme d'élégance qu'elle préconise. De fait, *La Garçonne* lui apporte une publicité gratuite et sans égale. La femme de cette époque, si l'on consulte les journaux de mode, se rapproche donc, par son aspect physique, de l'homme, tandis que l'idéal masculin se féminise. L'homme rase désormais sa moustache, symbole désuet de force virile. Le héros n'est plus le guerrier vainqueur mais l'homme au joli visage dont la masculinité n'est pas la qualité essentielle. Enfin l'homosexualité, quand elle existe, ne se masque plus chez lui comme avant la guerre. Au contraire, un certain snobisme fait des « invertis » les personnages à la mode, comme Proust, Gide ou Cocteau. Et si le premier reste discret concernant ses goûts, les deux autres les avoueront sans fard dans *Corydon* et dans *Le Livre blanc*. Ainsi Coco Chanel sait-elle humer, avant tout le monde, l'air du temps, et accorder d'avance son style à son époque. Or, le style Chanel, c'est justement une évidente féminité alliée à une non moins manifeste androgynie. L'équivoque triomphe et l'on n'hésite pas à jaser sur les rapports qu'entretiendraient Gabrielle et Misia... sans apporter la plus petite preuve, d'ailleurs. Plus clair est le cas de Colette qui s'affiche avec cette « garçonne » avant la lettre qu'est la marquise de Belbeuf, sans renoncer pour autant aux amours orthodoxes, ou celui de Nathalie Barney, « l'Amazone », et de Renée Vivien, qui, pour leur part, se sont rangées ouvertement sous la bannière de Lesbos.

Pendant tout ce temps, la réussite professionnelle de Gabrielle s'est affirmée. Dès 1920, *Minerva* et *Femina*, les magazines les plus réputés de la haute couture parisienne sont devenus comme des anthologies de la mode Chanel. Feuilletons-les, lisons au hasard : « Lady X... portait au Ritz une robe en mousseline de soie grège signée Chanel... Chanel lance une robe faite de longues franges de soie noire... Pour le soir, elle crée une robe de chenille rouge... Chanel crée des fourrures et marie le singe au breitschwanz blanc. Une autre création de Chanel pour le soir : fourreau de satin blanc recouvert d'une casaque brodée et perlée... »

La couturière impose définitivement les cheveux courts, à la grande joie des coiffeurs qui, partout en

France, jouent des ciseaux sans pitié ni relâche. Les plus belles toisons, les crinières les plus somptueuses gisent sur le sol. Les maris protestent. Les amants gémissent. Ils perdent leur temps. Une seule explication leur est fournie. « C'est la mode ! » Rue Cambon, d'ailleurs, à deux pas du 31, au 5 s'installe – quelle commodité – le coiffeur Antoine[1] qui se met au service du nouveau style. Il devient vite célèbre. Un chroniqueur baptise pittoresquement ces nouvelles pratiques : c'est la mode « coupe-toujours », dit-il.

Assortis à cette coiffure on voit apparaître des chapeaux inédits : la coupe « à la garçonne » faisant aux femmes une toute petite tête, elle est facile à mouler très étroitement dans un chapeau-cloche à haute calotte cylindrique, dont le bord étroit tombe sur les yeux et que l'on enfonce jusqu'aux sourcils. Ces nouveautés obtiennent très vite un gros succès, mais ne sont pas unanimement appréciées. Sem n'a pas son pareil pour les caricaturer avec autant d'esprit dans sa prose que dans ses dessins : « Quant aux chapeaux, ils ne sont plus que des filtres informes en feutre mou, dans lesquels les femmes plongent la tête en les tirant tout en bas des deux mains... Tout disparaît, poursuit-il, englouti par cette poche élastique : les cheveux, le front, les oreilles, les joues, jusqu'au nez. Elles s'aideraient finalement d'un chausse-pied, si l'idée en avait été lancée. »

Il n'empêche. La vogue des chapeaux-cloches et des casques est irrésistible et, malgré ces combats d'arrière-garde, on les voit apparaître dans les provinces les plus reculées...

En ce qui concerne les vêtements, c'est la tendance Chanel qui domine aussi pour la taille : la

---

1. De son vrai nom Antak (1884-1977), né en Pologne, le créateur de la coupe à la garçonne est également l'inventeur, avec Eugène Schueller, des shampooings colorants.

ceinture glisse petit à petit vers le sol et s'arrête miraculeusement sous ce qui devrait être les hanches, lesquelles ont disparu comme par enchantement. La ligne des nouvelles robes est verticale, la forme générale est tubulaire et les rondeurs de la femme escamotées, au besoin à l'aide de bandes Velpeau qui compriment les seins rebelles. On voit à quel point, comme par hasard, ce style convient au physique de la couturière qui l'a conçu. Elle refuse, on le sait, de vendre des vêtements qu'elle ne voudrait ou ne pourrait porter : elle est sa première cliente... Une anecdote circule : un couturier facétieux qui, par ailleurs, est un fidèle adepte de la tendance qu'elle préconise, aurait, lors d'une présentation, substitué deux ou trois éphèbes aux jeunes femmes habituellement employées sans que personne ait remarqué quoi que ce fût...

Malgré le succès de Gabrielle, Paul Poiret ne s'avoue pas vaincu. Décidé à se battre contre celle qui avait, selon lui, transformé les femmes en « petits télégraphistes sous-alimentés », il multiplie les créations somptueuses, usant de lourds tissus aux couleurs vives ornés de dessins et de broderies de type oriental, de turqueries, comme on dit...

Or un soir, à l'Opéra, lors d'une première, se penchant sur la balustrade à velours grenat de sa loge, Gabrielle contemple les toilettes des spectatrices. Elle constate que son rival est passé par là : trop de robes, dans le parterre, portent la trace de ses délires bariolés. Et les femmes qui les ont revêtues sont ce qu'elle appelle « déguisées »... Alors, dans son indignation, elle s'exclame : « Ça ne peut plus durer, je vais les refoutre en noir ! »

Dès le lendemain, elle s'attelle à la réalisation de ce nouveau projet. C'est alors qu'elle va créer cette petite robe noire passe-partout, un simple fourreau en crêpe de Chine, à manches très ajustées, qu'on appellera la « Ford de Chanel » et qui bénéficiera d'autant de succès que la voiture populaire qui sort des chaînes de Detroit[1]. Ainsi se concrétise son vœu le plus cher : faire descendre la mode dans la rue.

Cette sobriété des créations chaneliennes va précipiter le déclin de celles de Poiret, superbes au demeurant, mais qui ne correspondent plus aux conditions de vie de la femme moderne. Le nom de Poiret brillera encore au printemps 1925, lors de l'Exposition des Arts-Déco. C'est lui qui a dessiné la grande fontaine lumineuse de l'entrée. Ses trois péniches, *Amour*, *Délices* et *Orgues*, décorées de grandes toiles de Dufy et amarrées aux quais de la Seine en bordure de l'Exposition, scintillent le soir de tous leurs feux et c'est Poiret en personne qui, revêtu d'une somptueuse cape et coiffé d'une casquette d'amiral, vient accueillir les dîneurs à la coupée de l'un de ses bateaux.

Hélas, douze ans plus tard, en 1937, l'homme qui avait organisé les plus belles soirées de Paris, qui plaçait des vraies perles dans les huîtres de ses hôtes, est complètement ruiné. Le public ne comprend plus les modes qu'il tente de lancer, et lui-même ne comprend plus son époque. Ses « amis » des années prospères l'ont abandonné. Sa misère est devenue telle qu'il doit se couper et se coudre lui-même un pardessus dans un vieux peignoir de bain. Il meurt en 1944. L'un de ses derniers gagne-pain consistait à réciter les fables de La Fontaine, dans un minable cabaret de Cannes : celle qu'il préférait ? *La Cigale et la Fourmi*[2]...

Décembre 1922. Au début du mois, une affiche jaune apparaît sur les colonnes Morris, annonçant une *Antigone* qui va se jouer au théâtre de l'Atelier

---

1. Voir *Vogue*, édition américaine, 1926.
2. Voir Paul Poiret, *En habillant l'époque*, Grasset, 1974.

– ex-« théâtre de Montmartre ». Cette salle se trouve à l'extrémité d'une petite place ombragée de platanes et bordée de bancs, à mi-distance de la basilique de Montmartre et des bars à hôtesses montantes de Pigalle. C'est Charles Dullin, le compagnon de la danseuse Caryathis qui a repris ce théâtre et s'en trouve maintenant le directeur. Ce n'est pas exactement le chef-d'œuvre de Sophocle que l'on va jouer cette fois, mais l'adaptation libre que Jean Cocteau en a faite, recourant pour la musique à Honegger, membre du « groupe des Six », et à Picasso pour le décor. En ce qui concerne les costumes, il s'adresse à Chanel. Pourquoi ? Il s'en expliquera dans la presse : « Parce que, dit-il, elle est la plus grande couturière de notre époque et que je n'imagine pas les filles d'Œdipe mal vêtues. » Or, justement, Gabrielle a fait admirer dans sa dernière collection plusieurs drapés à l'antique, et elle vient d'acquérir pour son salon du Faubourg un beau marbre de l'époque hellénistique. Elle accepte avec plaisir la proposition de Cocteau. Dullin interprète le rôle du roi Créon, gardien sourcilleux des lois de son pays. Pour sa part, l'actrice grecque Genica Athanasiou incarne Antigone, la révoltée qui défend les valeurs de la conscience. Tirésias est joué par le compagnon de Genica, qui n'est autre qu'Antonin Artaud...

En accord avec son ami Cocteau, Gabrielle choisit de grosses laines d'Écosse et des jerseys brun et brique. Le costume de l'héroïne est d'une merveilleuse simplicité : un drapé que Coco a imaginé en jetant son propre manteau sur les épaules de l'actrice. Coco a créé aussi, pour ceindre le front du roi, un bandeau d'orfèvrerie orné de fausses pierres, le premier bijou, sans doute, qu'elle a conçu. Et c'est encore elle qui a suggéré à Cocteau d'accrocher au mur du fond des masques de carnaval qu'il peindra lui-même en blanc...

Ainsi commence entre le poète et la couturière une longue collaboration.

Coco Chanel à 26 ans, en 1909.

Ci-dessous :

Une noce paysanne à Royallieu. Les costumes
ont été improvisés par Gabrielle.
De gauche à droite : Coco, en garçon d'honneur,
Balsan, Lery et Henraux en mariés, Arthur
Capel en belle-mère, le comte de Laborde
en bébé et Gabrielle Dorziat en
demoiselle d'honneur.

Ci-contre :

Gabrielle dans les bras de Boy
représenté en centaure,
caricaturés par Sem.

Page de droite :

Deauville, 1913.
Gabrielle (à droite)
pose devant sa
première boutique
avec Adrienne. Toutes
deux portent les
vêtements et chapeaux
en vente dans le
magasin.

CHANEL

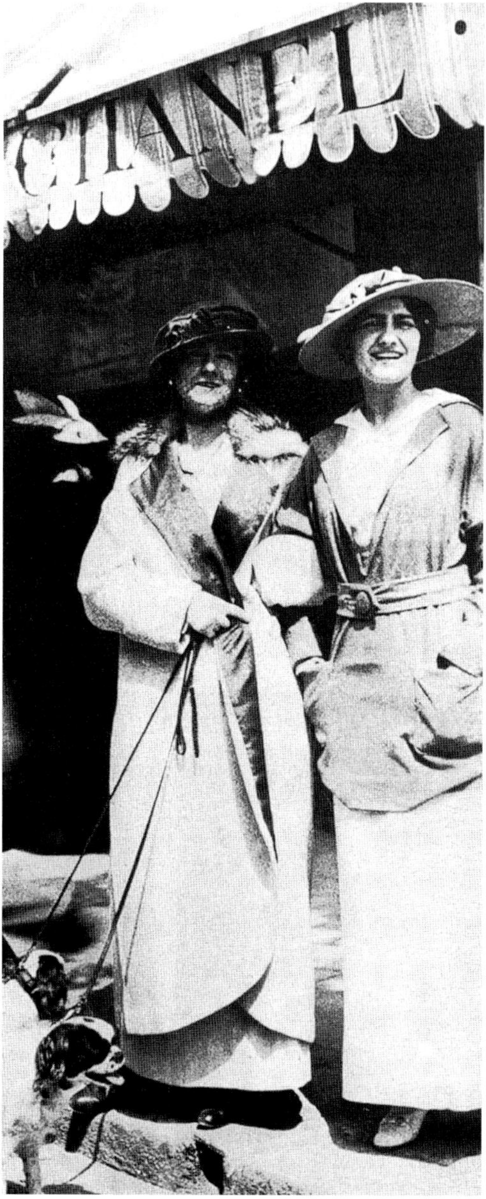

Ci-dessous, de haut en bas et de gauche à droite :

Gabrielle photographiée chez elle rue Cambon en 1936 par Horst.
Le poète Pierre Reverdy, un des amants de Coco.
Aux courses avec le duc de Westminster, en 1925.

Grève aux ateliers Chanel, en 1936.
Portrait, période hollywoodienne, en 1931.

Ci-dessus, de gauche à droite :

Une soirée mondaine à Monte-Carlo, en 1938, avec (de gauche à droite) Alexandra Danilova, Salvador Dalí, Gabrielle Chanel et Georges Auric.

Ci-dessous :

Coco Chanel dessinée par Jean Cocteau. Le parfum le plus célèbre du monde.

Deux portraits, entre les années 1936 et 1938.

Ci-dessous :

Les accessoires indispensables du Chanel look.
Un modèle de la rue Cambon.

Gabrielle photographiée en 1954 par Robert Doisneau dans le célèbre escalier aux miroirs, à l'occasion de la réouverture de sa maison.

Lors de la générale, le 20 décembre 1922, André Breton et ses amis, qui détestent Cocteau, ont noyauté la salle. Ils organisent un violent chahut. Le poète qui, dans les coulisses avec un porte-voix, joue à lui tout seul le rôle du chœur antique, doit, à intervalles réguliers, interrompre ses nobles propos pour lancer d'un ton imperturbable cet avertissement : « Sortez, monsieur Breton... nous continuerons lorsque vous aurez quitté la salle. »

En fin de compte, la pièce pourra tout de même se jouer une bonne centaine de fois. Elle bénéficiera d'un amusant malentendu : le public, peu cultivé, attribue à Cocteau, l'adaptateur de la pièce, les plus belles sentences de Sophocle et les applaudit à tout rompre, tant il les juge « modernes »... Éternelle vérité des classiques !

Le public admire le décor peint par Picasso : un grand ciel bleu outre-mer, des colonnes doriques blanches, les dessins très stylisés des boucliers ronds – dont il reprendra les thèmes plus tard à Vallauris. On apprécie aussi, outre l'interprétation de Dullin, l'accent grec de Genica qui fait la langue française plus sonore qu'elle ne l'est. Quant au jeu halluciné d'Antonin Artaud dans le rôle du devin Tirésias, il impressionne fortement les spectateurs.

Les articles de presse, relativement peu nombreux malgré la qualité du spectacle, font un triomphe à Chanel : c'est elle qui, dans cette affaire, tire le mieux son épingle du jeu, mieux que Cocteau, que Dullin, que Picasso, qu'Arthur Honegger. On loue particulièrement cette cape de laine grossièrement tissée qui fait admirablement ressortir le pur visage d'Antigone, maquillée de blanc, les yeux cernés de noir sous sa chevelure coupée ras. Et ce n'est pas un hasard si les plus grands photographes de l'époque sont là, parmi lesquels Man Ray qui prend cliché sur cliché.

Feuilletons le magazine *Vogue* de février 1923, publication qui fait alors autorité dans le monde des arts. On y lit : « Ces robes de lainages aux tonalités neutres donnent l'impression de vêtements antiques retrouvés après des siècles... » et aussi : « C'est une belle reconstitution d'un archaïsme éclairé d'intelligence. »

Cet article donne le ton général. Il montre à quel niveau se situe à présent Chanel, non seulement par rapport à ses confrères de la haute couture, mais dans l'ensemble de la société cultivée. Elle y est devenue une indiscutable référence.

Est-ce parce que la réussite de Gabrielle en tant que costumière est éclatante, que Cocteau, en accord avec Diaghilev, fait de nouveau appel à son talent quelques mois plus tard pour *Le Train bleu* ? Il s'agit cette fois-ci, non plus d'une pièce mais d'un ballet ou plutôt d'une sorte d'opérette sans paroles, très gaie, dans le goût d'Offenbach, dont le sujet a été imaginé par Cocteau et que Diaghilev va monter.

Pourquoi *Le Train bleu* ? C'est le nom du rapide de luxe qui relie Paris à la Côte d'Azur où il dépose ses élégants voyageurs. Parmi eux, Cocteau, désirant brosser une peinture satirique et amusée des mœurs de l'époque, a choisi de montrer tout spécialement les gigolos sportifs et les jeunes femmes qui évoluent dans leur entourage, tels qu'on peut les observer sur les plages de cette côte qu'il connaît bien, et où depuis quelques années il est de bon ton de passer l'été. Cocteau a dû penser à Juan-les-Pins, que vient de lancer Franck Jay-Gould, le fils du roi des chemins de fer américains, qui y a fait construire casino, hôtels somptueux et boîtes de nuit. S'y précipite bientôt une clientèle riche et avide de plaisirs qui fredonne le dernier succès de l'année :

> *Juan-les-Pins*
> *Juan-les-Pins*
> *Veux-tu rester*
> *Au masculin ?...*

194

Pour la musique, Diaghilev a fait appel à Darius Milhaud, pour la chorégraphie à la sœur de Nijinski, Bronislava, et pour le décor au sculpteur cubiste Henri Laurens, qui n'a jamais vu la mer, mais qui parviendra tout de même à concevoir d'amusantes cabines de plage, étrangement tronquées et rayées en biais. En outre, c'est à l'agrandissement d'une gouache de Picasso que l'on doit le célèbre rideau de scène représentant deux géantes échevelées qui courent le long de la grève sur un fond de ciel et mer d'un bleu violent et magnifique.

C'est donc à Gabrielle qu'échoit la mission de costumer les personnages – plus d'une trentaine – qui animent ce ballet d'un nouveau genre.

Il s'agit de les habiller de vêtements de sport puisque acrobaties et fantaisies gymniques sont nombreuses dans les scènes de pantomime. Se souvenant de son passé deauvillois, Coco va user en abondance de son cher jersey. Elle habille « Beau gosse », interprété par le danseur Anton Dolin – cheveux plaqués à la gomina, raie médiane et regard velouté – d'un maillot d'athlète : c'est le parfait spécimen du gigolo des années folles en villégiature. Pour ce qui est du « joueur de golf », rôle confié à Woïzikovski, Chanel montre au danseur, afin de le familiariser avec son personnage, une photo du prince de Galles, alors réputé pour son élégance. Elle lui fait revêtir le pantalon de golf en tweed, ainsi que le pull-over et les chaussettes assorties et rayés horizontalement. Il endosse une chemise blanche au col très serré par la cravate. C'est une réussite...

Quant à la « championne de tennis », Coco a tout naturellement songé à prendre modèle sur la célèbre Suzanne Lenglen, championne de tennis dès l'âge de quinze ans et familière de Wimbledon. Les sauts extraordinaires qu'elle accomplit pour rattraper les balles l'ont rendue très populaire en France aussi bien qu'outre-Manche. C'est Nijinska qui, en plus de la chorégraphie, se charge du rôle : petite et trapue, elle n'a guère le physique de l'emploi et le serre-tête ne l'avantage guère... Mais, avec si peu d'atouts, elle réussit l'exploit d'être excellente.

Le maillot de Lydia Sokolova, « la Belle Baigneuse », est si élégamment coupé par Chanel qu'il est exposé de nos jours à Londres au Victoria and Albert Museum.

Parmi les danseurs, Gabrielle a remarqué le talent d'un jeune homme de dix-neuf ans, au corps superbe et aux dons évidents. Il vient tout droit de Kiev et se nomme Serge Lifar. Elle le recommande à l'attention de Diaghilev et s'instaure sa marraine. On sait quelle sera sa brillante carrière. Jusqu'à la mort de Coco, il restera l'un de ses plus fidèles amis.

Créé le 13 juin 1924 au théâtre des Champs-Élysées, une des scènes les plus élégantes de Paris, *Le Train bleu* y obtient un vif succès. Artistes, aristo-crates, grands bourgeois de France, d'Angleterre et d'Italie, y sont venus en foule. Dès le début, ils crient leur enthousiasme lorsque surgit le grand rideau de Picasso, accompagné d'une fanfare composée tout spécialement par Georges Auric. Dans la salle, se pressent les meilleures clientes de Gabrielle, comme en témoigne le « carnet mondain » des grands quotidiens de Paris : il y a là presque toutes les Rothschild, à commencer par la baronne Henri, celle qui avait plaqué Poiret pour Coco, mais aussi tout le faubourg Saint-Germain avec sa clientèle proustienne, les modèles en chair et en os des Guermantes, des Norpois et des Charlus, et puis les mécènes d'Angleterre ou des États-Unis, comme Nancy Cunard ou la princesse de Polignac, née Singer, sans compter les comtesses russes échappées au massacre et que Chanel a embauchées, les nobles espagnoles clientes de la maison de Biarritz... Et jusqu'aux messieurs de Royallieu, voire de Moulins, qui l'ont connue à une époque qu'elle préfère effacer de sa mémoire.

Lorsqu'en 1926 Cocteau fait représenter au théâtre des Arts[1], boulevard des Batignolles, son *Orphée*, il continue à confier à Chanel le soin d'habiller ses personnages, comme la très belle femme qui représente la Mort. Et il agit de même pour son *Apollon Musagète* de 1929, avec Diaghilev, Stravinski et Balanchine, et pour ses *Chevaliers de la table ronde* (1937), où elle crée, entre autres, le costume de Jean Marais, or et blanc tissé dans l'étoffe même dont on confectionne les chasubles du pape. Coïncidence amusante, c'est un jeune styliste nommé Christian Dior qui peint le collant de l'acteur. Mais la pièce à propos de laquelle on parlera le plus de Chanel est celle qui a précédé *Les Chevaliers*, *Œdipe-Roi*, d'après Sophocle. Il s'agit d'habiller Jean Marais, vingt-trois ans, dont c'est le premier rôle. Il est tellement beau, estime Cocteau, qu'il serait impardonnable de ne pas en faire profiter le public. Alors, de concert avec lui, Gabrielle décide de mettre en valeur la plastique sculpturale du jeune homme presque nu à l'aide de bandelettes d'étoffe blanche ceinturant ses membres et son torse.

Une partie de la presse hurle à l'impudeur, tandis que l'autre juge très ingénieuse la manière dont Gabrielle a habillé – ou, si l'on veut, déshabillé – le bel acteur.

Est-ce à dire que les rapports entre Cocteau et Gabrielle seront toujours sans nuages ? Ce sera longtemps le cas, d'autant plus que chacun y trouve son compte. Certes, Coco ne retire de leur collaboration aucun profit matériel et règle de ses deniers les frais importants entraînés par la confection des costumes de scène et l'achat des tissus de grand prix qu'elle utilise. Mais, en participant à la création d'œuvres de qualité dont le Tout-Paris, ainsi que les milieux intellectuels et artistiques font grand cas,

---

1. Qui deviendra le théâtre Hébertot.

elle se hausse dans la société à un niveau auquel aucun de ses confrères n'oserait prétendre.

Par ailleurs, elle fournit maintes preuves de son amitié désintéressée pour Jean. À deux reprises, elle lui offre les interminables cures de désintoxication que nécessite son état d'opiomane. Ne fume-t-il pas à certaines époques jusqu'à soixante pipes par jour de cette drogue, ce qui stérilise ses forces créatrices ? Et il serait incapable de régler de sa poche ces soins terriblement coûteux. De même lorsque, en 1937, il loge rue Cambon à l'hôtel de Castille et y prend ses repas, Gabrielle donne des instructions pour que l'on « n'importune pas M. Cocteau » avec des factures et qu'on les envoie directement à son service comptable. Si elle juge le poète déprimé, elle lui offre des séjours de détente de deux ou trois semaines au Ritz...

Cependant, elle enrage lorsqu'elle compare sa célébrité au quasi-anonymat dans lequel stagne ce Reverdy qu'elle admire tant. De son côté, Reverdy méprise Jean... En outre, si Coco aime offrir, si elle a le chèque facile, elle déteste qu'on lui réclame de l'argent. Pour elle, céder à ce genre de sollicitation cesserait d'être un acte de générosité pour devenir un signe de faiblesse. Ainsi, en 1938, Jean Cocteau constate qu'aucun directeur de salle ne veut monter l'œuvre qu'il vient d'écrire, *Les Parents terribles*. En revanche, 32 000 francs [1] pourraient lui permettre de reprendre à son compte le bail du théâtre Édouard-VII et d'y donner sa nouvelle pièce, mais il ne les a pas. Il menace alors de se suicider – comme son père l'a fait. Dans son affolement, son ami Jean Marais, sans lui en avoir référé, téléphone en pleine nuit à Coco et lui explique la situation. Furieuse d'être réveillée à pareille heure, elle accueille très mal cette démarche : elle travaille, elle ! Elle se lève tôt. Et quant à ces trente-deux mille francs, il n'est

_____

1. Environ 90 000 F de nos jours.

pas question qu'elle les prête... Fort heureusement, Roger Capgras, le directeur des Ambassadeurs et son amie la comédienne Alice Cocéa acceptent de monter la pièce. On sait le succès qu'elle obtiendra.

Par ailleurs, Gabrielle n'aime pas que l'on abuse de sa générosité. Ainsi, alors qu'elle a offert à Cocteau une cure, commencée le 16 décembre 1928 dans une luxueuse maison de santé à Saint-Cloud, le poète s'y trouve encore plus de trois mois après. Et il n'est pas aussi malade qu'il le prétend puisqu'il se rend alors à Paris afin de lire devant les sociétaires du Français sa pièce, *La Voix humaine* – qui sera la plus jouée de tout son répertoire. Après quoi il regagne tranquillement Saint-Cloud, comme s'il avait l'intention d'y passer le reste de son existence. Coco, revenant de voyage, fait un saut à Saint-Cloud pour saluer son protégé et lui trouve excellente mine. On lui glisse dans les mains, discrètement, la facture des frais de clinique : ils sont colossaux... Or Jean reçoit nombre de visites, celles de Desbordes, son amant de l'époque, de Jouhandeau, de Christian Bérard, d'André Gide et il travaille allégrement à son œuvre, bref, il mène une vie normale...

— Vous pourriez peut-être revenir chez vous, à présent, lui suggère-t-elle.

Mais Jean ne l'entend pas de cette oreille : chez lui ! chez lui ! Qu'est-ce que cela veut dire dans son cas ? Chez sa mère, rue d'Anjou, alors qu'il a quarante ans bien sonnés ? Ou dans la tristesse d'une minable chambre d'hôtel, une « chambre de pendu », comme il dit ? Il est difficile pour un convalescent d'écrire dans ces conditions. Ce serait d'autant plus triste que Jacques Chardonne, au nom des éditions Stock, vient de lui proposer de s'atteler, après *Le Grand Écart*, à un nouveau roman.

Coco, se laissant attendrir, accorde alors à son protégé un nouveau délai de quelques semaines. Et elle n'a pas tort. Dès le lendemain, Jean écrit : « La cité Monthiers se trouve prise entre la rue d'Amsterdam et la rue de Clichy... » Or ce sont exactement les premières lignes de ce qui deviendra *Les Enfants terribles*. Et il dira plus tard que ce fut le principal bénéfice de sa cure... car il n'était pas vraiment guéri...

Le rôle de mécène n'est décidément pas facile.

Et il peut même être ingrat. Ainsi lorsque, en décembre 1923, Raymond Radiguet, âgé de vingt ans, est alité, très mal en point, à l'hôtel Foyot, rue de Tournon, Cocteau qui l'adore, s'affole. Il appelle Coco à son secours : ne peut-elle le faire examiner par le professeur Dalimier ? Celui-ci dépêche son assistant qui décèle aussitôt une typhoïde très avancée que le médecin de Jean soignait avec des grogs ! Hélas, il est trop tard et le jeune homme meurt, tout seul, à l'aube du 12 décembre. Jean, prostré, n'a pas pu, n'a pas voulu voir le cadavre, il reste secoué de sanglots chez sa mère, sur son petit lit de cuivre. Il ne sera pas capable, non plus, d'assister aux obsèques, comme le font Picasso, Misia, Gabrielle ou les musiciens noirs de l'orchestre du Bœuf sur le toit. Ils avaient si souvent vu « le petit » comme ils disaient...

Coco reprochera beaucoup à Jean Cocteau son absence. Très dure avec elle-même, dotée d'une volonté de fer, elle est incapable de comprendre chez autrui la moindre faiblesse. À l'église Saint-Honoré d'Eylau, le cercueil de l'auteur du *Diable au corps* est là, dans le transept, entièrement drapé d'une étoffe blanche (il est mineur) sur laquelle éclate un bouquet de roses rouges. Blanches également sont les fleurs qui recouvrent le corbillard, blanches les housses des chevaux et la voiture qui suit le convoi jusqu'au Père-Lachaise.

C'est Gabrielle qui assume les frais considérables de ces émouvantes obsèques, discrètement, trop peut-être...

Car c'est Misia que l'on remercie...

200

Mais Cocteau, lui, sait très bien à qui l'on doit ces générosités. Fidèle en amitié, il saura s'en souvenir. Ainsi, en 1934, lorsqu'il s'agit de monter *La Machine infernale* à la Comédie des Champs-Élysées, Louis Jouvet s'obstine à vouloir charger Mme Lanvin, qui a beaucoup travaillé pour lui, des costumes et des bijoux. Il lui fait même commencer son travail. Mais Cocteau, cette fois, ne fera pas preuve de la moindre faiblesse, il exige Coco Chanel :

— Vous me voyez, dit-il au metteur en scène, disant à Chanel qui m'offre des milliers de francs d'étoffes et de bijoux somptueux : « Je n'ai plus besoin de vos services. » Mais ce ne sera qu'après de difficiles négociations avec Jouvet, dont le caractère n'est pas commode, que Gabrielle se verra confier la fabrication des costumes, les maquettes étant dessinées par Christian Bérard.

Au total, c'est Cocteau, si sensible, si intuitif, et qui connaissait si bien Coco, qui en aura laissé un des portraits les plus exacts avec « ... ses colères, ses méchancetés, ses bijoux fabuleux, ses créations, ses lubies, ses outrances, ses gentillesses comme son humour et ses générosités, composent un personnage unique, attachant, attirant, repoussant, excessif... humain enfin. »

7

The duke of Westminster

Londres, 13 octobre 1924. Les nombreux lecteurs du *Star*, et tout particulièrement ceux qui s'intéressent à la vie privée des aristocrates anglais, sont intrigués par ces lignes anonymes :

« On parle beaucoup de l'avenir d'un duc et non des moindres dont les démêlés conjugaux ont récemment défrayé la chronique. Les personnes bien renseignées affirment que la nouvelle duchesse sera une Française belle et brillante qui préside aux destinées d'une grande maison de couture parisienne. »

Les lecteurs n'ont pas grand mal à identifier le duc... En effet, quelques jours auparavant, on pouvait lire dans presque toute la presse des informations du genre de celle-ci empruntée au *Daily Express* du 29 septembre :

« Le second mariage du duc de Westminster est déjà très compromis : la duchesse de Westminster, après de courtes vacances passées aux États-Unis, est arrivée hier en Grande-Bretagne. À sa descente du paquebot *Homeric* de la White-Star, elle nous a déclaré : "Je suis revenue mais je ne sais même pas où je vais habiter, car je n'ai plus de domicile et je n'ai plus d'amis, je ne puis vous dire ce que je vais faire dans l'immédiat (.....) Une chose est certaine, je n'ai plus de maison. Ma situation est inimaginable et malheureusement je suis obligée d'y penser sans cesse." »

Tout le monde sait déjà que le duc a été surpris en flagrant délit d'adultère à l'hôtel de Paris, le plus célèbre de Monte-Carlo, avec une certaine Mrs Crosby et qu'une procédure de divorce est en cours... L'actuelle duchesse, née Violet Mary Nelson, qui confie si indiscrètement ses ennuis à la presse n'est d'ailleurs pas la première femme du duc. Il avait déjà épousé en 1901 Edwina Cornwalis-West, mais, lasse de ses infidélités, Edwina avait, en 1919, obtenu le divorce. Quant à la « Française belle et brillante qui préside aux destinées d'une grande maison de couture parisienne », Chanel est tellement célèbre dans le monde entier qu'il n'est aucun des lecteurs du *Star* qui ne l'ait identifiée. Ainsi donc, en automne 1924, Gabrielle serait sur le point de se marier ?

Ce serait aller un peu vite en besogne. Il nous faut revenir en arrière et d'abord évoquer la personnalité du duc. Cousin du roi, il est issu d'un petit-neveu de Guillaume le Conquérant qui, à la fois corpulent et chasseur invétéré, avait été surnommé le « gros veneur ». Lequel, transformé par les gosiers britanniques, était devenu Grosvenor. Les Grosvenor constituaient l'une des branches les plus importantes de la famille royale. Leur blason était, depuis l'époque médiévale, d'« azur a bend'or with plain bordure d'argent ». C'est seulement en 1831 que le grand-père du duc dont nous parlons avait reçu de la reine Victoria le titre de marquis de Westminster. Dès cette époque, les Grosvenor étaient réputés pour leur amour passionné de la race chevaline. Ils entretenaient des écuries dont les pensionnaires remportaient maintes victoires sur les champs de course. L'aïeul du duc, le marquis, possédait un pur-sang exceptionnel, plusieurs fois vainqueur au Derby. Il l'appréciait tant qu'il lui avait attribué un nom emprunté au blason de sa propre famille : Bendor. Il avait même refusé de le vendre à un milliardaire américain qui lui en offrait une somme fantastique. « Il n'y a pas assez d'argent dans toute l'Amérique pour acheter un tel cheval », avait-il fièrement répondu à l'insolent. Comment et pourquoi son petit-fils, officiellement prénommé Hugh Richard Arthur, avait-il reçu, tout enfant, le nom du pur-sang de son grand-père, qui devait lui rester attaché toute sa vie, c'est un mystère qui n'est pas près d'être éclairci. C'est en tout cas sous ce nom, sous celui de Bennie ou de Bonnie, que tous ses familiers le connaissaient.

En 1924, Bendor, âgé de quarante-cinq ans, est un homme de très grande taille, d'un blond tirant sur le roux, les yeux bleus, le teint hâlé par la mer et le soleil. Son charme et son élégance naturelle sont unanimement reconnus. Sa richesse ? Incalculable. Il ne connaît pas lui-même le montant de sa fortune et d'ailleurs il s'en moque. Quand il est à Londres, il vit à Bourdon House mais il possède des quartiers entiers de la ville, ainsi qu'une bonne partie de Mayfair et de Belgravia, environ deux cent cinquante hectares de terrain. Sa résidence officielle se trouve à deux cent soixante kilomètres au nord-ouest de Londres, et au nord du pays de Galles. C'est Eaton Hall, à proximité de Chester, ancien petit port qui communique avec la mer d'Irlande toute proche, par la rivière Dee, canalisée à cet endroit. Le Chestershire est un charmant pays de bois et de pâturages, légèrement vallonné, parsemé de fermes à colombages. Le château est immense. Et que dire du parc ? Mais peut-on l'appeler ainsi ? Il faut quinze heures d'auto pour le visiter complètement. Mais le duc possède aussi Stock lodge, une maison de pêche en Écosse, le château de Saint-Saens en Normandie, pays de ses lointains ancêtres, une vaste propriété au milieu des pins, au bord d'un lac près de Mimizan, dans les Landes, d'autres encore en Irlande, en Norvège, sur la côte dalmate, et jusque dans les Carpates.

N'oublions pas les yachts, car le duc nourrit une violente passion pour la mer. Il possède, pour les croisières en Méditerranée, le *Flying Cloud*, grand quatre-mâts goélette de 67 mètres de long, à la silhouette effilée, à la coque peinte en laque noire et bordée d'un liseré doré. À son bord, quarante hommes, marins et domestiques. Entièrement meublé en Queen-Ann, il regorge de meubles précieux polis par les ans, de lits à baldaquins, de miroirs, de vaisselle d'argent ou d'or, de tapis inestimables. Les invités ont l'impression de se trouver loin à l'intérieur des terres dans le manoir de quelque grand seigneur anglais...

Pour la Manche et l'Atlantique, Bendor dispose du *Cutty-Sark*[1], un ex-contre-torpilleur de la Royal Navy, un solide navire à deux cheminées qui jauge près de neuf cents tonneaux et dont l'équipage se compose de cent quatre-vingts hommes. Avec ce bateau, il adore affronter les tempêtes. Il surveille avec impatience le baromètre : il veut être certain que la proue de son yacht s'enfoncera sous des lames gigantesques, que les passagères affolées supplieront le Seigneur de leur épargner le naufrage : c'est la condition *sine qua non* de son bizarre plaisir. Mais tout cela ne l'empêche pas d'exiger de sa maîtresse du moment qu'elle manifeste au milieu des flots déchaînés et des passagères malades un imperturbable sang-froid.

Un autre de ses divertissements consiste à tromper ses invités sur la destination du yacht, ou sur l'identité des contrées dont il s'approche, à leur faire croire par exemple, qu'ils longent les côtes espagnoles alors qu'ils sont tout près de Naples. D'autres

_____

1. Ce navire n'a aucun rapport avec le célèbre clipper anglais affecté à l'importation du thé.

fois, il s'amuse à lancer des paris sur le temps qu'il faut à un sucre encore enveloppé de son papier pour fondre, ou à cacher des pierres précieuses de très grande valeur, de manière que les femmes auxquelles elles sont destinées les trouvent dans les endroits les plus insolites. Bref, il s'ennuie.

C'est Vera Bate qui présentera Bendor à Gabrielle. Née à Londres en 1888, Sarah Gertrude (et non Vera, prénom russe jugé plus élégant) Arkwright, a épousé en 1919 un officier américain nommé Fred Bate. Très belle, elle est extrêmement appréciée par la haute société, d'autant plus qu'elle passe pour être la fille illégitime d'un membre de la famille royale. Aussi ne s'étonnera-t-on pas qu'elle ait, parmi ses familiers, le prince de Galles, Winston Churchill, le duc de Westminster, Alfred Duff Cooper, Linda et Cole Porter, Somerset Maugham... Son amie Gabrielle l'a prise à son service pour promouvoir ses créations dans le Tout-Londres. Portant avec beaucoup de chic les robes qu'elle lui prête, ou lui offre, Vera est pour la maison Chanel une publicité vivante. Or, il se trouve qu'en 1924, les deux amies passent quelques jours à Monte-Carlo. Là, Vera Bate transmet à Gabrielle une invitation du duc de Westminster. Il s'agit de dîner à bord du *Flying Cloud* qui se trouve ancré dans le port de la principauté. Mais Coco refuse. Elle n'est nullement impressionnée par la personnalité de Bendor... Sa richesse ? Et alors ? N'a-t-elle pas elle-même les moyens financiers de se passer à peu près toutes ses fantaisies... et puis les divorces du duc, ses frasques, tout cela n'est pas de nature à le rendre particulièrement intéressant. Mais le grand-duc Dimitri, qui conserve avec Coco de bonnes relations d'amitié, insiste pour qu'elle accepte. D'autant plus qu'il est lui-même curieux de connaître Westminster ainsi que le décor de son schooner et l'atmosphère qui règne à son bord.

Gabrielle, non sans difficultés et à condition que Dimitri soit de la fête, fait finalement savoir qu'elle viendra. Tous quatre dînent donc dans la salle à manger du yacht, tandis qu'un orchestre bohémien leur donne la sérénade. Après quoi, Bendor invite ses hôtes à venir danser dans une boîte. Il en profite pour faire à Gabrielle des avances très précises. Il n'a pas l'habitude qu'on lui résiste, ni même qu'on le fasse attendre. Il a cela dans le sang et ce n'est pas pour rien qu'il s'appelle Grosvenor : chasse aux femmes, chasse au gibier, on ne rentre jamais bredouille dans sa famille. Cependant Gabrielle se dérobe, usant de divers prétextes, son travail, par exemple, ses collections. Elle aurait voulu le rendre amoureux qu'elle ne s'y serait pas prise autrement. Mais ce n'est nullement ce qu'elle cherche. Bien au contraire. Le duc multiplie alors les attentions : envoi de fruits et de fleurs poussant dans les serres d'Eaton Hall, ce qui doit permettre à Coco de savourer fraises ou melons en plein hiver, ou de garnir ses vases de gardénias et d'orchidées en toute saison, saumons d'Écosse acheminés par un valet qui prend l'avion de manière qu'à Paris Gabrielle puisse les déguster tout frais pêchés. Ajoutons les billets galants, non pas vulgairement confiés à l'administration des postes, mais voyageant grâce à des courriers spéciaux dépêchés par le duc. Enfin, il y a les bijoux, diamants, saphirs, émeraudes, et on se doute que Bendor ne lésine pas sur les carats. Mais cette avalanche de cadeaux n'a d'autre résultat que de rappeler cruellement à Gabrielle l'époque de Royallieu. Celle où l'on prétendait l'acheter, et où, en fait, on lui volait sa liberté. Cette période, elle a tout fait pour l'effacer de sa mémoire et elle a su s'en sortir grâce à son énergie. Alors elle adresse elle-même au duc des cadeaux d'un montant équivalent à ceux qu'il lui a faits, de manière à lui prouver qu'elle n'est pas à vendre. Elle se méfie de lui d'ailleurs, pressentant que, si elle lui cède, il exigera d'elle une soumission absolue à sa personne et à ses caprices. N'est-ce pas inévitable chez un homme de sa richesse et de sa puissance ?

Cependant, quelques mois après avoir fait la connaissance du duc, elle lit dans la presse les échos – cités plus haut – la présentant comme la future duchesse de Westminster. Elle en rit beaucoup. Qu'irait-elle faire en Angleterre ? Je vous le demande.

— Tu ne sais pas la nouvelle, ma chère ?... annonce-t-elle en s'esclaffant à ses amies.

Mais enfin, tout porte à croire qu'elle est finalement pour Bendor beaucoup plus qu'un éphémère caprice de grand seigneur. N'est-il pas venu lui rendre visite rue du Faubourg-Saint-Honoré, amenant avec lui son ami, le prince de Galles, le futur Édouard VII ? L'attitude de Gabrielle finit alors par se modifier, ses préventions se dissipent. Un beau soir, à bord du *Flying Cloud*, elle feint de ne pas s'apercevoir que tous les invités du duc sont partis, que le yacht a quitté le port et qu'elle est seule avec lui au large...

Cette liaison va durer à peu près cinq ans. Naturellement, les amants ne vont pas vivre ensemble : la procédure de divorce est fort longue et, surtout, Gabrielle se refuse absolument à négliger son entreprise. Elle ne se permet, avec Bendor, que des escapades, quelques séjours relativement brefs et des croisières. Le duc l'invite à Eaton Hall : c'est une immense bâtisse construite en 1802 par l'un de ses ancêtres, à la place d'un manoir du XVIIe siècle que ce dernier a eu la sottise de faire raser. Maintes fois remanié, l'édifice n'en reste pas moins d'une irrémédiable laideur, mais d'une laideur qui finit par être intéressante dans son baroquisme exacerbé. Bendor, qui n'est pas dépourvu d'humour, prétend qu'après tout son château n'a pas moins de charme que la gare Saint-Pancras, à Londres. Mais on peut tout de même admirer des Rubens, des Velasquez, des Raphaël, des Goya, aussi bien que des Gainsborough ou des Reynolds. Et puis il y a le grand escalier que l'on gravit sous l'inquiétante surveillance d'une bonne douzaine de guerriers en armure médiévale, visière baissée, les interminables galeries gothiques où le bruit de chaque pas, se répercutant sous les voûtes solitaires, instille une sourde angoisse. Il arrive souvent que les invités, errant dans ces bâtiments démesurés, ne retrouvent plus leur chambre et se croient égarés dans un roman de Walter Scott. Mais ce qui frappe le plus le visiteur, c'est la présence dans les galeries du château, protégés par de grandes cages de verre, de squelettes de chevaux dont les os luisent sous un savant et doux éclairage.

— Qu'est-ce que c'est que ça ? s'exclame Coco stupéfaite.

— C'est, répond le duc, tout ce qui reste des meilleurs étalons de nos haras. C'est mon grand-père qui a eu cette idée...

Étonnée, Gabrielle le sera aussi quand elle découvrira, dans les sous-sols d'Eaton Hall, pas moins de dix-sept vieilles Rolls, dont on change fréquemment les moteurs mais pas la carrosserie, ce qui ferait nouveau riche. « Nous ne sommes pas des Argentins », dit Bendor. Tous ces véhicules sont constamment prêts à démarrer (plein fait, batteries chargées...). On peut arriver à tout moment au château ; y dîner, y coucher, y être servi par des dizaines de domestiques au besoin en livrée. Au port de Chester, tout proche, les canots à moteur appartenant au duc sont continuellement en état de marche. Depuis des temps immémoriaux, il est de tradition que tout membre de la famille royale qui se présente doit être accueilli d'une manière conforme à son rang, dans toutes les propriétés de Westminster. « J'ai connu là un luxe tel qu'on n'en reverra plus jamais », dira plus tard Gabrielle.

Certaines coutumes d'Eaton Hall l'amusent : chaque soir, à minuit, un carillon, exécutant *Home, sweet home* donne aux hôtes le signal du coucher...

En fait, ce qu'elle aime le plus, c'est le charme du parc, la bonne tenue et l'élasticité du gazon anglais, d'un vert si réussi, la science des jardiniers et des paysagistes – dont le plus actif n'est autre que le duc lui-même qui adore dessiner le contour des rivières artificielles. Longtemps elle en parlera à ses amis. Ainsi, d'ailleurs que de ces immenses serres chauffées où l'on cultive les fleurs par milliers... mais sans en faire le moindre usage au château. On les donne aux maisons de retraite et aux hôpitaux : c'est une tradition intangible. Mais Gabrielle l'ignore. Alors elle en coupe en quantité et les dispose avec beaucoup de goût sur la table de la salle à manger et dans les vases des multiples salons. Cela provoque une manière de scandale. Bendor lui demande de ne plus recommencer afin de ne pas faire de peine au jardinier en chef. Un peu plus tard, il ira lui-même cueillir de très belles fleurs sauvages qu'il a remarquées dans un coin reculé du parc, pour les offrir à Coco.

Chaque week-end, Eaton Hall accueille une soixantaine d'invités. Le dîner y est suivi d'un bal animé par un orchestre de la région, car le duc adore danser. Parfois, ce sont des numéros exécutés par divers artistes : imitateurs, mimes, jongleurs ou prestidigitateurs. C'est au cours de ces soirées que Gabrielle fait la connaissance de Winston Churchill, alors Chancelier de l'Échiquier. Churchill est, en effet, l'un des meilleurs amis de Bendor avec lequel il a participé tout jeune à la guerre des Boers[1]. Il

1. Qui opposa l'Empire britannique aux républicains boers de l'Afrique australe au cours d'une guerre qui dura de 1899 à 1902.

est un des invités permanents du duc. Mais il en est d'autres qui appartiennent à la noblesse ou à la *gentry* et avec lesquels elle noue d'agréables relations, ainsi les Cunard, lord Lonsdale, les Marlborough...

Très vite, Gabrielle fait figure de maîtresse de maison, ce qui est loin de lui déplaire : elle est fort à l'aise dans ce rôle. Ne dirige-t-elle pas déjà une entreprise de trois ou quatre mille personnes ? De son côté, Bendor n'est pas fâché de faire ce pied de nez à l'*establishment*. Ainsi, d'ailleurs, qu'à ces intendants et domestiques pleins de morgue qui eussent préféré être dirigés par une *lady*.

Au fil du temps, Gabrielle apprend à connaître son compagnon. C'est l'homme le plus simple qui soit, dira-t-elle. Personne n'est plus éloigné du snobisme que lui. En fait, il a le « naturel d'un clochard », ajoute-t-elle. Il est vrai qu'un maître d'hôtel repasse tous les matins les lacets de ses chaussures, mais il n'en porte que d'usagées, de trouées même. Il s'y sent tellement mieux, notamment pour danser. Et quand on lui suggère que ce n'est pas très élégant, il esquisse un geste désinvolte en disant que, le soir, ses invités les remarqueront d'autant moins qu'elles sont très foncées. Et il n'est pas sûr que Coco lui fasse plaisir en lui en achetant douze paires : il n'a rien de plus pressé que de les salir et de les faire tremper dans l'eau plusieurs jours ce qui, certes, les assouplit, mais ne les arrange guère. Lorsqu'à l'occasion d'une escale, il descend la passerelle du *Flying Cloud*, alors que ses invités arborent les plus élégantes casquettes de yachtmen, blanc et marine avec une ancre dorée, il préfère se coiffer de son vieux chapeau mou verdi par les ans. Qui diable reconnaîtrait le duc de Westminster dans ce passager qui, apparemment, ne doit guère rouler sur l'or. Bendor aimerait tant faire ce qu'il veut – et pas ce que l'on attend de lui... Alors, rien d'étonnant si, parfois, par lassitude, il laisse tomber son masque...

« C'est aussi affreux d'être trop riche, dit Coco à son propos, que d'être trop grand. Dans le premier cas, on ne trouve pas le bonheur et dans le second, on ne trouve pas de lit. »

Ces week-ends à Eaton Hall, Gabrielle les apprécie entre autres raisons parce qu'on l'y laisse tranquille. Ce n'est pas comme en France, explique-t-elle : lorsque vous êtes invité par des amis, ils vous demandent à quelle heure vous voulez jouer au tennis, vous promener dans le parc, prendre le thé ou faire l'amour... C'est assommant. Malgré tout, elle finit par trouver le temps long. Alors avec ou sans le duc qui, comme elle, est excellent cavalier, elle fait de longues chevauchées dans le parc.

Bendor lui réserve des surprises : se serait-elle jamais doutée que malgré des générosités colossales, il pouvait, par ailleurs, manifester d'étranges ladreries ? Coco s'étonne qu'il sorte si souvent sans chapeau, il lui répond que cela lui permet d'économiser en pourboires de vestiaire « une bonne centaine de livres ». Elle en reste sans voix... Mais peut-être s'agit-il là d'une manifestation d'humour britannique...

En tout cas, Gabrielle apprécie fort certaines farces dont il est friand. Ainsi, après avoir vidé une bouteille d'excellent cognac à l'étiquette prestigieuse, il la remplit d'un vulgaire tord-boyaux. Alors, rien ne le divertit davantage que les cris d'extase que poussent ses hôtes en absorbant l'infect breuvage dont ils prétendent même reconnaître l'année les yeux fermés...

Mais, bien souvent, cette femme active qu'est Gabrielle s'ennuie : « Faire du tricot, se changer plusieurs fois par jour, admirer les roses dans le parc, se rôtir devant le feu de la cheminée du salon, se geler dès qu'on s'en écarte, voilà en quoi consistent les week-ends au château... » remarque-t-elle avec accablement.

Souvent, pour s'occuper et pour divertir ses hôtes, le duc organise des parties de chasse : chasse à la grouse en Écosse, chasse à courre au cerf dans la forêt de Villers-Cotterêts, chasse à courre au sanglier dans la propriété de Mimizan. Chaque fois, il faut prévoir le déplacement des chevaux, des meutes et de l'équipage : piqueurs, valets de chiens, valets de limiers, etc. Une photographie de cette époque nous montre Coco au cours d'une de ces journées dans les Landes, très souriante et très élégante dans sa sobre tenue noire, stick à la main, encadrée par Winston et Randolph Churchill. À la vérité, elle n'aime pas spécialement la chasse, elle n'a de sa vie tué un animal et le seul coup de fusil qu'elle ait jamais tiré n'avait pour cible qu'une pipe en terre qu'elle a fracassée dans un stand forain... Mais elle conforme sa conduite à ce que le duc attend d'elle, elle feint de viser. Cette docilité, c'est son côté « femme de harem » comme elle le confesse. Est-ce cette attitude d'apparente soumission qui convient le mieux à ses goûts profonds et qui lui assurera l'équilibre qu'elle cherche ? Avec le duc, Coco, si indépendante par ailleurs, se comportera longtemps comme une petite fille : tout ce qu'il dit est intelligent, ses « mots » sont toujours spirituels et ses décisions judicieuses.

A-t-elle perdu tout esprit critique ? Ou est-ce une attitude de sagesse diplomatique délibérément adoptée ? C'est cette dernière hypothèse qui est la plus vraisemblable. Encore que Gabrielle soit nécessairement fascinée – au moins quelque temps – par un personnage aussi hors série que le duc. Mais elle a décidé de jouer le jeu... sans toutefois aliéner son indépendance. Elle refuse en effet de prononcer un seul mot d'anglais, prétendant qu'elle ignore tout de cette langue. Selon elle, l'un de ses amis britanniques lui aurait interdit de l'apprendre, de crainte qu'elle ne comprenne toutes les bêtises que les hommes – lui compris – se disent entre eux. Mais c'est une histoire qu'elle a forgée de toutes pièces. En réalité, elle lui permet de mettre ses interlocuteurs en état d'infériorité en les contraignant à s'exprimer en français – langue qu'ils ne maîtrisent pas toujours. D'autre part, elle-même comprend passablement l'anglais. Mais, désirant se perfectionner, elle prend des leçons clandestines auprès d'un jeune secrétaire du duc, qui tremble que son maître en soit informé...

Autre distraction de Bendor et de ses amis, la pêche au saumon en Écosse. Gabrielle se doit évidemment d'y participer et de se rendre à Stack Lodge. Mais elle n'aime guère ce type de pêche qui se pratique au lancer – le *spinning* – et s'y montre passablement maladroite... Marcher 8, 9, 10 heures avec, à la main, la canne à moulinet, quel ennui ! Mais finalement, puisqu'elle ne peut se dérober, elle décide qu'il serait plus intelligent de s'intéresser vraiment à ce sport qui nécessite force, adresse et patience, toutes qualités qu'elle possède. Comme elle n'aime pas faire les choses à moitié, elle devient rapidement très habile. Et il n'est pas de jour où elle ne capture deux ou trois belles pièces, tandis que Winston Churchill se morfond sur la rive, maudissant sa malchance...

Pour Churchill, d'ailleurs, c'est une nouvelle occasion d'admirer Gabrielle. Déjà quelques mois plus tôt à Mimizan, à l'occasion d'une chasse au sanglier, le futur Premier ministre a été très impressionné par sa forte personnalité. Il écrit alors à sa femme : « *The famous Coco turned up and I took a great fancy to her – a most capable and agreeable woman – much the strongest personnality Benny has yet been up against. She hunted vigorously all day, motored to Paris after dinner, and is today engaged in passing and improving dresses on endless streams of manne-*

quins. » – « La célèbre Coco est arrivée et je me suis entiché d'elle. C'est une femme des plus compétentes et des plus agréables, de loin la plus forte personnalité à laquelle Benny (Westminster) ait eu affaire. Elle a chassé avec vigueur toute la journée, regagné Paris en voiture après le dîner, et aujourd'hui, elle est occupée à vérifier et améliorer des robes sur d'interminables files de mannequins. »

Bien entendu, pour Westminster, la participation de ses pur-sang aux grandes courses est une affaire tout aussi importante. Il se doit de ne pas déshonorer ses ancêtres, et notamment son aïeul, le propriétaire de Bendor. C'est ainsi que, chaque année, il loue un train spécial pour emmener ses invités au Grand National de Liverpool. Gabrielle se dit que, décidément, un décret nominatif de l'Éternel la voue aux chevaux et aux hommes de chevaux. Son propre père d'abord, inséparable de la pauvre bête qui tirait sa carriole sur toutes les routes de France, Étienne Balsan ensuite, éleveur de pur-sang... puis, Arthur Capel, champion de polo, et maintenant un homme qu'on appelle depuis sa plus tendre enfance d'un nom de cheval...

Naturellement, pendant toutes ces années, Gabrielle fait nombre de croisières à bord des yachts de Bendor. L'une d'entre elles lui donne l'occasion de visiter avec le duc la forteresse de Gibraltar : sous le rocher, la réserve d'eau potable est un grand lac souterrain sur lequel on évolue en barque... Même périple sur l'immense réserve de mazout avec l'interdiction formelle d'allumer sa cigarette. Plus tard, elle fera frémir ses amis par le récit détaillé et sans cesse enrichi de cette navigation.

À Gabrielle vient se joindre de temps à autre, puis de plus en plus souvent, son amie Misia qui vient chercher auprès d'elle quelque réconfort. En effet, son union avec José-Maria Sert est bien compromise. Car quelque temps auparavant, est apparue dans leur vie une ravissante Russe de dix-neuf ans, Rossadana Mdivani, dite Roussy. Son père, le général Mdivani, ancien gouverneur de la province de Batoum, fuyant la révolution, s'est réfugié en France, *via* Constantinople, où il est resté quelque temps avec sa femme et ses enfants : trois garçons ainsi que deux filles, Nina et Roussy. Tout a commencé en 1925. José-Maria Sert qui occupe un nouvel atelier villa Ségur à Montparnasse est en train de travailler lorsqu'il est interrompu par un coup de sonnette. À peine a-t-il ouvert qu'il est ébloui. Il a devant lui une jeune fille grande et mince, en salopette, aux cheveux d'un blond cendré relevés par des mèches dorées. Ses yeux gris-vert illuminent son visage d'un sourire à la fois malicieux et angélique... José-Maria entend à peine ses paroles : elle s'initie à la sculpture, elle est venue lui demander, outre quelques conseils, s'il ne connaissait pas un atelier disponible, le sien étant trop exigu. Sert l'accueille en grand seigneur, la fascine par son érudition, la séduit par ses dons de conteur... Dès le lendemain, elle est de retour puis tous les après-midi. Les leçons de sculpture changent rapidement d'objet... José-Maria la prend comme modèle : le visage d'abord, puis le corps tout entier. Quant aux « leçons », l'élève manifeste des dons si brillants que son maître en tombe éperdument amoureux. Jusqu'alors Misia, qui n'ignorait pas les nombreuses visites de jeunes femmes villa Ségur, avait la sagesse de s'annoncer par un coup de téléphone. Cette fois-ci, elle se doute que la situation est plus sérieuse : José-Maria a eu l'imprudence de parler de la jeune fille avec un peu trop d'exaltation et, détail qui le condamne, il semble avoir rajeuni de dix ans, pour le moins, lui qui en a cinquante. Pas de doute, c'est, pour reprendre l'expression des *Psaumes*, le trop célèbre démon de midi. Alors, elle court vers l'atelier de son mari et aperçoit, sortant de la rue privée où il se trouve, une grande blonde qui pourrait bien être celle dont son mari lui a parlé avec tant d'enthousiasme... Décidant qu'il est temps d'agir, elle téléphone à sa rivale, prend rendez-vous avec elle, arrive dans son atelier avec un cadeau. Va-t-elle lui faire la morale, lui demander de ne pas briser un couple tendrement uni, lui dire qu'elle est jeune, qu'elle a tout le temps de rencontrer un garçon de son âge ? C'est peut-être ce qu'elle avait l'intention de faire. Mais elle éprouve un véritable coup de foudre pour Roussy. Elle la trouve si naturelle, si spontanée, si lumineuse dans son innocence qu'elle est incapable de la regarder comme une ennemie. Quel mal pourrait lui vouloir une aussi adorable créature ? Elle ne peut y tenir : il faut absolument qu'elle l'invite à dîner chez eux... Le soir même, à déjeuner le lendemain, à un bal la semaine suivante... José-Maria, qui n'en demandait pas tant, s'entend répéter à longueur de journée les louanges de Roussy. Misia l'invite partout. Bientôt ils ne sortent plus qu'à trois... On devine les cancans que cela provoque : on raconte que les Sert, couple diabolique, ont débauché la jeune fille et la font assister à leurs ébats pour réveiller leurs ardeurs assoupies... De son côté, Coco harcèle Misia par téléphone pour la mettre en garde : elle est folle, elle joue avec le feu, elle ne va pas tarder à s'en repentir... On l'aura prévenue... Rien n'y fait. À l'initiative de Misia, les Sert offrent à Roussy une superbe voiture décapotable. Ils le regrettent très vite : la jeune fille et son frère Alexis, chacun dans son auto, traversent à toute vitesse la place de la Concorde, flanc contre flanc, en se tenant par la main, ivres de leur exploit et inconscients du danger... Sérieusement admonestés, ils jurent que c'est la dernière fois.

Au fil des mois, le trio est encore plus soudé. La situation est complexe... Déjà, huit ans plus tôt,

Misia s'était soudainement entichée d'une autre femme, Gabrielle, avec laquelle elle avait vécu et vivait encore une amitié orageuse. Mais cette fois-ci, c'est de la maîtresse de son mari que Misia s'est engouée. Et elle ne sait plus très bien où elle en est, que ce soit avec Roussy ou avec José-Maria. Lequel des deux elle aime le plus, elle serait bien incapable de le dire. Par ailleurs, elle s'exalte et s'admire à l'idée de la noblesse de sa propre attitude : n'offre-t-elle pas à son mari la personne à laquelle elle est le plus attachée au monde ? À tout cela viennent s'ajouter chez Misia, qui a cinquante-trois ans et qui n'a jamais été mère, les sentiments qu'elle eût éprouvés pour une fille... Elle aurait eu le même âge que Roussy... À d'autres moments, elle se dit que, somme toute, José-Maria et elle l'adorent, tous deux, chacun à sa manière : ils communient en elle. Cela ne renforce-t-il pas leur union ? Misia s'imagine d'ailleurs qu'avec le temps, la passion de Sert pour Roussy va peu à peu s'éteindre. Et que, de son côté, la jeune fille, consciente de la générosité dont Misia a fait preuve à son égard va, d'elle-même, renoncer à José-Maria. Mais un jour, à Biarritz, en rangeant les complets de son mari, Misia tombe sur une lettre déjà affranchie et destinée à Roussy, qu'il n'a pas eu le temps de poster. Cédant à la curiosité, elle l'ouvre : José-Maria y exprime l'intention de la quitter pour épouser la jeune fille. Passons sur les péripéties qui suivent. Toujours est-il que le divorce est prononcé le 28 décembre 1927 entre Misia et Sert. Roussy console comme elle peut l'abandonnée qui sanglote : « Ne pleure pas, lui murmure-t-elle, nous serons deux à t'aimer, car nous te devrons notre bonheur. » Et Misia elle-même continue à chérir à la fois son mari et la femme qui le lui a enlevé. Finalement, elle tombe malade. Chanel la fait venir chez elle pour la soigner et la réconforter. Il faut croire qu'elle n'y réussit pas si mal puisque Misia, qui persiste à adorer Roussy, l'assiste dans les préparatifs de son mariage avec Sert avec autant d'affection que s'il s'agissait de sa propre fille... Elle l'emmène chez Coco, pour son trousseau, participe au choix des tenues et obtient des prix intéressants, ce à quoi Gabrielle a consenti de grand cœur parce qu'elle-même juge Roussy ravissante. Misia va jusqu'à choisir avec son ex-mari le superbe collier de rubis et l'alliance qu'il va offrir à sa jeune épouse. Le mariage a lieu à La Haye, le 18 août 1928.

Voilà Misia seule... Gabrielle, sentant qu'elle a besoin de réconfort, l'invite de nouveau chez elle. Les deux amies se rendent ensuite à Londres où le duc de Westminster les attend, puis à Eaton Hall. Mais Misia juge le château lugubre. Les pièces, plongées dans la pénombre, le climat pluvieux, lui donnent le cafard. Les longues galeries gothiques n'évoquent à ses yeux que les crimes des personnages de Shakespeare, et elle s'attend toujours à voir surgir Lady Macbeth tentant d'effacer la tache indélébile. Familière de l'intelligentsia parisienne, elle s'adapte mal à un milieu dans lequel les péripéties d'une chasse au renard ou les performances des pur-sang constituent l'essentiel des conversations. On ne comprend guère ses mots d'esprit, ses allusions tombent à plat et de son côté, elle est imperméable à l'humour britannique. La pêche au saumon à Stack Lodge ne la séduit pas davantage. Elle aura vite fait de quitter les lieux, malgré les efforts de Coco qui, pour sa part, s'est fort bien adaptée aux mœurs anglaises. En fait, Misia n'a qu'une hâte : rejoindre les nouveaux époux qui, par faiblesse, l'ont invitée à venir faire avec eux une croisière en Grèce et en Turquie. Ce sera un enfer pour tous les trois...

L'été suivant, en août 1929, Bendor invite Gabrielle et Misia à bord du *Flying Cloud*. Il s'agit de visiter les côtes dalmates, Dubrovnik notamment, les bouches de Kotor et, bien entendu, Venise. Un beau matin, le poste de l'opérateur radio du navire grésille : voici un message urgent expédié de Venise, destiné à Misia et ainsi libellé : « Suis malade, viens vite, Serge. » Sur l'ordre de Westminster, le *Flying Cloud* modifie immédiatement sa route et fait voile vers Venise. À peine le yacht a-t-il accosté que Gabrielle et Misia se précipitent au Grand-Hôtel des Bains, sur le Lido. Dans une minuscule chambre elles trouvent le pauvre Diaghilev, très pâle, le visage émacié, le front couvert de sueur. Malgré la chaleur suffocante qui règne en ce mois d'août, il grelotte et a dû revêtir la veste de son smoking. À son chevet, Serge Lifar et Boris Kochno veillent. À la vue de Misia, « Comme je suis heureux ! murmure-t-il faiblement. Comme le blanc te va bien, Misia, mets toujours du blanc ! »

C'est une crise de diabète qui a terrassé le malade : il ne suivait aucun régime, ne prenait aucune précaution, ne se reposait jamais. Et l'insuline n'existait pas. C'est grave...

Coco, dans la torpeur de cet été vénitien, ne peut s'empêcher de revoir cette belle soirée qu'elle avait donnée au mois de juin précédent dans le jardin illuminé du Faubourg-Saint-Honoré, au son des blues si délicatement interprétés par un orchestre invisible... Serge y était tout fringant, tout ragaillardi par la découverte d'un nouvel ami de dix-sept ans, le jeune Igor Markevitch, le futur chef d'orchestre. Quel contraste entre cet élégant « Diag », l'homme au monocle et à l'œillet blanc, et le pauvre malade recroquevillé qui gît devant elle.

Misia fait venir au chevet de Serge des médecins et des infirmières. Assez vite, l'état du patient s'améliore.

— Tu peux repartir maintenant, dit Misia à son amie. Il est hors de danger. Elle reste à Venise, tandis que Gabrielle regagne le quatre-mâts.

Hélas, ce n'était qu'un répit. Le 18 août, vers minuit, alors que Misia vient de regagner sa chambre à l'hôtel Danieli, Kochno lui téléphone. Le malade est dans le coma. Il est minuit. Elle accourt. Il meurt au moment où le premier rayon du soleil levant éclaire son front et fait bientôt de la mer un mirage éclatant... Alors se produit un phénomène typiquement russe, digne de figurer dans les romans de Dostoïevski. La fin de Serge, explique Misia, fut l'étincelle qui fit exploser le condensé de haine naturelle accumulée par les deux garçons qui vivaient auprès de lui. Une sorte de rugissement éclata : « Kochno se rua sur Lifar qui était agenouillé de l'autre côté du lit. Ils roulèrent par terre, s'entre-déchirant, se mordant comme des bêtes, une vraie rage les secouait. Deux chiens furieux se disputaient le cadavre de leur maître. Le premier moment de stupéfaction passé, la garde et moi eûmes toutes les peines du monde à les séparer et à les faire sortir pour qu'elle pût procéder à la toilette du mort[1]. »

Le jour même où meurt Diaghilev, Gabrielle est de retour à Venise. En proie à un sombre pressentiment, elle avait réussi à obtenir de Bendor que le *Flying Cloud* déjà bien engagé dans l'Adriatique fît demi-tour. Elle tombe sur Misia qui, pour payer les funérailles, s'apprête à mettre en gage chez un joaillier sa rivière de diamants. La caisse des Ballets russes est vide, comme d'habitude, et l'argent dont Misia dispose personnellement déjà dépensé pour régler hôtel, infirmières et médecins. Généreusement, Coco règle intégralement les frais d'obsèques. C'est le dernier service qu'elle peut rendre à celui qu'elle a déjà aidé si efficacement neuf ans plus tôt. Et, par une étrange coïncidence – où elle reconnaît certainement un signe du destin –, c'est précisément en cette même Venise où elle a connu Diaghilev

---

1. Arthur Gold et Robert Fizdale, *op. cit.*

qu'elle va maintenant l'accompagner jusqu'à sa tombe...

Le lendemain, au milieu des brumes de l'aube, un cortège de trois gondoles s'éloigne des quais. Dans la première, toute noire et ornée d'anges aux ailes dorées, la dépouille du maître. Dans la deuxième, vêtues de blanc comme il l'avait souhaité, Misia et Gabrielle ainsi que leur amie Catherine d'Erlanger, accompagnées de Kochno et de Lifar, en costumes d'été. Dans la dernière, cinq prêtres orthodoxes chantant en chœur. On entend l'écho de leurs voix graves se répercuter au loin sur les flots. La mer est étrangement calme, la scène d'une beauté irréelle. Glissant sur l'eau, le cortège flottant accoste enfin à l'île de San Michele. Au-dessus d'un mur rose, des cyprès dressent leurs cimes. Au-delà s'alignent les tombes du petit cimetière russe qui attend Diaghilev et où viendra plus tard le rejoindre l'auteur du *Sacre du printemps*. À peine sortis de la gondole, Kochno et Lifar, égarés par le chagrin, se traînent à genoux jusqu'à la fosse. Agacée, Gabrielle doit les ramener à la décence :

— Finissez vos pitreries, leur jette-t-elle.

Mais, la veille, elle n'a pu empêcher que Lifar échangeât ses boutons de manchettes contre ceux de son idole... Il les gardera jusqu'à sa mort.

Malgré le tragique souvenir que lui rappelait la région méditerranéenne, Gabrielle songeait, dès 1926, à acquérir une belle propriété sur la Côte d'Azur. Sans doute, dans sa soif d'indépendance, voulait-elle, en y invitant le duc, se prouver à elle-même et aux autres qu'elle n'était plus, qu'elle n'avait jamais été cette femme entretenue que l'on avait connue au temps d'Étienne. Elle n'y réussira pas totalement puisque l'on croira longtemps que sa propriété, La Pausa, est un cadeau de Westminster... au moins en ce qui concerne le terrain. Or il a été établi qu'il n'en était rien. En fait, c'est Gabrielle qui achète en 1928 sur les hauteurs de Roquebrune une propriété qui domine la mer. Au milieu des oliviers centenaires, des eucalyptus à l'odeur pénétrante, des lavandes et des jacinthes, s'élevait à l'époque une grande maison. Elle avait été édifiée par sir Williamson, un de ces Anglais amoureux de la Côte comme il y en avait beaucoup à l'époque. Elle la fait raser car elle désire une résidence d'été qui convienne mieux à ses goûts. Elle expose ses vues à l'architecte Robert Streitz. Aux plans qu'il lui apporte, elle ne demandera qu'une modification : elle tient à ce que, du hall, parte un grand escalier de pierre semblable en tout point à celui qu'elle gravissait, tout enfant, à l'orphelinat d'Obazine. On l'appelait alors « l'escalier des moines ». Consciencieux, Streitz se rend en Corrèze, examine de près le fameux escalier et en prend maints clichés... Il rencontre la mère supérieure : elle se souvenait encore de son ancienne pensionnaire...

Détail significatif : lorsque les amis de Coco, intrigués, l'interrogeront sur l'insolite escalier, elle répondra qu'il est l'exacte copie de celui d'une abbaye où elle avait jadis « passé des vacances ». Pas question d'orphelinat... Là encore, apparaît chez elle la volonté obstinée de faire disparaître cette période de solitude morale qu'elle a si mal vécue. Mais, par un curieux paradoxe, elle veut simultanément, et tout aussi fort, en conserver le souvenir : car n'était-ce pas l'époque délicieuse où, fillette, elle pouvait encore rêver. Rêver au retour de son père, rêver qu'il ne l'avait pas abandonnée, nourrir encore quelques pauvres illusions. Époque détestée et chérie qu'elle ne pourra jamais effacer. D'où cet « escalier des moines » dont à La Pausa, chaque jour, elle gravira nostalgiquement les degrés... D'où aussi, les sommes importantes qu'elle fera parvenir anonymement à la congrégation qui gère l'orphelinat et ces voyages déchirants et secrets dans la Corrèze de son enfance. Pendant la construction, elle vient inspecter le chantier tous les mois, arrive tôt le matin par le Train Bleu en gare de Monaco d'où elle loue un taxi qui reste à sa disposition toute la journée. La maison est achevée en moins d'un an. Elle comporte trois corps de bâtiments donnant sur un patio à la romaine, pavé de cent mille dalles sablées et fermé d'une grande grille de fer forgé. Le garage a été conçu pour six véhicules.

Gabrielle a laissé intactes au fond du parc deux villas. Elle prêtera l'une d'entre elles, La Colline, à Vera Bate et à plusieurs autres de ses amis, dont Jean Cocteau qui y fera de fréquents séjours, notamment après la grave typhoïde contractée à Toulon en 1931. Estimant que le nombre des oliviers est insuffisant, elle en fait transplanter une vingtaine, tous centenaires. Pour l'ameublement et la décoration intérieure, elle fait appel au décorateur Jansen.

Le coût de tout cela ? Il s'élève en monnaie de l'époque, pour le terrain, à un million huit cent mille francs, et pour la maison à six millions de francs[1], sans compter la décoration, le mobilier, etc.

Interviewé en 1971 par Pierre Galante[2], Streitz, l'architecte de La Pausa, dit avoir été frappé par deux traits de la personnalité de Gabrielle, la vivacité de son intelligence et sa générosité. Dans les discussions, il ne lui semblait jamais être au niveau de son interlocutrice. Quant à sa générosité, il en donne cet étonnant exemple : il avait été invité à déjeuner chez elle, où il avait dû se rendre en car, sa voiture étant en panne. Quand vient le moment de prendre congé, Coco dit brusquement à son maître d'hôtel :

_____

1. Selon P. Galante, *op. cit.* Ces sommes correspondent à environ cinq millions quatre cent mille francs et dix-huit millions de francs de nos jours.
2. *Op. cit.*

— Ugo, veuillez aller chercher les clefs et les papiers de la Mors (une voiture identique à la sienne) et remettez-les à monsieur Streitz.

L'architecte se confond en remerciements et promet de ramener le véhicule dans les trois jours.

— Pas la peine, réplique-t-elle, je vous l'offre.

Le choix par Gabrielle de Roquebrune pour y faire édifier sa villa se révèle judicieux. Si elle veut faire venir le duc à La Pausa, où elle sera vraiment chez elle, où elle bénéficiera d'une indépendance qui est inenvisageable dans le faste imposant d'Eaton Hall, encore faut-il que de son côté Bendor trouve quelques bonnes raisons de séjourner chez Coco plutôt que dans une autre de ses nombreuses propriétés. Il y a d'abord la vue sublime depuis la terrasse et dont il est impossible de se lasser. Et puis, à Roquebrune, il aura comme voisin son meilleur ami, Winston Churchill, qui a l'habitude de venir se reposer sur cette partie de la Côte, très exactement au Cap-d'Ail chez lord Beaverbrook ou chez lord Rothermere, magnats de la presse britannique qui possèdent, entre autres, le *Daily Express*, le *Sunday Express*, le *Daily Mail*, les *Evening News*. Parfois aussi, Churchill séjourne à Golfe-Juan chez Maxime Elliott. Là, ou au Cap-d'Ail, il travaille à une histoire de sa famille. Ou, coiffé d'un chapeau de paille à larges bords et assis sur un pliant, le cigare vissé aux lèvres, il peint sans relâche les paysages de bord de mer qu'il affectionne dans cette région. Il séjournera de plus en plus longtemps sur cette Côte car il vient en cette année 1929 de quitter ses fonctions de Chancelier de l'Échiquier et sa carrière politique lui paraît terminée... Comment se douterait-il du rôle capital qu'il va jouer dix ans plus tard ? La Pausa, par ailleurs, n'est située qu'à quelques kilomètres de la principauté de Monaco qui est le port d'attache du *Flying Cloud*, et où, de surcroît, le duc, qui adore le baccara et la roulette, pourra perdre autant d'argent qu'il le désire...

Lorsque Gabrielle fait visiter La Pausa à Bendor, celui-ci semble apprécier sa nouvelle résidence. Détail auquel il est sensible, l'une des deux maisons du parc a été transformée en atelier pour qu'il puisse s'y consacrer à l'aquarelle, art auquel il s'intéresse à présent, comme son ami Winston. La villa elle-même a été aménagée de manière que les invités y jouissent d'une entière liberté. Bettina Ballard a parfaitement résumé l'atmosphère qui y règne : « C'est l'endroit le plus reposant et le plus confortable où j'ai jamais séjourné[1]. » Gabrielle habite la partie supérieure de l'aile droite, à côté de son inséparable Misia. Dans l'aile gauche, s'alignent des séries de « suites » comportant deux chambres, chacune avec son petit salon et sa salle de bains, mais qui communiquent entre elles par une entrée commune. Les lieux ont été organisés de façon que l'on ne rencontre jamais les femmes de chambre. La villa abrite une quarantaine de pièces. Tout a été conçu pour l'agrément des invités, puisqu'une série de petites voitures pourvues de chauffeur se tiennent dès le matin à la disposition de ceux qui désirent se rendre à Monte-Carlo, par exemple au Sporting, ou au casino, sur une plage des environs ou tout simplement pour faire quelques courses.

Gabrielle est évidemment la première à profiter de cette liberté qu'elle assure à ses hôtes. Elle ne sort jamais de sa chambre où elle prend son petit déjeuner, café et pain grillé, avant une heure de l'après-midi, sauf pour aller se dorer au soleil sur la terrasse. Lorsqu'elle reçoit un grand nombre d'invités, elle organise un buffet. À côté des plats maintenus à la bonne température par des réchauds, comme des pâtes à l'italienne, on trouve des légumes variés ou de la viande froide, notamment du rosbif, et en abondance des vins très corsés. C'est

---

1. *In my Fashion*, David Mc Kay, 1960.

un va-et-vient continuel entre buffet et table. Seul domestique autorisé à se montrer, le maître d'hôtel italien, Ugo, car la maîtresse de maison déteste voir évoluer une foule de serviteurs autour d'elle, comme c'était le cas à Eaton Hall.

Chanel, pour sa part, obsédée par la crainte de grossir, mange fort peu et ne boit qu'un ou deux verres de vin. En revanche, elle parle énormément. Elle aime, explique Bettina Ballard, se placer devant la cheminée de la salle à manger, une main dans une poche, l'autre soulignant du geste les propos qu'elle tient, riant et narrant avec un grand talent de conteuse et d'une voix un peu rauque des anecdotes, parfois lestes, la concernant elle-même ou ses amis, qu'elle ne ménage pas toujours et qui sont souvent sa cible préférée. C'est une virtuose de la formule assassine. Ainsi de Misia qu'elle adore pourtant, elle dit : « Nous n'aimons les gens que pour leurs défauts : Misia m'a donné d'amples et nombreuses raisons de l'aimer... » ou encore : « Misia est une infirme du cœur, elle louche en amitié et boite en amour. » Elle vit dans le luxe ? Peut-être... Mais « son luxe est à l'opposé du luxe. Misia c'est le marché aux puces ». D'ailleurs, raconte Gabrielle, elle adore s'entourer de bibelots affreux, elle n'aime que la nacre, « sans doute la nostalgie de la vase », ajoute-t-elle. Puis elle évoque avec talent l'étrange comportement de son amie : « Quand elle me brouille avec Picasso, elle me dit "Je t'ai sauvée de lui" ». Ou encore elle invente sur Misia cette anecdote trop belle pour être vraie ; alors qu'à Bayreuth, elle assiste à une représentation de *Parsifal* :

— Ah que c'est long, gémit-elle.

Un Allemand agacé qui était son voisin se retourne :

— Êtes-vous sûre, madame, que ce n'est pas vous qui êtes trop courte ?

Gabrielle, pour prouver que Misia n'est pas « très intelligente », comme le prétendent les « gens superficiels », s'y prend avec une adresse admirable : « Si elle l'avait été, dit-elle, je n'aurais pas eu d'amitié pour elle. Je ne suis pas assez intelligente pour les femmes très intelligentes... »

De toute façon, Gabrielle sait toujours utiliser avec brio toutes les ressources de son esprit, jouer avec les mots tout en exprimant les pensées les plus justes. Ainsi, parlant de Picasso, elle relève qu'il s'est livré à une immense besogne de nettoyage par le vide... Heureusement, remarque-t-elle, « je ne me trouvais pas sur le chemin de son aspirateur... »

On conçoit qu'une hôtesse aussi brillante n'ait aucun mal à réunir autour d'elle, que ce soit à La Pausa ou rue du Faubourg-Saint-Honoré, les personnalités les plus intéressantes de son époque.

Lorsque le duc arrive à La Pausa, il trouve la propriété tout à fait à son goût. Mais le malheur est qu'en 1929, lorsqu'il peut y séjourner, les travaux étant finis, sa liaison avec Gabrielle est elle-même sur le point de se terminer. Et cette magnifique demeure, conçue trois ans auparavant dans la perspective qu'ils y vivraient ensemble des heures délicieuses, ne connaîtra, très vite, que discussions orageuses et portes claquées. Il est vrai que tous deux possèdent exactement tout ce qu'il faut pour faire naître, alimenter et prolonger des querelles de couple. Si Bendor est le plus souvent courtois, affable, délicat, il est parfois saisi de violentes crises de colère, capable même d'en venir à des voies de fait. Ne dit-on pas qu'il lui est arrivé de battre ses maîtresses lorsqu'elles avaient cessé de lui plaire ? De son côté, Gabrielle si séduisante par ailleurs n'est pas d'un caractère facile : elle est volontiers coléreuse, elle aussi, et se montre alors sarcastique et blessante. Son aptitude à découvrir ce qui fait mal est miraculeuse d'infaillibilité. Ce qui ne l'empêche pas de se calmer très rapidement et d'oublier le lendemain ce qu'elle a dit la veille. Elle s'adresse alors à son interlocuteur avec un naturel et une bienveillance souriante qui le stupéfie. Mais certaines de ses victimes ne lui pardonnent pas la cruauté de ses attaques.

Ajoutons que le duc est volage, infidèle et comme, pour un homme de son espèce, les tentations sont multiples, il est incapable d'y résister. À chacune des escales de l'un de ses yachts, il invite à dîner à son bord, outre un certain nombre de personnalités, quelques jolies femmes. Il ne peut s'empêcher d'en retenir une pour la suite de la croisière, quitte à la débarquer un peu plus tard dans quelque port, comblée d'attentions... et de bijoux. Lors d'un des périples du *Flying Cloud*, il ne peut s'empêcher d'agir de la sorte, alors que Gabrielle est à bord. L'affront est de taille... Lorsque Bendor a raccompagné son éphémère conquête sur la terre ferme, avant de rejoindre son navire, il prend la précaution de se procurer, pour apaiser Coco, une émeraude de grand prix : c'est bien mal la connaître, on ne la traite pas, elle, comme une de ces « poules de luxe » qui s'accrochent aux milliardaires et qui consentiraient à accepter les pires humiliations pour les raisons les plus sordides. Alors, dès qu'elle a reçu le bijou des mains de l'infidèle, l'extrayant de son écrin, elle regarde le duc droit dans les yeux et, sans lui adresser un seul mot, le laisse tomber dans les eaux souillées du port. Après quoi, tournant les talons, d'un pas sec, elle regagne sa cabine. Cela se passe à Monaco...

Rude épreuve pour Westminster : il a l'habitude que tout plie devant lui.

Qu'en est-il au juste d'un mariage éventuel entre les deux amants, union dont la presse s'est faite à maintes reprises l'écho et qui, finalement, n'a jamais été conclue ? Faisons d'abord justice d'une anecdote selon laquelle Coco aurait refusé l'offre de mariage du duc en déclarant avec une fatuité ridicule : « Il peut y avoir trois duchesses de Westminster... il n'y aura jamais qu'une Coco Chanel ! » « Beaucoup trop vulgaire ! » s'indignera Gabrielle, très vexée qu'on ait pu lui attribuer une formule aussi sotte. Certes, sa prodigieuse renommée lui a donné une exacte conscience de son talent, mais pas au point qu'elle en perde la tête. Et elle rapproche cette phrase de la pensée que lui a attribuée la journaliste américaine Elsa Maxwell, cette redoutable commère : Coco aurait juré, sur le cadavre encore chaud d'Arthur Capel, qu'elle ferait porter le deuil à toutes les femmes de la terre. D'où ces petites robes noires dont elle avait lancé la mode dans les années qui avaient suivi l'accident !

Quoi qu'il en soit, le duc a bel et bien envisagé d'épouser Gabrielle. Certes, elle n'appartenait ni à la noblesse ni même à la gentry, mais, bousculer les vieux principes de l'ère victorienne n'était pas pour lui déplaire. D'ailleurs, grâce à sa personnalité exceptionnelle, Coco lui semblait parfaitement digne de s'allier à un homme de son rang. Et puis, lui qui s'ennuyait si vite, trouverait chez elle une source inépuisable de fantaisie et une vitalité réconfortante qui rendrait sa vie plus gaie... De plus, c'était une femme de son époque alors qu'il lui semblait personnellement être un survivant des siècles passés : elle l'aiderait à sortir de son isolement et le relierait au monde contemporain. Enfin et surtout, il lui fallait un héritier auquel il pût transmettre son nom et ses biens. Or, ses deux unions précédentes ne lui avaient donné que deux filles. Le seul garçon qu'il avait eu était mort à quatre ans d'une crise d'appendicite.

Pour sa part Gabrielle, au moins au début de leur liaison, ne songeait pas le moins du monde au mariage. Mais en plein désarroi affectif, après une période de méfiance, elle se convainquit qu'elle trouverait peut-être auprès de Westminster ce qu'elle devait appeler plus tard « une épaule », un soutien moral. Certes en quinze ans, elle avait à maintes reprises prouvé que son énergie était sans failles, qu'elle n'avait besoin de personne pour diriger une entreprise devenue un véritable empire... Mais, précisément, elle éprouvait le besoin de souffler, la nécessité d'une halte reposante, même si elle n'était pas définitive. Or après la mort de Capel, ce n'était pas Dimitri qui avait pu l'aider – il appartenait à un autre univers –, pas davantage Reverdy, exilé à Solesmes. Mais la passion du duc pour elle lui paraissait authentique : il l'accablait de fleurs, de bijoux, et en faisait à Eaton Hall la maîtresse de maison chargée d'accueillir les plus grands noms d'Angleterre. De plus, il tenait à ce qu'elle participât à tous ses divertissements.

En automne 1925, le divorce de Bendor d'avec Violette Nelson est prononcé. C'est à ce moment-là que, semble-t-il, le duc songe à un remariage... Il s'en ouvre à Gabrielle. Or celle-ci mesure d'emblée tout ce qu'une union avec Westminster impliquerait : d'abord, l'abandon d'une profession dont l'avenir prouvera que c'est sa seule raison de vivre. Ensuite, la rupture avec ce milieu d'écrivains et d'artistes dont elle s'est entourée, sa vraie famille au fond. Un abîme l'en séparerait si elle devenait la châtelaine d'Eaton Hall. Peut-être, se dit-elle, Bendor la laisserait-il s'occuper de son entreprise ? Allons ! C'est une chimère : la duchesse de Westminster dirigeant une maison de couture ? C'est impensable, même pendant les années folles...

Malgré tout, Gabrielle a vu ses amies se marier. Ainsi Marthe Davelli qui, ayant renoncé au chant, a épousé Constantin Say – l'un des rois du sucre –, ou Gabrielle Dorziat devenue comtesse de Zogheb. Quant à sa tante Adrienne, ce n'est qu'une question de temps : les parents de Maurice de Nexon ne sont pas éternels. Pourquoi Coco, elle aussi, ne se laisserait-t-elle pas tenter par le mariage ? Et un mariage comme celui-là... mon Dieu, c'est à considérer. Mais pour le duc, qui reste profondément blessé par la mort prématurée de son fils, c'est avant tout d'avoir un héritier qu'il se préoccupe, c'est ce problème qui l'obsède. Il en est venu à détester les enfants qui lui rappellent son deuil. Consciente de cette situation, Gabrielle voudrait lui donner le fils qui lui manque... Or elle a déjà quarante-cinq ans, et cet espoir, s'il n'est pas vraiment chimérique, court de gros risques d'être vain. Va-t-elle réussir cette fois ce qui n'avait pas été possible dix ans plus tôt avec Boy ? Elle consulte des médecins, des sages-femmes, s'astreint, sur les conseils de l'une d'entre elles, à des exercices physiques pénibles. Rien n'y fait. Elle finit par comprendre qu'il est impossible de vaincre la nature et qu'elle doit se résigner à une stérilité définitive. Outre l'infidélité chronique de Bendor, c'est aussi et surtout dans cette situation qu'il faut chercher les causes de leur rupture. Tous deux sont cruellement déçus et cette déception influe sur leur humeur.

Plus tard, Gabrielle évoquera son état d'esprit à cette époque : « Je m'ennuyais de cet ennui sordide de l'oisiveté et des riches (.....) J'étais encore là et j'étais déjà absente (.....) La pêche au saumon n'était pas la vie. N'importe quelle misère valait mieux que cette misère-là, les vacances étaient finies. Elles m'avaient coûté une fortune, j'avais négligé ma maison, abandonné les affaires. »

Le déclin de leur amour est progressif. Gabrielle, se résolvant à l'inévitable, conseille à Bendor de se marier. C'est ce qu'il a de mieux à faire, lui explique-t-elle, puisqu'il veut à tout prix un héritier. Effectivement, en 1930, le duc épousera sans enthousiasme l'honorable Loelia Mary Ponsonby, fille du premier baron Sisonby, chef du protocole à la cour d'Angleterre. D'ailleurs, son ami Winston avait pris soin, concernant le choix d'une épouse, de lui rappeler les devoirs de son rang et de sa charge.

C'est en toute simplicité que Bendor présente sa fiancée à Chanel, pour lui demander son opinion sur la jeune femme. Gabrielle n'apprécie que médiocrement cette curieuse démarche. Mais laissons la future duchesse de Westminster nous raconter comment se déroula l'entretien :

« Mademoiselle Chanel est au pinacle de la renommée. Ses vêtements sobres, nets et simples, sont considérés comme le chic du chic. Petite, brune et féline, sa robe lui convient parfaitement. Quand je l'ai rencontrée, elle portait un tailleur bleu marine et une blouse blanche immaculée, avec des bas très clairs (les bas clairs étaient un de ses credos).

« À la décrire ainsi, on pourrait croire qu'elle avait l'air d'une écolière, mais, en fait, elle donnait l'impression d'une extrême sophistication.

« Elle portait de nombreux colliers et bracelets s'entrechoquant et cliquetant au moindre mouvement. Son salon était luxueux et richement décoré. Elle s'assit dans un grand fauteuil avec, comme toile de fond, une paire de paravents de Coromandel. Elle me fit asseoir sur un petit tabouret à ses pieds ! J'avais l'impression de me trouver devant un juge ayant à décider si j'étais digne de devenir la femme de son ancien admirateur. Je doute fort que l'examen fût favorable.

« L'atmosphère fut loin d'être chaleureuse. Cherchant désespérément quelque chose à dire, je racontais que Mrs. George Keppel m'avait offert un collier Chanel comme cadeau de Noël. Elle me fit décrire ce collier sur-le-champ...

— Non, dit-elle alors froidement, ce collier ne vient sûrement pas de chez moi.

Et la conversation tomba net. »

Par la suite, les relations entre les deux anciens amants demeurent apparemment amicales. Chaque fois qu'il passe par Paris, le duc rend visite à Gabrielle. Il se sent un peu vexé en constatant que leur séparation ne semble pas lui avoir causé une peine excessive. Elle lui paraît même soulagée, plus à l'aise, ce qui s'explique aisément : la situation est plus nette. Et puis elle sait maintenant qu'elle n'aura pas à abandonner son entreprise – qui est sa véritable passion – ni ce milieu artistique et littéraire qui lui procure tant de joies...

Mais elle garde quelque rancune à l'homme qui a réveillé en elle des espoirs de maternité auxquels elle avait renoncé. D'où, plus tard, des réflexions fielleuses chaque fois qu'il est question d'accouchement, même lorsqu'il s'agit d'animaux. Elle se souvient avec horreur d'une chatte qui avait eu ses petits en sa présence : « On croyait que c'était fini, il y en avait encore un qui miaulait à l'intérieur ! » et son visage faisait un rictus de dégoût. Une autre fois, alors qu'elle était de fort méchante humeur, on lui annonce l'arrivée d'une journaliste venue l'interviewer : elle voit apparaître une jeune femme boursouflée par sa grossesse, qui marche péniblement vers elle. Alors, elle éclate :

— Allez vêler ailleurs, lui jette-t-elle en lui indiquant la porte.

C'est à peu près à l'époque où Westminster annonce ses fiançailles que le 29 avril 1930, Maurice de Nexon ayant perdu son père peut enfin épouser Adrienne – ce qu'elle attendait depuis plus de trente ans. Gabrielle est naturellement son témoin. On imagine les réflexions qui lors de la cérémonie affluent à son esprit, alors qu'elle-même vient de voir s'envoler définitivement ses propres espoirs. Mais elle a suffisamment de générosité pour ne pas en vouloir à Adrienne de ce que le sort lui accorde après une si longue attente et elle félicite sincèrement la nouvelle épouse.

C'est en cette même année 1930 qu'elle fait appel à Pierre Reverdy, l'ermite de Solesmes, avec lequel elle est restée en relations épistolaires, pour lui demander un service : l'aider à rédiger un certain nombre de maximes qu'elle destine à divers magazines qui ont sollicité sa collaboration. Dans les années trente, on trouvait déjà dans quelques publications, comme *Le Miroir du monde*, des articles signés Gabrielle Chanel, très correctement rédigés d'ailleurs sur des sujets comme « Les femmes et le sport » ou « Le nouveau luxe »... Mais elle voudrait donner des écrits qui relèvent plus de la littérature que du journalisme. En effet, la conversation des écrivains et des artistes qu'elle fréquente, comme Cocteau ou Sem, lui a permis d'apprécier plus d'une fois le brillant de certaines formules dont la justesse l'a frappée : celles notamment qui concernent l'homme, la société, les rapports entre les êtres... Elle qui aborde les rivages de la cinquantaine et qui a connu une existence particulièrement riche et variée estime qu'elle a maintenant engrangé assez d'expériences pour pouvoir exprimer à son tour sa propre vision de l'humanité sous forme d'aphorismes. Au reste elle a dans sa bibliothèque, les œuvres de La Rochefoucauld et de Chamfort qu'elle lit et relit souvent lorsqu'elle dispose d'un peu de loisir. Elle n'a nullement la prétention de rivaliser avec eux, ni de composer une quantité de sentences susceptibles de former un volume à éditer. Il s'agit plus modestement de séries de maximes destinées à des magazines. Mais consciente de son peu d'expérience littéraire, elle sent qu'elle a besoin d'une aide et que Reverdy, artisan méticuleux du style, est celui qui peut la lui apporter. Elle ne se trompe pas.

Mais qu'est devenu le poète depuis qu'en 1926, déchirant et brûlant une partie de ses écrits, en proie à une crise mystique, il s'est exilé à Solesmes ? Il avait d'abord trouvé la paix en vivant la même vie que les moines bénédictins, à titre de « frère laïc » : lever à cinq heures du matin, messe à sept heures à l'abbaye, travail à la maison, retour à l'abbaye pour la grand-messe, vêpres, complies... Sa femme Henriette suivait un chemin parallèle.

Cependant, quelques années plus tard, force lui fut de constater qu'il n'avait plus la foi – ce qui n'était pas le cas d'Henriette. « La Foi, disait-il, est un cran d'arrêt dans la course à la Vérité. » Mais que faire ? Regagner Paris ? C'était l'intolérable aveu d'échec, l'humiliation, voire le ridicule... Non ! il ne céderait pas... Et d'ailleurs, loin des tentations mondaines de la capitale, il pourrait tout entier se consacrer non à Dieu mais du moins à son œuvre, et n'abandonnerait pas sa femme. Depuis 1926, il n'avait publié que deux volumes de poésies, *Aux sources du vent* et *Flaques de verre* (1929). Mais il avait aussi fait paraître un important recueil de notes inédites, intitulé *Gant de crin* (1927) et préparait celles qui formeraient plus tard *Le Livre de mon bord*. Or toutes ces notes, par leur concision, se rapprochaient beaucoup de ces maximes que Gabrielle désirait écrire. Reverdy n'en était que plus prêt à aider celle pour laquelle, encore, malgré le temps écoulé, il éprouvait plus que de l'amitié...

Toujours est-il qu'en 1930, le poète reparaît à Paris, logeant rue du Faubourg-Saint-Honoré, chez Gabrielle. Bendor, averti de la situation, s'exclame avec son délicieux accent : « Coco est folle, elle vit avec un *kiouré* ! » Parfois Reverdy manifeste des velléités d'indépendance, et quelque scrupule à abuser de l'hospitalité de Chanel. Coco charge alors Vera de lui trouver un atelier d'artiste pas trop distant de chez elle ; elle en déniche un dans le quartier de la Madeleine et Gabrielle commence à le meubler. Mais au moment d'y emménager, Reverdy, saisi d'une sorte de panique, s'enfuit à Solesmes, d'où il écrit qu'il reviendra et il revient en effet, ne pouvant pas plus supporter la solitude de la province que la frivolité de la société parisienne. Il est en plein désarroi. Il fera ainsi, durant un an et demi, tout une série d'allers et retours. À Paris, il renoue avec ses amis d'antan – et ils sont nombreux – Cocteau comme Max Jacob ou Cendrars, Derain, Léger, Braque, Laurens, ou encore le photographe Brassaï. Le voici maintenant qui passe son temps à la terrasse du Dôme ou à celle de la Rotonde. Il y bavarde avec ses amis, et d'autres, qu'il appelle « mes ivrognes », authentiques piliers de bistrots, en effet. Il n'hésite pas à en partager les beuveries malgré les objurgations de Gabrielle, qui, jamais, ne perd confiance en lui. Il est le client assidu de nombreux restaurants et de bars comme La Closerie des lilas, de boîtes de nuit comme le Jimmy à Montparnasse, rue Huyghens, ou le Ciro's, rue Daunou. On l'y voit dans son toujours impeccable complet croisé de flanelle grise, juché sur un tabouret, un verre de whisky à la main, un mégot à la lèvre. L'œil brillant et la mèche impérieuse, il discute de tout et de rien avec ses compagnons de rencontre. Il se passionne aussi pour le jazz aux accents duquel il rêve... Il passe des nuits entières à écouter les formations américaines ou françaises qui se produisent ces années-là. Et il rentre à l'aube rue du Faubourg-Saint-Honoré, épuisé... et amer. Car il ne trouve dans ces excès systématiques qu'un remède tout provisoire à une soif d'absolu que n'étanchait pas davantage le séjour à Solesmes.

Il est rare que Gabrielle accompagne Reverdy dans ses expéditions nocturnes. Tout au plus les voit-on deux ou trois fois danser au Jimmy. Car Coco est une femme laborieuse, qui se couche tôt : « Rien ne m'amuse plus après minuit », écrira-t-elle dans un article paru en septembre 1931 dans *Interviews* et où elle s'en prend à certaines soirées mondaines. « Ce n'est qu'air vicié, nourriture immangeable, mauvais alcool (.....), sots qui répètent, nuit après nuit, les mêmes histoires interminables, histoires de vies vécues dans le simple but de pouvoir les raconter, et par là, inutiles. » On imagine qu'elle n'apprécie pas davantage le genre de soirées ou plutôt de nuits que passe Reverdy. Aussi l'invite-t-elle le plus fréquemment possible à La Pausa, où il est contraint de mener une vie plus réglée, plus digne de lui et de son grand talent. Parfois ils y sont seuls, hormis les domestiques, dînant dans le patio, faisant quelques pas ensuite parmi les oliviers et ces lavandes bleues et mauves qui, la nuit, exhalent plus intensément leur parfum, comme si elles l'avaient gardé pour ces heures privilégiées. À Roquebrune, elle soumet au poète les réflexions qu'elle veut ciseler sous forme de brèves sentences. Plus tard, elle les publiera ici ou là, ainsi dans le numéro de *Vogue* de septembre 1938. Si, comme on l'a dit, certaines d'entre elles reflètent la pensée de Reverdy, elles sont loin d'en constituer la majorité et correspondent trop bien à la personnalité et aux idées de Gabrielle pour qu'on lui en refuse la paternité. Ainsi : « Nos maisons sont nos prisons ; sachons y retrouver la liberté dans la façon de les parer. »

« On peut s'accoutumer à la laideur, à la négligence, jamais. »

« C'est le propre d'un esprit faible que de se vanter d'avantages que le hasard peut seul nous donner. »

« La nature donne votre visage de vingt ans, la vie modèle celui de trente ; mais celui de cinquante ans, c'est à vous de le mériter. »

« La vraie générosité, c'est d'accepter l'ingratitude. »

ou encore :

« Les trouvailles sont faites pour être perdues. »

On aurait tort de croire que le rôle de conseiller littéraire que joue Reverdy auprès de Gabrielle s'arrête à cette période 1930-1931. Quinze ans plus tard, en 1946, elle sollicite encore ses avis. Témoin cette lettre où il lui écrit : « Je vous félicite pour les trois pensées que vous m'avez envoyées. Elles sont très bonnes, la dernière parfaite et tout à fait en haut de ce qu'on peut espérer dans le genre. »

Malgré tout, dès l'été 1931, Gabrielle et Pierre Reverdy savent que leur seconde liaison ne pourra durer. Les hésitations continuelles du poète, ses allées et venues sans fin, sont devenues exaspérantes pour elle. Et lui-même se rend compte, tout en restant sous le charme de Coco, qu'il lui faut prendre une décision... Il se résout à se fixer définitivement à Solesmes. Son état nerveux et mental – explique-t-il dans une lettre à Gabrielle – est celui d'un « malade » dont il n'a pas le droit d'infliger la présence à autrui. Il a honte du genre de vie qu'il mène. Et puis il est beaucoup trop « lourd » et trop « sérieux » pour pouvoir mener une vie frivole sans en être profondément meurtri.

« Je voudrais, conclut-il, avoir la foi que j'ai eue et entrer au couvent (.....) Hélas ! il n'en est pas question. Il faudra rester moine, seul, laïque et sans foi. C'est encore plus sec et plus héroïque. »

Qu'il y ait eu des heurts entre eux, de pénibles scènes, on peut en être certain à la lecture de ces lignes du poète : « ... Il était infiniment plus sage, étant donné nos deux caractères, de ne plus nous voir, c'est-à-dire nous opposer à un moment où la violence emportait tout[1]. »

Cette seconde rupture est consommée à la fin de l'année 1931. Mais ce n'est pas vraiment une rupture au sens habituel de ce terme. Il s'agit plutôt du passage – selon les propres termes de Reverdy – « d'un grand amour à une impérissable amitié », formule que Gabrielle aurait pu reprendre à son compte. En fait, chacun d'eux représentait pour l'autre la tenta-

---

1. Cité par Edmonde Charles-Roux, *op. cit.*

tion d'un idéal de vie à l'opposé du sien : mais l'autre était aussi à ses yeux ce qu'il aurait pu devenir lui-même, ce qu'il regrettait un peu de ne pas être, mais qu'il avait refusé. Cette impérieuse exigence d'ascétisme et de solitude, ces tendances cathares que manifestait Reverdy, cette haine des superfluités, Gabrielle n'y était pas insensible – et son esthétique dépouillée en porte les traces. De son côté, Reverdy est attiré par le luxe, le brillant, l'élégance de la vie que lui offre Gabrielle, une vie d'épicurien raffiné.

Mais en définitive, l'union de ces deux êtres était impossible. Aucun des deux ne souhaitait renoncer à la route qu'il s'était depuis longtemps tracée. Ces quelques vers de Reverdy traduisent merveilleusement la situation dans laquelle tous deux se trouvent au moment où ils se séparent :

> *Je te laisse parce que je t'aime*
> *Et qu'il faut encore marcher*
> *Un jour nous nous retrouverons peut-être*
> *Où se croisent les souvenirs*
> *Où repassent les histoires d'autrefois*
> *Alors tu reviendras vers moi*
> *Nous pourrons rire...*

Pendant tout le temps qu'il leur reste à vivre, ils ne se perdront jamais de vue, se revoyant parfois, mais furtivement. Ils correspondent jusqu'en 1960, date de la mort de Reverdy, et sans qu'à aucun moment leur amitié connaisse la moindre éclipse. Pour Gabrielle, Reverdy est un dieu auquel elle voue un culte exclusif et l'une des rares personnes qui échappent à ses critiques. Elle lit et relit ses œuvres, ses poèmes, notamment. C'est tout à l'honneur de sa sensibilité et de son intelligence d'avoir su discerner dans l'auteur de *Flaques de verre* l'un des plus grands poètes de son temps, alors que, d'accès difficile et de caractère ombrageux, il était injustement méconnu par ses contemporains.

Quels que soient les événements de son existence privée, le centre de la vie de Gabrielle est, bien entendu, constitué par ses activités professionnelles. En ce qui concerne le cadre où elles s'exercent, il faut retenir une date importante, 1927. C'est en effet à ce moment-là que la couturière renouvelle le décor de son salon de présentation, certes luxueux mais relativement banal, comme tous ceux de ses confrères. Elle opte alors pour le contemporain. Au premier étage du 31 rue Cambon, où il se situe, représentons-nous une vaste pièce dont tous les murs ont disparu comme par enchantement. Ils sont en effet entièrement recouverts de glaces : ceux d'entre eux qui séparaient les différentes pièces ont été abattus et remplacés, quand ils étaient porteurs, par des piliers quadrangulaires eux-mêmes revêtus de miroirs. Suspendues au plafond, des vasques rondes, quasi invisibles à force de sobriété, diffusent une lumière très douce. Le salon, multiplié à l'infini par ces jeux de glaces, procure une impression d'immensité quelque peu fantastique où l'œil se perd. Une moquette unie de couleur beige – une des teintes fétiches de Gabrielle – recouvre entièrement le sol ainsi qu'un large escalier à la courbe élégante qui mène au second étage. Son seul ornement est une rampe de fer forgé au dessin géométrique d'une rigueur calculée. La cage d'escalier est elle-même tapissée de glaces s'élevant jusqu'au plafond. C'est assise sur les marches, invisible et présente, que Gabrielle assistera désormais aux collections bisannuelles, attentive aux réactions provoquées par ses modèles sur le visage de ses clientes.

Naturellement, en matière de mode, le style de Chanel a évolué. Sa liaison avec le duc de Westminster lui donne accès à tout un univers dont elle va s'inspirer et on peut dire que, de 1926 à 1930 ou 1931, sa mode est souvent d'inspiration britannique. Elle continue, comme par le passé, à puiser ses idées dans les milieux qu'elle fréquente. Par exemple, c'est en faisant une croisière à bord du *Flying Cloud* qu'elle imagine de proposer à ses clientes des bérets fort proches de ceux des marins du voilier, qu'elle leur fait porter simplement posés et inclinés sur le front. Désormais, le béret, sous diverses formes, fera partie de la garde-robe féminine. À Eaton Hall, Gabrielle observe que les domestiques du duc qui, le matin, astiquent les boutons de porte ou cirent les parquets, portent tous un joli gilet de livrée à manches noires et au buste rayé aux couleurs de Bendor : elle conçoit aussitôt une tenue qui s'en inspire étroitement et qu'elle présentera à sa prochaine collection. Inutile de dire que, selon son habitude, elle porte d'abord elle-même tout ce qu'elle proposera à sa clientèle et rejette sans pitié tout vêtement qui ne lui va pas personnellement d'une manière parfaite...

L'existence sportive que lui fait mener le duc – équitation, chasse, pêche au saumon – la pousse à créer des tenues destinées à une vie active : en Écosse, Vera Bate et elle s'amusent à revêtir des vêtements d'hommes... C'est dans cette atmosphère très particulière que Gabrielle conçoit pour les femmes des vestes, des manteaux de sport et des tailleurs à coupe masculine, et découvre l'emploi qu'elle peut faire du tweed. On sait que la pureté des eaux de la Tweed, rivière qui sépare l'Écosse de l'Angleterre, fit que, dès le haut Moyen Âge, les tisserands de cette région y lavaient leur laine. Les tissus de texture irrégulière et de surface un peu rêche qui en étaient formés avaient acquis une grande réputation de solidité. Chanel pour la première fois, semble-t-il, les utilise en haute couture (comme elle l'avait fait pour le jersey, douze ans plus tôt). Elle-même écrit : « Les tweeds, je les fis venir d'Écosse, les *homespuns*[1] détrônèrent les crêpes et les mousselines. J'obtins qu'on lavât moins les laines pour leur laisser leur moelleux. En France, on lave trop. »

Le fameux tailleur Chanel, fabriqué bien plus tard, devra une part de son succès à ce matériau incomparable fabriqué spécialement pour les ateliers de la rue Cambon dans des harmonies et des coloris exclusifs, et en petite largeur, à l'ancienne (73 cm seulement) avec des bordures si parfaites qu'elles sont utilisées comme garnitures dans le galonnage...

L'étroitesse des liens que Gabrielle entretient avec l'Angleterre dans le domaine de la couture se manifeste de bien d'autres façons. Ainsi, en mai 1932, elle obtient du duc de Westminster qu'il lui prête à Londres ses vastes appartements de Grosvenor Square : elle les fait redécorer à grands frais, puis elle organise au profit d'une œuvre de charité un défilé de cent trente modèles exclusivement fabriqués dans des tissus anglais et présentés par des femmes de la haute société londonienne. Comme l'atteste le *Daily Mail* du 14 mai, cinq à six cents personnes viennent chaque jour, parmi lesquelles une foule cosmopolite de confectionneurs. De nombreuses femmes amènent leurs propres couturières, car cette collection n'étant pas destinée à la vente, Chanel en a autorisé la copie. Des portraits de femmes du monde anglaises portant ces toilettes paraissent dans la presse de nombreux pays. Par exemple celui de lady Pamela Smith, par le baron de Meyer, célèbre photographe de mode américain, dans le *Harper's Bazaar*.

Ainsi Gabrielle sait-elle à merveille utiliser ses relations avec la Grande-Bretagne, non seulement

---

1. Ce mot anglais (littéralement « filé à la maison ») désigne les tissus écossais primitivement fabriqués à domicile par des artisans.

pour en tirer des idées en matière de mode, mais pour mieux faire connaître ses productions dans le monde entier. Ce génie de la couture se double d'un génie de la publicité et de la communication !

Naturellement, on aurait une idée bien fausse de l'étonnante variété des créations de Chanel si on les limitait à celles qui lui ont été inspirées par ses séjours outre-Manche. Elle ne se borne pas aux tailleurs de jersey et de tweed, aux petites robes d'après-midi, aux vêtements de sport et aux chandails. Elle a abandonné le style « garçonne » dont elle avait été l'initiatrice, la robe courte et les silhouettes tubulaires pour laisser la place à des tenues plus féminines. Et c'est dans les robes du soir qu'elle prodigue avec le plus d'aisance sa fécondité créatrice, utilisant largement les tissus transparents, comme les tulles et les dentelles, faisant valoir des jupes vaporeuses par des corsages ajustés, faisant revivre voiles et voilettes de la Belle Époque, et tout cela dans une rigueur et une sobriété qui resteront la marque constante de ses créations.

Depuis qu'elle a loué l'hôtel du Faubourg-Saint-Honoré, et même pendant sa liaison avec le duc de Westminster, Gabrielle y organise périodiquement réceptions et fêtes qui font date. Laissons son ami Henry Bernstein nous en donner quelque idée dans sa chronique de *Vogue* en août 1930 : « Deux fois on a dîné et on a dansé chez notre célèbre et admirable et très chère Gabrielle Chanel dans le miroitement délicat et infini des glaces, dans la somptuosité des laques, dans la blanche violence des pivoines sans nombre – fêtes subtiles, joyeuses, émouvantes, qui ont fait mille envieux (tous ceux qu'on ne put inviter malgré les dimensions des beaux salons du Faubourg-Saint-Honoré) – fêtes en vérité magnifiques, où la robe longue rendait au tango ses grâces pathétiques. »

C'est à cette même époque, pendant l'été 1930, que Gabrielle qui, depuis La Pausa, se rend très souvent à Monte-Carlo y rencontre Dimitri. Celui-ci lui présente Sam Goldwyn, grand producteur hollywoodien qui depuis longtemps désire la connaître. Sam Goldwyn, ex-Samuel Goldfish, né à Varsovie quarante-six ans plus tôt, fils de camelot comme Chanel, a très tôt émigré aux États-Unis où il gagne d'abord sa vie comme représentant d'une fabrique de gants. Mais, dès l'âge de vingt-six ans, en 1910, il fonde une société de production avec son beau-frère, Jesse Lasky. Après avoir été partiellement à l'origine de deux des huit grandes compagnies américaines, Paramount et MGM, il travaille comme producteur indépendant et collabore avec les United Artists. Devenu l'un des plus puissants personnages d'Hollywood, il ne se consacre qu'à de très importantes productions. Or, étant donné la crise économique qui sévit alors aux États-Unis depuis le tristement célèbre jeudi noir du 24 octobre 1929, le cinéma de ce pays subit une considérable perte d'audience. Pour y remédier, Goldwyn estime que faire habiller les vedettes par la plus grande couturière de l'époque contribuerait à assurer le retour du public dans les salles.

Aussi propose-t-il à Gabrielle un contrat mirobolant : un million de dollars par an pour se rendre à Hollywood chaque printemps et chaque automne. À la journaliste du *Collier's*, Laura Mount, Goldwyn explique, sûr de son fait : « Ce sera le début d'une nouvelle ère du cinéma. Les femmes iront dans nos salles pour deux raisons : primo, voir les films et les stars ; secundo, voir le dernier cri de la mode. »

Or Chanel, à la grande stupéfaction de Goldwyn qui croyait sa proposition irrésistible, hésite beaucoup, pèse le pour et le contre. Le million de dollars ? Il ne l'impressionne pas : à cette époque, elle emploie quatre mille ouvrières et vend chaque année vingt-huit mille robes de grand prix en Europe, en Amérique et au Proche-Orient...

Certes, ce voyage aux États-Unis et les fonctions qu'elle y exercerait lui assureraient un regain de publicité. Mais en a-t-elle besoin ? Il n'est pratiquement pas une Américaine fortunée qui ne soit déjà sa cliente. Là-bas, d'ailleurs, on ne jure que par la haute couture parisienne. Un coup d'œil sur les plus fameux des magazines de mode américains, qu'il s'agisse du *Harper's* ou de *Vogue* permet de s'en convaincre. Les clientes les plus riches achètent les modèles originaux, celles qui le sont un peu moins se procurent, à un prix légèrement inférieur, des copies exactes faites sur place. De plus, on peut trouver des reproductions de plus en plus approximatives, vendues cette fois à des dizaines de milliers de femmes.

Mais dans de telles conditions, faire largement connaître ses modèles par le biais du cinéma donnerait à Gabrielle les moyens de les vendre aux grands confectionneurs américains – sans la griffe, bien entendu, laquelle est réservée aux originaux.

Cependant, l'ambition de Goldwyn n'est-elle pas excessive ? Il prétend faire habiller par Chanel toutes les actrices travaillant pour United Artists, à la ville comme à l'écran. Mais les stars vont-elles accepter cette dictature ? Chacune d'entre elles prétend savoir exactement ce qui lui va et ce qui plaît à son public. C'est donc une rude partie que devront jouer là Goldwyn et Chanel. Le dessinateur et créateur de costumes Erté en sait quelque chose, lui qui, malgré son grand talent, a dû quelques années plus tôt, renoncer à imposer à Lilian Gish, la célèbre actrice du muet, la robe qu'il avait conçue pour elle : d'où son départ de Hollywood après une violente querelle avec la vedette. Or, pour Gabrielle, l'épreuve est plus ardue encore : ne deviendrait-elle pas l'unique costumière de toutes les stars travaillant pour Goldwyn et les Artistes associés, et cela saison après saison et pendant des années ?

New York, avril 1931. Après des mois de pourparlers et de tergiversations, Gabrielle s'est enfin décidée. Elle vient de débarquer du paquebot *Europa*, avec sa nouvelle dame de compagnie... Misia, alors abandonnée par son mari. A fait également la traversée avec elle un bataillon de mannequins, d'assistantes et de couturières détaché de la rue Cambon. Après quelques jours passés dans une suite du Waldorf, on retrouve Gabrielle à la gare de Grand Central. Le long du quai l'attend le train spécial luxueusement aménagé qui va l'emmener à Los Angeles. Une surprise lui est réservée : le convoi, de la locomotive au wagon de queue, est... tout blanc. C'est une attention touchante du producteur : il s'est renseigné et on lui a dit le goût prononcé de son invitée pour cette couleur. Décidément, tout commence bien... Ils font bien les choses ces Américains. Dans le train, ont pris place nombre de journalistes d'outre-Atlantique qui apprécient le caviar et, surtout, le vrai champagne, destinés à leur faire oublier la longueur du trajet : près de cinq mille kilomètres. Du coup, ils adressent à leurs journaux des articles enthousiastes. Peu rancunière, Coco a fait participer au voyage l'écrivain Maurice Sachs : elle l'avait engagé en 1928 pour qu'il lui constituât une bibliothèque riche en éditions originales et en livres rares, en échange de quoi elle lui donnait la coquette somme de soixante mille francs par mois [1]. Mais Pierre Reverdy, consulté sur la qualité de ladite bibliothèque, découvrit l'escroquerie : les centaines d'ouvrages achetés faisaient illusion grâce à leurs reliures, mais ne pouvaient attirer que le dédain des bibliophiles. Gabrielle avait alors chassé

---

1. Soit 170 000 F actuels par mois, pendant plusieurs mois.

l'escroc... Mais tout cela est oublié, maintenant : il est redevenu un ami, comme par le passé, quand elle le chargeait d'établir la liste des invités de ses fêtes (quatre-vingts à cent personnes).

Lorsque le train arrive à la gare de Los Angeles, elle trouve alignés sur le quai le seigneur du cinéma, tout son état-major et une bonne quantité de vedettes, dont Greta Garbo alors âgée de vingt-six ans et déjà en pleine gloire. C'est elle qui, les bras chargés d'orchidées, a pour mission d'accueillir Gabrielle. « Deux reines se rencontrent », lit-on dans la presse. Les deux femmes sympathisent immédiatement et resteront des amies. C'est Coco qui, bientôt, habillera la star jusqu'au jour où, malgré l'éclat de ses triomphes, elle se retirera dans l'incognito, à trente-six ans... Mais c'est avec Marlène Dietrich que Gabrielle s'entend le mieux : après une vingtaine de films où le public ne l'a guère remarquée, l'actrice vient d'acquérir une célébrité mondiale avec *L'Ange bleu*, le chef-d'œuvre de Joseph von Sternberg, son amant et réalisateur. Comme l'ensemble du public, Coco adore l'étrange beauté de Marlène, son déshabillé, sa voix rauque, ses jambes sublimes et son fume-cigarettes interminable... Elle deviendra une des meilleures amies de Gabrielle et, souvent, sa cliente.

Le seul acteur qui impressionne Gabrielle, c'est Erich Von Stroheim et son physique de junker prussien perpétuellement monoclé. Il s'approche d'elle de son pas saccadé, s'incline avec raideur et, d'une voix sépulcrale, lui dit :

— Vous êtes couturière... je crois.

Chanel lui pardonnera vite cette manifestation d'humour un peu brutale. Il a tant d'allure. Stroheim, pourtant, va comme réalisateur être mis au ban d'Hollywood à cause du gigantisme délirant de ses films devenus de plus en plus ruineux pour ses producteurs. Son dernier film, *Les Rapaces* – qui ne fut jamais projeté – durait sept heures et demie, et il refusait la moindre coupure ! Heureusement pour lui, son talent d'acteur va lui permettre d'entamer une nouvelle carrière aussi réussie que la précédente. Qui peut oublier *La Grande Illusion* ?

Ce qui laisse Gabrielle indifférente, en revanche, c'est le faste hollywoodien... Elle-même sait ce qu'est le vrai luxe. Alors, quand on l'invite et qu'elle constate qu'un de ses hôtes, en son honneur, a fait peindre de bleu tous les arbres de son parc, elle l'en remercie vivement mais n'en pense pas moins. L'immensité des studios qu'elle visite, les films que l'on tourne en sa présence, les milliers de figurants que l'on fait manœuvrer par haut-parleur, tout cela ne la frappe pas outre mesure. Naturellement, elle s'entretient avec une foule de stars hollywoodiennes comme George Cukor, Claudette Colbert, Frederic March ou Cecil B. De Mille. Elle rencontre aussi Katherine Hepburn qui ne se doute guère, alors, qu'elle incarnera Gabrielle dans une comédie musicale. Elle s'intéresse particulièrement aux décorateurs et aux costumiers de cinéma, comme Mitchell Leisen ou Gilbert Adrian. Car, si elle a déjà habillé les danseurs des Ballets russes et les comédiens des pièces de Cocteau, elle n'a encore aucune expérience de l'écran. Et il ne lui faut pas oublier l'objet de son voyage. Pour commencer, elle va habiller la célèbre Gloria Swanson, celle qui, bien plus tard, en 1951, allait devenir l'étonnante interprète de *Boulevard du Crépuscule*. Elle réalise pour l'heure les costumes de son prochain film *Ce soir ou jamais*, dont le scénario est tiré d'une comédie jouée à Broadway. Dans ses *Souvenirs*, la star raconte que les essayages s'étaient faits en deux fois, à Paris, avant et après les vacances. Or déjà enceinte, elle avait quelque peu grossi entre-temps : « Chanel, petite et fougueuse, portant un chapeau comme toujours pendant les essayages, me lança des regards furieux en voyant que j'avais un mal fou à enfiler une robe de satin noir tombant jusqu'au sol, une merveille pour laquelle elle avait pris mes mesures six semaines auparavant. » On devine ce que fut l'humeur de Gabrielle quand on sait ce qu'elle pensait de tout ce qui était lié à la maternité.

Il apparaît vite que l'initiative du « tsar d'Hollywood », comme on appelle alors Goldwyn, est une fausse bonne idée. Le cinéma possède ses propres lois. Il lui faut, plus encore que le théâtre, exagérer les effets pour les faire passer dans le public. Or une femme habillée par Chanel est d'une sobre élégance, une élégance qui ne se remarque pas. Alors que la star tient, au contraire, à se différencier des autres actrices. Elle doit les faire oublier par ce que l'on appelle là-bas son *glamour*, autrement dit son éclat, ce je ne sais quoi d'ensorcelant qui éclipse d'emblée toutes ses concurrentes. Voudrait-on que la vedette passât inaperçue ? Dans ces conditions, il devient évident que le travail de Chanel n'est pas spécialement de nature à valoriser l'image d'une actrice. La preuve en est que, plus tard, même si les films dont les costumes ont été confiés à Gabrielle bénéficient d'articles favorables, les vêtements qu'elle a créés ne feront l'objet dans la presse que de brefs commentaires. On avait surestimé leur importance dans le succès des œuvres. Mais, dès le début du séjour de Chanel à Hollywood, l'opposition entre la volonté de Goldwyn et les aspirations des vedettes apparaît, s'accroît, devenant une véritable fronde... Le producteur et la couturière, aussi réalistes l'un que l'autre, conviennent qu'il vaut mieux mettre un terme à l'expérience. Gabrielle s'estime évidemment quitte du second voyage projeté. Mais, avant de revenir à Paris, en femme d'affaires avisée, elle tient, pour mesurer et élargir son influence, à rencontrer les milieux new-yorkais de la haute couture. Elle commence par séduire les deux impératrices américaines de la mode, Carmel Snow, directrice du *Harper's Bazaar* et Margaret Case, la grande patronne de *Vogue*, la revue de Condé-Nast. Elle est d'autant mieux accueillie que les rédacteurs en chef de ces deux magazines sont des émigrés russes : ils n'ignorent pas ce que Gabrielle a fait pour leurs compatriotes. N'est-ce pas elle, par exemple, qui a embauché rue Cambon la grande duchesse Marie, sœur de Dimitri, cousine du tsar pour lui faire diriger son atelier de broderie ? Par la suite, cette dernière s'est installée à New York. La colonie russe établie à Manhattan est d'ailleurs fort importante. Certains de ses membres sont bien connus des milieux américains cultivés : notamment les rescapés de la troupe de Diaghilev, Léonide Massine ou George Balanchine. Ils brillent sur la scène du Metropolitan Opera où les applaudissent nombre de leurs compatriotes en exil, parmi lesquels des princesses – pas toutes authentiques – et des grands ducs plus ou moins désargentés. D'autre part, nombre des clientes américaines de Coco, mises au courant de sa présence, s'empressent de les inviter, elle et Misia. Les deux femmes dont c'est le premier séjour à New York ont alors l'occasion d'y faire quelques surprenantes découvertes, comme Gabrielle le racontera plus tard. Ainsi, dînant chez une New-Yorkaise et craignant d'arriver en retard à l'Opéra pour assister à un ballet russe auquel elle les a conviées, elles manifestent leur inquiétude : « Ne vous tracassez pas, réplique leur hôtesse, le deuxième acte ne commence qu'à dix heures. » Elles apprennent alors avec stupéfaction que c'est une coutume là-bas, chez les gens comme il faut, de n'arriver qu'à ce moment-là. Indignée, Misia, sans égard pour celle qui la reçoit répond superbement :

— Madame, à Paris, ce sont les spectateurs qui attendent les danseurs, car eux ont l'excuse du talent !

À l'Opéra, au cours de la représentation, Misia, très émue, trop émue, bouleversée par les souvenirs qui lui viennent en foule, murmure à l'oreille de Coco : « Je n'en peux plus, partons vite... » Gabrielle s'excuse : elle ne peut faire autrement que d'accompagner son amie. Du coup, leur hôtesse s'imaginera pendant toute son existence que le comble du chic parisien est d'arriver ponctuellement avant le début de la représentation et de la quitter une bonne heure avant la fin...

Naturellement, Gabrielle tient absolument à visiter le quartier situé Downtown, qui est consacré aux vêtements et aux tissus. Il ressemble à notre Sentier. Mais elle s'intéresse davantage aux magasins où l'on vend les copies de ses créations : Saks, Lord and Taylor, Macy's, Bloomingdale. Inutile de dire qu'elles ne sont pas coupées dans le même tissu que rue Cambon. Gabrielle apprend que, quelques semaines après leur exposition, ces vêtements seront vendus pour quelques dollars chez Klein's, à Union Square. Là, des centaines de femmes, entassées dans de grandes pièces sales aux parois couvertes de miroirs, choisissent et essayent – selon la formule du libre-service – d'innombrables robes sous la surveillance de quelques employées. Partout des écriteaux rédigés dans toutes les langues pratiquées à New York, depuis le polonais jusqu'au yiddish, avertissent la clientèle :

« N'essayez pas de voler. Nos détectives sont partout. »

Ou encore :

« Défense de coller votre chewing-gum sous les lavabos[1]. »

Mais Gabrielle qui, sur ce point, s'oppose radicalement aux autres couturières, ne voit aucun inconvénient à ce que ses robes soient vendues de la

---

1. Alice Halicka, *Hier (Souvenirs)*, Éditions du Pavois.

sorte. Si elle s'oppose à ce que la mode vienne de la rue, elle souhaite néanmoins qu'elle y descende. C'est la preuve de sa qualité. La voilà comblée.

Par une étrange malice du destin, cette réussite américaine qu'elle avait attribuée mensongèrement à son père, c'est elle-même qui maintenant l'obtient.

Amère victoire...

8

Le temps d'Iribe

Lundi 7 novembre 1932. L'hôtel du 29, rue du Faubourg-Saint-Honoré. Des dizaines de personnes, fort élégantes, appartenant pour la plupart au Tout-Paris, gravissent le perron. Elles se rendent à l'exposition de « bijoux-diamants » organisée par Gabrielle au profit d'organisations caritatives, comme « L'Œuvre de l'allaitement maternel ». Elle a pour la circonstance débarrassé le rez-de-chaussée de ses meubles précieux, ne laissant en place que les miroirs, les glaces, les lustres de cristal et aussi le beau torse grec qui se dresse sur la cheminée du salon. À l'abri de grandes vitrines, s'érigent des colonnes de marbre noir servant de socles à des bustes de coiffeur en cire poncée, parfaitement maquillés et coiffés. Ce sont eux qui supportent les bijoux de diamants, la plupart sertis de platine. Des éclairages indirects – récemment mis à la mode – font scintiller de tous leurs feux, répercutés par les multiples miroirs, les broches, qui étincellent sur la moire des corsages, les diadèmes qui cernent la chevelure, ainsi que toutes sortes de bijoux en croissant de lune, en étoiles ou en feuillages. Ils créent pour les spectateurs éblouis un monde féerique. Naturellement, aucun de ces joyaux n'est à vendre – et pour qui voudrait s'en emparer, un nombre important de gardiens, aux revolvers très apparents, est là pour l'en dissuader. En fait, ce qui reviendra aux bonnes œuvres, c'est le produit de la vente des luxueux catalogues. Ils sont illustrés de photos prises par un ami de Coco, un cinéaste de vingt ans, encore inconnu, le futur auteur du *Journal d'un curé de campagne*, Robert Bresson.

Cette exposition de somptueux diamants a de quoi surprendre. En effet, quelques années auparavant, Gabrielle n'avait-elle pas proclamé son hostilité aux vrais bijoux ? Les femmes qui les portent, prétendait-elle, ne songent qu'à étaler leurs richesses – ou plutôt celles de leurs maris ou de leurs protecteurs. « Autant porter un chèque autour du cou », disait-elle, usant d'une de ces formules frappantes dont elle avait le secret. Pour elle, les bijoux ne doivent servir qu'à se parer, à faire honneur aux personnes auxquelles on rend visite ou pour qui on les porte et non à provoquer l'envie des autres femmes... D'ailleurs, précise-t-elle, ceux qui sont très beaux me font songer aux rides, aux peaux flasques des douairières, aux doigts osseux, à la mort, aux testaments, à Borniol... Elle est intarissable sur ce sujet.

Agissant selon ces principes, Gabrielle avait, dès les années 1922-1923, commencé à faire fabriquer de faux bijoux – ou bijoux de fantaisie –, embauchant pour cette tâche son ami Étienne de Beaumont qui les dessinait et les faisait exécuter selon ses indications. Ainsi l'homme qui avait refusé d'inviter à ses bals la couturière qu'elle était devenait-il l'un de ses employés, avec le titre de « conseiller pour la mise au point des bijoux Chanel ». Il créait alors pour elle de longs colliers de perles de verre multicolores. Plus tard, de 1929 à 1937, le duc italien Fulco di Verdura, avant de s'établir à son nom à New York, dessine pour son compte de nombreux bijoux, et, se souvenant de sa Sicile natale, ressuscite la tradition des bracelets en émail. Enfin, François Hugo, l'arrière-petit-fils du poète, est également mis à contribution : déjà directeur technique de l'usine Chanel de jersey (à Asnières), il lui est demandé aussi de dessiner des broches, des clips, toutes sortes de parures de fantaisie d'après les indications de Gabrielle. « Les bijoux de bijoutiers m'ennuyaient », expliquera-t-elle. Elle continue à créer des bijoux à sa façon pendant les années cinquante et soixante, s'adressant pour leur fabrication à d'excellents professionnels comme Gripoix ou Goossens.

Des ouvrages récemment parus illustrent l'abondance et la variété des créations chaneliennes dans ce domaine, ainsi que la diversité de leurs sources d'inspiration : art français médiéval ou Renaissance italienne, art byzantin, art russe, art hindou[1]. Mais elle montre une dilection particulière pour les croix, et notamment les croix orthodoxes garnies de pierres multicolores.

L'intérêt très vif que toute sa vie Gabrielle portera aux bijoux et surtout aux bijoux de fantaisie dont elle lance la mode s'explique : il s'agit pour elle d'animer la stricte rigueur de ses tenues, la relative austérité de ses créations. Elle parvient ainsi à un équilibre qu'elle juge nécessaire entre le fonctionnel et l'ornemental.

On est en droit de se demander ce qui peut bien, en 1932, pousser Gabrielle à s'occuper si activement de cette haute joaillerie pour laquelle elle manifestait jusque-là un intérêt aussi limité. Le problème n'est pas simple. D'abord, une constatation : en matière de bijoux comme de vêtements, elle ne conseille que ce qu'elle aime porter elle-même. Quels sont donc ses goûts ? Elle possède personnellement une quantité considérable de bijoux de grande valeur que lui ont offert notamment le grand duc Dimitri et le duc de Westminster, sans compter

1. Patrick Mauriès, *Les Bijoux de Chanel*, Thames and Hudson, 1993, et François Baudot, *Chanel, joaillerie*, Éditions Assouline, 1998.

ceux qu'elle s'est elle-même achetés – et Dieu sait si elle en a les moyens. Ne souffrant d'aucune frustration sous ce rapport, elle n'attache que peu d'importance à leur valeur marchande. D'autre part, assez timide au fond, malgré les apparences, elle n'ose guère arborer des bijoux de grand prix qui ne peuvent qu'attirer l'attention sur elle et susciter des réflexions pas toujours favorables. Elle préfère donc les bijoux fantaisie qui ne présentent pas cet inconvénient, quitte plus tard à y faire mêler vraies et fausses pierres, ou à en porter d'authentiques mais si grosses que personne ne parvient à croire qu'elles le sont, d'autant plus qu'elle les déclare fausses.

Par ailleurs, les « bijoux de bijoutiers » comme Coco les appelle, l'« ennuient », confie-t-elle, par la monotonie de leurs formes et de leurs thèmes. Ils ne remplissent donc pas suffisamment le rôle décoratif qu'elle leur assigne.

Si, malgré tout, elle organise cette exposition de diamants, c'est semble-t-il parce qu'un homme l'y a poussée, un homme qui n'a sur la question ni les mêmes idées, ni les mêmes intérêts, d'ailleurs. C'est le styliste Paul Iribe qui va dessiner ces bijoux et concevoir avec une grande ingéniosité des joyaux transformables : par exemple, un collier qui peut en un tournemain se diviser en une broche à chapeau et trois bracelets. On n'avait jamais vu cela. Le succès de l'exposition est si grand que les actions de la société De Beers montent de vingt points dans les deux jours qui suivent l'ouverture. Et le nom de Chanel s'étale une fois encore dans la presse mondiale.

Consciente de sa volte-face, Gabrielle croit devoir se justifier dans la préface de son catalogue. Mais elle le fait avec trop d'ingéniosité pour convaincre vraiment. Qu'on en juge : « La raison qui m'avait amenée d'abord à imaginer des bijoux faux, écrit-elle, c'est que je les trouvais dépourvus d'arrogance dans une époque de faste trop facile. Cette considération s'efface dans une période de crise financière où, pour toutes choses, renaît un désir instinctif d'authenticité qui ramène à sa juste valeur une amusante pacotille. »

Assez vite, Gabrielle montrera qu'elle persiste à apprécier, pour orner ses créations les plus élégantes, cette « pacotille » qu'elle doit faire mine de mépriser pour la circonstance. Et tout le reste de sa vie, elle ne cessera de concevoir et de faire fabriquer de nouveaux bijoux issus de son inépuisable imagination...

Mais ce Paul Iribe, qui a persuadé Gabrielle d'écouter les propositions de l'Union des diamantaires, qui est-il au juste ? Il se trouve qu'il est né comme Gabrielle en 1883. Ce nom d'Iribe est le pseudonyme d'Iribarnegaray, un nom basque, comme l'est son père, journaliste au *Temps*. Ledit journaliste avait eu quelques démêlés avec la justice. Communard déterminé, il avait participé en 1871 à la démolition de la colonne Vendôme. On le recherche pour lui faire rembourser les dégâts qu'il a causés au monument... Il jugera plus prudent d'aller se faire oublier quelque temps à Madagascar. Son fils Paul, très attiré par les activités artistiques, suit les cours d'architecture des Beaux-Arts. À dix-sept ans, il parvient à faire publier ses dessins dans *L'Assiette au beurre*, le fameux hebdomadaire satirique. Il est aussi, à cet âge-là, le plus jeune architecte de l'Exposition de 1900. C'est un garçon très doué et d'un talent précoce, très ambitieux aussi puisque, à vingt-trois ans en 1906, il crée son propre journal illustré, *Le Témoin*, où, pendant quatre ans, il commente l'actualité avec beaucoup d'esprit dans ses caricatures au trait infailliblement juste, drôle et cruel. De plus, il sait recruter ses collaborateurs : son flair le pousse à publier les dessins d'un très jeune homme, qui signe Jim et dont il prédit qu'on entendra parler de lui : il ne se trompe pas. C'est un certain Jean Cocteau, avec lequel il noue bientôt d'amicales relations. Les deux jeunes gens fondent alors une ligue dont les membres s'engagent sous serment à détruire tous les bibelots ridicules qui déshonorent les salons de leurs hôtes[1]... promesses imprudentes : le seul résultat qu'ils obtiennent est de ne plus être invités nulle part. Alors ils renoncent... « Et voilà pourquoi, dit Paul Iribe, il y a encore tant d'affreux bibelots chez des gens très bien. »

Les autres collaborateurs que choisit le directeur du *Témoin* sont, entre autres, Juan Gris, Marcel Duchamp et... Sacha Guitry ; là encore, il montre qu'il sait s'entourer.

Les brillantes qualités d'Iribe attirent sur lui l'attention du couturier Paul Poiret, qui l'embauche pour lancer ses créations : en 1908, paraît un album de compositions au pochoir intitulé *Les Robes de Paul Poiret racontées par Paul Iribe*, livre charmant où l'artiste reproduit avec beaucoup d'élégance et de finesse les modèles qu'on lui désigne. Le volume est adressé aux femmes les plus en vue du Tout-Paris et aussi à l'ensemble des souverains des cours européennes. Tous apprécient les dessins à la plume de l'auteur, ses lavis d'encre de Chine, la finesse de ses vignettes. Seule la cour d'Angleterre renvoie le livre – à cause des quelques dessins un peu lestes qu'il comporte – et prie l'éditeur de ne plus lui envoyer « ce genre d'ouvrages »... En tout cas, dès cette époque, Apollinaire peut affirmer, sans qu'on songe à le contredire : « Iribe règne sur la caricature par l'esprit et sur la mode par la grâce. »

Paul Iribe dessine en outre la griffe des vêtements de Poiret et la rose stylisée qui accompagne son nom. Là ne s'arrête pas son travail car son goût du

---

1. L'idée a été reprise de nos jours, mais sous des formes différentes, par les associations d'ennemis des nains de jardins.

luxe le contraint à chercher toutes les occasions de satisfaire ses besoins d'argent. Il invente des slogans pour l'apéritif Dubonnet : « *Du Bo... du bon, Dubonnet...* » ou pour le détachant Colas qui « enlève même les taches du léopard... » Il crée l'emblème de la maison Lanvin et son fameux flacon en forme de sphère noire. En 1911, il épouse l'actrice Jeanne Dirys – chapeautée par Chanel –, dessine les robes qu'elle devra porter sur la scène du vaudeville, ou encore des bijoux pour l'orfèvre Linzeler. Il crée sans relâche dans tous les domaines artistiques, à la demande de riches clients, comme le couturier Jacques Doucet, Robert de Rothschild ou le romancier Claude Farrère, dont il décore les appartements. Prolongement logique de ces activités, il ouvre, rue du Faubourg-Saint-Honoré, une élégante boutique de décoration au fronton blanc et or. Il conçoit des bijoux de cristal pour Lalique, des tissus brochés par les soyeux lyonnais, promeut de nouvelles matières comme l'ébène de Macassar et exploite toutes les ressources du galuchat. Il expose des meubles baroques d'un style original. Une grande partie de l'art décoratif moderne sort ainsi de ce petit magasin. C'est déjà ce que l'on appelle le design. Durant la guerre, à laquelle, réformé pour diabète, il ne peut participer, il fonde en 1914 avec Jean Cocteau, un journal illustré, *Le Mot*, qui vilipende l'ennemi allemand, le Konprinz et le Kaiser sans toutefois verser dans le chauvinisme où tombent la plupart des périodiques de l'époque.

Il pressent que son talent de styliste, d'inventeur de nouvelles formes et de concepts inédits, sa modernité en somme, seront bien accueillis outre-Atlantique. Il y part en 1919. Entre-temps, il s'est séparé de son épouse Jeanne. À New York, il ouvre un nouveau magasin sur la 5e Avenue, puis à Los Angeles, la même année, il se remarie avec une riche et séduisante héritière américaine, Maybelle Hogan, avec laquelle il vivra à Hollywood dans l'opulence. Il devient conseiller artistique (*art director*) auprès de Cecil B. De Mille. L'habit de perles qu'il dessine pour Gloria Swanson dans *Male and Female* suffit à le lancer, si bien qu'il collabore avec le réalisateur pour une douzaine de tournages, dont celui des célèbres *Dix Commandements* dont il assure seul la décoration. Tâche gigantesque. Mais il ne doute de rien. C'est sa force et sa faiblesse. Il reconstitue alors une Égypte à sa façon, très « Art-Déco », tout en laques et en dorures. Le film sera un triomphe mondial. Du coup, pris de passion pour le cinéma, il obtient de réaliser lui-même trois films (des comédies, comme *Changing husbands*), mais ils sont peu appréciés... la cote d'Iribe, dans les milieux hollywoodiens, descend alors d'une manière inquiétante. En 1926, on lui confie malgré tout la décoration de *Roi des rois* : tout est méticuleusement préparé. On ne tolère pas l'amateurisme, là-bas. Le Christ, ou plus exactement Harry Warner, l'acteur qui interprétera son rôle, a dû s'engager par contrat à n'être jamais vu une cigarette à la bouche ou à s'exhiber dans les boîtes de nuit. Imaginons un instant le public découvrant dans la presse une photo de Jésus, mégot à la lèvre, s'agitant sur une piste de danse. Mais à Hollywood, on envisage toutes les éventualités. Aussi, lorsque De Mille s'aperçoit, la veille du jour où l'on doit tourner la scène du Golgotha, qu'Iribe n'a même pas prévu par quelle technique on ferait tenir Harry sur la croix et saigner ses mains, il s'étrangle de rage. Faudra-t-il, en plein tournage, improviser des solutions, pendant que comédiens, figurants, machinistes et lui-même, le metteur en scène, attendront patiemment que le *Frenchie* ait résolu le problème ? Une violente dispute éclate alors entre les deux hommes. Iribe est aussitôt licencié... *fired*, comme on dit plus brutalement en anglais. Au reste, il ne sera pas regretté. En tant qu'homme, il était peu apprécié par les personnes avec lesquelles il travaillait, et notamment par Mitchell Leisen, l'excellent chef costumier, qui avait dû démissionner tant ses rapports avec Iribe avaient été difficiles, allant jusqu'aux cris et même au pugilat... Cette fois, c'est Leisen qui, rentré en grâce, va remplacer Paul Iribe.

Quelques semaines plus tard, on retrouve ce dernier à New York, au *pier* réservé à la Compagnie générale transatlantique, accompagné de Maybelle et du petit Pablo, leur fils. À bord du paquebot *Paris* qui s'éloigne lentement du quai, tiré par de gros remorqueurs, Iribe jette un dernier regard sur les gratte-ciel de Manhattan. Il a décidé de quitter sans espoir de retour cette Amérique qui lui a successivement fait connaître le triomphe et l'échec... Mais il en faudrait davantage pour démoraliser cet homme aussi énergique qu'ambitieux. Évidemment, en France, il ne retrouve pas vraiment la situation qui était la sienne avant-guerre, mais il collabore à *Vogue*. Il invente un personnage, celui d'Annabelle, charmante jeune femme à laquelle il est censé donner de précieux conseils vestimentaires. À son retour, il s'installe à Nice, où il mène grand train ; outre sa rutilante torpedo Voisin, il a un yacht, *La Belle de mai*, et s'achète un mas à Saint-Tropez. Pour subvenir à ses besoins, il met son talent au service de Peugeot, de Citroën, des vins Nicolas, du joaillier Mauboussin, de plusieurs marques de champagne, de grandes compagnies de navigation... Son efficacité est unanimement reconnue. Avec lui, on passe de la vieille réclame à la publicité moderne.

Naturellement, on fait de nouveau appel à lui pour la décoration d'hôtels particuliers, mais aussi d'importants magasins comme celui de Ford-France. Il revient alors à Paris.

C'est vers 1930 que commence sa liaison avec Gabrielle. Ils se connaissaient déjà sans doute, car ils avaient plusieurs amis communs, par exemple Cocteau, on l'a vu, mais aussi Misia Sert quand il était infirmier bénévole et conduisait vers le front la grosse Mercedes pendant les premières semaines de la guerre de 1914. Il s'agissait alors de ramener les blessés dans les hôpitaux parisiens.

En 1931, Iribe est un homme assez corpulent, élégamment vêtu, à l'abondante chevelure ondée, l'œil vif et intelligent derrière ses lunettes cerclées d'or. Très brillant, plein d'idées nouvelles, son esprit mordant et ironique transparaît dans son regard. Au XVIIe siècle, il eût fait un très beau spécimen d'abbé de cour, ambitieux et remuant.

Or, à cette époque, Gabrielle est très seule. Sa liaison avec le duc de Westminster est terminée et Pierre Reverdy est trop torturé par ses problèmes, trop hésitant. Impossible de compter sur lui... Il est temps qu'un nouvel amant vienne combler un vide affectif qu'elle supporte de plus en plus difficilement. Iribe, de son côté, s'entend de plus en plus mal avec Maybelle qui, après des années de patience, ne peut décidément plus supporter ses infidélités, tout en l'aimant encore. Mais pour Iribe, Gabrielle au faîte de sa gloire, encore très belle et immensément riche, n'est pas à dédaigner... La conquérir ne sera pas trop difficile pour lui. Il le sent. Il connaît ses points faibles, devine sa solitude sous ses triomphes. Séduire les femmes, c'est une de ses spécialités. Il y fait preuve d'autant d'aisance et de rapidité que pour dessiner un visage, croquer une silhouette ou composer la légende d'une de ses caricatures. Faire de Coco sa maîtresse ? Il n'a rien à y perdre et tout à y gagner. Et ce ne sont pas les scrupules qui l'étouffent. Dès le début de sa carrière, à vingt-cinq ans, il semble bien qu'il était le gigolo d'une certaine Mme L***. À Paul Poiret qui lui demande où il peut le joindre, il répond qu'il n'a pas d'adresse fixe, mais prend tous les matins son petit déjeuner chez ladite dame qui est, comme par hasard, richissime et nettement plus âgée que lui. Parfois, si l'une de ses amies possède un collier de perles particulièrement précieux, il se le fait confier sous le prétexte qu'il est démodé ou trop ostentatoire et remplace petit à petit les vraies perles par des boules d'onyx, matière beaucoup moins coûteuse, sans restituer les perles. Mais ce ne sont que broutilles à côté de l'absence de scrupules avec laquelle ce prestidigitateur sait croquer le patrimoine de ses deux épouses... C'est d'ailleurs pour mettre un terme à ces pratiques que Maybelle, sous la pression de sa famille, se décidera à demander le divorce avant d'être complètement ruinée...

Ce que Gabrielle peut juger malgré tout intéressant chez Iribe, c'est sa totale familiarité avec le monde des arts – ce qu'elle n'avait trouvé ni chez Dimitri, ni chez Westminster, ni même chez Reverdy. Voilà un homme compétent avec lequel elle peut parler de ce qui l'intéresse. Ajoutez à cela ce je ne sais quoi d'inanalysable qui s'appelle le charme.

Comme il est encore marié et qu'il préfère que sa femme ignore tout, Gabrielle prend l'initiative d'acheter un refuge secret non loin de Paris. Ce sera La Gerbière, propriété située sur les coteaux qui dominent Montfort-l'Amaury et cernée d'arbres magnifiques. Elle appartient à Maurice Goudeket, le mari de Colette. Comme le couple se trouve alors dans une très mauvaise situation financière et le « lardoir dans les fesses », pour reprendre l'expression de Colette, l'achat sera bientôt conclu – au cours de l'hiver 1931.

Est-ce également pour y abriter ses amours avec Iribe que Gabrielle acquiert en cette même année, près de Lisieux, le château du Mesnil-Guillaume, avec ses trois cent cinquante hectares de terre ? Le magazine *Vogue* dans l'un de ses numéros de 1931, évoque ainsi, photos à l'appui, cette superbe demeure Louis XIII, avec ses tours de brique et de pierre : « Seul, aux abords de la route qui court au travers de la fraîche vallée normande, le clair tracé des barrières blanches vous révèle que là-bas, au-delà des prairies et des verdoyants bosquets, le château du Mesnil-Guillaume, qui appartient à Mlle Chanel reflète dans le calme miroir de ses douves les profils harmonieux de ses tours rouges et blanches, délicieusement solitaire ainsi qu'un château de conte de fées. »

Malgré les beautés de cette résidence qu'elle a fait entièrement aménager, Gabrielle n'y viendra qu'assez peu. Faut-il la croire lorsqu'elle dit : « Je me suis toujours enfuie de ces propriétés. Celle-là, c'est parce qu'on avait mis le chauffage central et enlevé les cheminées[1]. » Ne s'agissait-il pas plutôt d'un irrésistible nomadisme, étrangement semblable à celui qui poussait son père sur toutes les routes de France ? Coïncidence ou hérédité ?

On notera au passage que ce château n'est pas le premier qu'elle a acquis. En 1926, elle avait acheté le domaine de Château-Peyros situé dans les Pyrénées-Atlantiques à Corbères-Abères près de Pau, pour son neveu André Palasse alors âgé de vingt-deux ans[2]. Outre le château du XVIIIe siècle comportant seize pièces principales, le domaine possède un vignoble réputé produisant du vin de Madiran. Contrairement à ce qui s'est passé pour le château du Mesnil-Guillaume, Gabrielle y fait de fréquents séjours. Elle y a reçu parfois le duc de Westminster et souvent Robert Bresson, le beau-frère d'André Palasse. Et c'est là qu'elle se réfugiera pendant l'exode, y séjournant quelques semaines avant de regagner Paris par Vichy. Après son divorce d'avec

---

1. Claude Baillen, *Chanel solitaire*, Gallimard, 1971.
2. C'est Étienne Balsan qui, lui-même propriétaire d'un château voisin, celui de Doumy, avait négocié cette transaction.

sa première femme en 1946, son neveu vendra la propriété.

On se souvient que Gabrielle avait beaucoup hésité avant de répondre favorablement aux propositions de Sam Goldwyn. Il semble bien que ce soit Iribe qui l'ait poussée à le faire. Sans doute lui-même avait-il échoué aux États-Unis, mais ce n'avait été que par sa faute, par accident, disait-il, à cause d'une stupide négligence de sa part. Il n'empêche que pendant sept ou huit ans, il y avait royalement vécu. Et il aurait eu bien mauvaise grâce à se plaindre de ce cinéma qui lui avait permis de montrer toutes les faces de son talent. Selon lui, Gabrielle, qui possédait des atouts bien supérieurs aux siens, et dont le génie de la couture était universellement réputé, avait tout avantage à accepter les offres du producteur. Et puis, lui qui n'oubliait jamais ses propres intérêts, pensait qu'il aurait peut-être quelque chose à y gagner. Au cas où le projet de Goldwyn se révélerait chimérique, Gabrielle n'y perdrait rien, au contraire puisqu'elle garderait son million de dollars. Mais au cas où il aboutirait, ne serait-ce pas pour lui l'occasion d'un fructueux retour à Hollywood, d'une revanche, en somme. Dans le sillage de Chanel, tous les espoirs lui étaient permis.

De même, en ce qui concerne l'exposition des diamants, on a vu le rôle capital joué par Paul Iribe, qui paraît bien avoir largement modifié les idées de Chanel sur les bijoux... Dans ces deux cas, il est évident qu'il était parvenu à exercer une influence considérable sur une femme dont le moins qu'on puisse dire est qu'elle n'était guère malléable. Tous ses amis pouvaient en témoigner. Quoi qu'elle ait pu en dire par la suite, elle aime alors Iribe. Elle en fournira maintes preuves.

Ainsi lui confie-t-elle la défense de ses intérêts dans la Société des parfums par un pouvoir en date du 12 septembre 1933. Belle preuve de confiance de sa part... Surtout à une époque où entre elle et Pierre Wertheimer avec lequel elle était associée, commençait à se dérouler une série de procès, une sorte de guérilla plutôt, avec ses crises et ses réconciliations et qui allait se prolonger bien au-delà de la Seconde Guerre mondiale. Quand la Société des parfums met en vente une *Cleansing cream*, Gabrielle réagit aussitôt et dépêche un huissier. Elle a cédé son nom pour les produits de parfumerie mais pas pour les produits de beauté. D'un autre côté, le contrat comporte la formule : « Tous produits de parfumerie, fards, savons, etc. » Comme le produit mis sur le marché est une sorte de savon démaquillant permettant précisément d'ôter le fard, Gabrielle est manifestement dans son tort. Elle perd donc ce premier procès. Mais pour les suivants, elle s'adresse à un jeune avocat international, le comte René de Chambrun, le futur gendre de Pierre Laval. Et elle lui donnera de la besogne... Pour sa part, il essaiera le plus souvent possible de trouver un terrain d'entente entre les deux parties, plutôt que d'en venir à des procès qui, finalement, n'arrangent personne.

Gabrielle, d'ailleurs, aura bientôt d'autres occasions de montrer son attachement à Iribe. Comme la réputation du styliste est quelque peu en déclin, elle comprend à quel point la reparution du *Témoin*, le magazine qu'il avait fondé vingt-cinq ans auparavant, pourrait lui apporter de réconfort. Grâce à ses capitaux, grâce aux Éditions Chanel spécialement fondées pour la circonstance, le *Témoin* est à nouveau dans les kiosques, à partir de décembre 1933. Paul Iribe en est le directeur ainsi que l'auteur de la plupart des illustrations. De plus, il y rédige les éditoriaux. Son talent satirique ne s'est pas amoindri, mais il le met cette fois au service d'un nationalisme passionné qui contraste avec cette sorte d'anarchisme sceptique qu'il professait dans sa jeunesse. Son séjour de huit ans aux États-Unis lui a révélé à quel point il était attaché à son pays natal. Mais cet attachement s'est mué en obsession, et il imagine la France sous l'aspect d'une belle Marianne à bonnet phrygien, sans cesse assiégée et persécutée par les étrangers – ou par ses compatriotes. Certains de ses dessins la représentent prostrée, émouvante et digne aux pieds d'un inquiétant tribunal dont les membres ne sont autres que Mussolini, Roosevelt, Hitler et Ramsay Macdonald, le Premier ministre de Grande-Bretagne. Plus loin, voici Daladier jetant des pelletées de terre sur son corps gisant au fond d'un trou. Et c'est intitulé *Le Fossoyeur*...

Iribe n'a pas hésité, est-ce pour que nul n'ignore ses liens avec Chanel, à donner ses traits à sa Marianne. Et lorsqu'elle est allongée, nue, dans la fosse, c'est également son corps qu'il a dessiné d'un trait sûr, un corps mince aux seins légers, quelque peu androgyne.

Débordant d'activité, Iribe devient aussi le directeur d'une publication du constructeur Ford : *La Revue des sports et du monde*. L'adresse de la direction est, comme par hasard, le 27 rue Cambon. Coco publie dans les deux revues des articles où s'exposent des idées fort proches de celles du styliste, notamment sur la défense des industries de luxe et des métiers d'art.

Comme elle le confiera plus tard à Paul Morand[1], Iribe est l'être le plus compliqué qu'elle ait connu... Et le plus surprenant. Renversant les rôles, il reproche à sa compagne de ne pas être simple.

— Je ne comprends pas, lui dit-il un jour, faisant allusion à l'hôtel de la rue Saint-Honoré, vous avez

---

1. *L'Allure de Chanel, op. cit.*

268

besoin de tant de pièces ? Que signifient tous ces objets ? Votre mode de vie vous ruine. Quel coulage ! À quoi servent tous ces domestiques ? On mange trop bien chez vous, je vivrais peut-être près de vous si vous saviez vous contenter de rien. Je déteste les gens inutiles, les dépenses somptuaires et les êtres compliqués.

Et il faut vraiment qu'elle l'aime car, au printemps de 1934, elle renonce à l'hôtel où elle vivait si agréablement. Elle licencie ses domestiques, même Joseph qui la servait depuis seize ans, et ne garde que sa femme de chambre. Elle trouve, très près de la rue Cambon, une petite pension de famille où elle loue deux pièces. Son seul luxe : comme ce modeste logement ne comporte pas de salle de bains, elle en fait aménager une. Elle vient s'installer avec ses livres favoris, un seul Coromandel, deux chauffeuses et quelques beaux tapis.

— Je vis en pension, lui dit-elle, c'est très commode, je suis à deux pas de chez moi, je vais commencer à mener la fameuse vie simple.

— Cela vous amuse, fait-il, de jouer à la midinette ?

Gabrielle, stupéfaite, lui répond qu'elle n'a fait que suivre ses conseils, qu'elle s'attendait qu'il louât quelque modeste chambre puisqu'il aimait tant la vie simple. Il en est loin :

— Vous jouez à quoi, lui dit-il, rouge de colère. Comptez-vous rester là longtemps ?

— Vous vouliez que je quitte les lambris, le marbre et le fer forgé, réplique-t-elle, sur un ton ironique qui l'irrite encore davantage : voici ma chambre. La concierge fait sa cuisine dans l'escalier. On heurte du pied les boîtes à lait vides. N'est-ce pas la vie que vous désirez me voir mener et que vous-même souhaitez mener ?

— Croyez-vous que j'ai coutume d'habiter de tels taudis ? fait-il avec dégoût.

Et sans aucune hésitation, il va s'installer, non loin de là... au Ritz.

Avec un tel personnage, l'existence n'est guère facile. D'autant plus que, de son côté, Gabrielle, aussi amoureuse soit-elle, n'est pas femme à tout accepter. C'est pourquoi leurs rapports sont passionnels, épuisants. En outre, Iribe est pour la jalousie, selon Coco, « un vrai Espagnol ». Le passé de sa maîtresse le torture. Tout ce passé qu'elle a vécu sans lui, il exige qu'elle le lui fasse revivre, détail après détail, même s'il en souffre, et justement parce qu'il en souffre et qu'il en éprouve un plaisir pervers...

Incontestablement, il la domine. Elle en rougira, plus tard. Elle ne lui pardonnera jamais de lui avoir montré sa faiblesse...

Le séjour de Gabrielle dans sa pension de famille ne dure pas : en quittant le Faubourg-Saint-Honoré, elle avait loué au Ritz, pour y installer ses meubles, une vaste suite donnant sur la place Vendôme. C'est là qu'elle va résider à présent. De ses fenêtres, elle peut contempler cette colonne Vendôme que le père d'Iribe a fait abattre cinquante ans auparavant. Comme le Ritz, à cette époque, dispose d'une sortie sur la rue Cambon, cette solution est extrêmement pratique pour elle. L'appartement qu'elle a choisi dans ce palace est fort élégamment meublé, mais elle préfère l'aménager à sa façon et y installer entre autres meubles quelques-uns de ses paravents de laque.

Cependant, elle éprouve le besoin d'avoir une sorte d'appartement de fonction, situé sur les lieux mêmes de son travail. Non point d'ailleurs pour y dormir, mais pour y disposer d'un bureau et y recevoir à déjeuner ou à dîner, sans perte de temps. Elle va, dans ce dessein, occuper la quasi-totalité du deuxième étage du 31 de la rue Cambon, sur laquelle donnent les six grandes fenêtres de cet immeuble du XVIIIe siècle.

L'appartement[1] qu'elle décore elle-même, en 1935 et 1936, s'ouvre sur une antichambre surprenante : deux maures vénitiens de l'époque Renaissance en bois sculpté et de grandeur nature y accueillent le visiteur qu'ils semblent guider vers le salon. Dans cette entrée, on découvre une grande et belle bergère du XVIIIe siècle, recouverte de satin blanc et dans une sorte d'alcôve, une table chinoise de couleur bordeaux. Mais ce qui frappe surtout, ce sont des paravents en laque de Coromandel du XVIIIe siècle aussi, qu'illuminent somptueusement des girandoles de cristal. On en retrouve de semblables dans le salon, flanquant un canapé recouvert de daim et d'une étonnante largeur. C'est là qu'elle aime se reposer et très nombreuses sont les photos l'y représentant. À côté d'elle des coussins qui, surpiqués, ont acquis cet aspect matelassé que revêtent les sacs Chanel, et qui passe pour s'inspirer de la doublure des vestes de lads... Devant le sofa, une table chinoise, basse, où elle a installé ses objets favoris : des boîtes à bijoux offertes par Bendor, dont l'extérieur est en vermeil et l'intérieur en or. Fidèle à sa philosophie, Gabrielle consacre plus de soin à ce que l'on ne voit pas. Elle possède beaucoup d'autres objets fétiches : deux boules de cristal, un jeu de tarots... Serait-elle superstitieuse ? On observe, ici et là, une véritable ménagerie : un crapaud de cristal – qui est un porte-bonheur chinois –, un chameau, deux chevaux sellés... Pour en terminer avec les animaux, il y a encore un cerf et une biche de bronze patiné, d'assez grande taille, et puis un peu partout, des lions – puisque Gabrielle est née en août. Ses invités ont droit à des fauteuils Louis XV larges et bas. Une savonnerie de même époque recouvre le parquet. Un

---

1. Cet appartement, photographié plus tard par Doisneau, a été pieusement conservé avec ses meubles et sa décoration.

masque égyptien, un bouddha, l'icône offerte par Stravinski, la statue grecque qui ornait l'hôtel de la rue du Faubourg-Saint-Honoré, placée sur la cheminée, au pied de laquelle reposent les chenets du sculpteur Lipschitz, tout cela vient accentuer le caractère composite de cette décoration qui mêle savamment les pays comme les époques. « Ce qui compte, c'est que les éléments soient beaux », dit-elle. Modestie excessive car encore faut-il être capable de les associer harmonieusement, et cela, elle le fait avec un goût très sûr sans jamais tomber dans le bric-à-brac...

Curieusement, les tableaux sont quasi absents : un épi de blé, par Dali, un dessin de Fautrier, et c'est tout. Gabrielle aime la peinture et les peintres, elle l'a suffisamment prouvé, mais elle n'a pas le tempérament collectionneur : posséder les œuvres ne l'intéresse pas. Mais quand on s'en étonne, elle s'en tire par une boutade :

— J'ai trop mauvaise vue, réplique-t-elle, alors si chaque fois, il faut que j'aille chercher mes lunettes...

En revanche, cette considération n'entre plus en jeu lorsqu'il s'agit de lecture. Des centaines de livres, tous reliés, tapissent les parois du salon. Certes, il y a là les livres offerts par les amis, ceux de Reverdy par exemple, ou de Cocteau... mais aussi nombre de classiques, parmi lesquels Plutarque, Pascal, Shakespeare, *La Légende dorée*, les œuvres complètes de Saint-Simon, Théophile Gautier, Musset, Hugo... et tout à l'avenant. Mais elle achète des livres « pour les lire », dit-elle; et non pour donner une certaine image d'elle-même. Ce sont ses « meilleurs amis », pour reprendre son expression. La lecture lui est un refuge. Toute jeune, on se souvient comme elle dévorait les romans dans le grenier de Varennes ! Depuis ce temps-là, les écrivains et les artistes qu'elle fréquente lui ont donné d'autres curiosités, Cocteau, entre autres, mais surtout Reverdy. Et, consciente du caractère relativement sommaire de l'instruction qu'elle a reçue, tant à Moulins qu'à Obazine, elle n'en est que plus avide de lecture.

Si toutes les pièces de l'appartement sont éclairées par des lustres de cristal, comme celui du bureau dessiné par Iribe, il existe partout, pour atténuer la brutalité de cet éclairage plafonnier, des lampes à pied qui diffusent une lumière plus douce. Ajoutons les nombreux miroirs et glaces qui, multipliant les effets produits par les éléments du décor, font entrer le visiteur dans un monde féerique.

La salle à manger où se dresse une table Louis XIII est ornée d'un paravent à douze feuilles, qui sert de fond à un précieux cabinet de laque du XVIIe siècle. Les nombreux tiroirs sont illustrés de scènes mythologiques. Sur un autre mur, une cheminée ornée d'une glace et d'un buste est flanquée de deux cariatides en bois doré reposant sur leur socle. Chacune d'entre elles soutient un plateau de laque noire sur lequel s'élève une girandole.

La troisième grande pièce est le bureau de Mademoiselle. Toutes les parois sont revêtues de feuilles de paravents qui y sont plaquées comme des boiseries. Gabrielle, dont on connaît le tempérament iconoclaste, n'a pas hésité à y faire découper une porte...

L'appartement comporte aussi une salle de bains et une cuisine car la couturière entend bien prendre la plupart de ses repas rue Cambon, où elle dispose d'un maître d'hôtel. À table, elle n'est jamais seule. Elle accueillera dans sa salle à manger ses amis mais aussi des membres de son personnel, premières, directeurs, mannequins... faveur insigne qu'il n'est pas question de refuser à celle qui est devenue le Louis XIV de la haute couture.

C'est dans ce décor qu'elle va, jusqu'au terme de son existence, passer une part importante de ses journées – sauf de 1944 à 1950. Le reste du temps, elle le consacre à travailler dans le « studio » du quatrième étage à la création de ses collections, ne regagnant le Ritz que tard dans la soirée pour y dormir et le quitter tard dans la matinée.

Il n'est pas impossible que Paul Iribe soit intervenu quelque peu dans la décoration de cet appartement, car ses relations avec Gabrielle se font de plus en plus étroites. Déjà, pendant l'été 1933 à Saint-Tropez, Colette qui y a acheté La Treille muscate, et y tient un petit magasin de produits de beauté, rencontrant Misia, se voit confier, en grand secret :

— Tu sais, elle l'épouse !

— Qui ?

— Iribe. Ma chère, ma chère, c'est une histoire inouïe. Coco aime pour la première fois de sa vie...

Sans doute faut-il tenir compte du tempérament exalté de Misia, mais il semble bien que Coco ait sérieusement envisagé d'épouser son amant... Il faudra attendre car, pour le moment, Paul n'est pas divorcé mais seulement « séparé » de sa femme qui est retournée aux États-Unis. En attendant, c'est à Là Pausa qu'ils aiment vivre ensemble. Iribe adore cette merveilleuse villa qui tient à la fois du monastère et du palais. Paul Morand, à la fin de l'été 1934, nous donne un aperçu de la vie qu'on y mène lorsqu'il écrit à Josette Day, la future interprète de *La Belle et la Bête* : « Hier soir, j'ai été dîner chez Chanel, très gentille avec une petite veste blanche de barman. Après la dernière bouchée, ils se sont mis à une belote, elle, Iribe, le directeur du budget français et Constant Say (Iribe qui a du diabète ne devrait pas fréquenter les sucriers). »

Est-ce un souvenir de l'enfance rurale de Coco ? La voici heureuse en pantalon, s'amusant à grimper très haut sur le vieil olivier qui pousse dans le patio. Physiquement, à quoi ressemble-t-elle en cette année 1934 où elle a de peu dépassé la cinquantaine ? Laissons

274

Colette évoquer ce qu'elle est alors : « Si chaque visage humain porte la ressemblance d'une bête à bec, à museau, à naseaux, à mufle, à trompe, à crinière, Mademoiselle Chanel est un petit taureau noir... de par l'énergie butée, la manière de faire face, d'écouter, par l'esprit de défense qui, parfois, lui barricade le visage, Chanel est un taureau noir. La touffe sombre, frisée, apanage des taurillons, retombe sur son front jusqu'à ses sourcils et danse à tout mouvement de sa tête. » Quant à ses yeux, ce sont « deux prunelles couleur de granit pailleté, couleur d'eau montagnarde au creux d'une roche ensoleillée[1] ».

Dans les années 1934-1935, Gabrielle passe souvent le dimanche avec Iribe chez la sœur et les nièces de celui-ci, à Barbizon, et plus d'une fois Jean Giraudoux se joint à eux. Iribe, tout en assumant la direction de ses magazines et ses travaux de décoration, continue à fabriquer des slogans publicitaires grassement payés : pour les Wagons-lits, c'est « Gagnez du temps en dormant... »

Pour sa part, Gabrielle, si elle sort peu, participe cependant à cette frénésie de fêtes qui s'est emparée de la haute société parisienne dans les années trente. Les bals, masqués ou costumés, sont nombreux, comme le « bal des valses » organisé en 1934 par le prince de Faucigny-Lucinge et le baron de Gunzbourg. Gabrielle s'y rend en compagnie de Fulco di Verdura. Mais il est dépassé en splendeur par le bal d'Étienne de Beaumont sur le thème du Grand Siècle. Serge Lifar y a adopté le costume du danseur Vestris et Coco, celui du *Bel indifférent*. En fait, si elle paraît à ces manifestations, c'est en grande partie pour des raisons professionnelles car nombre de ses clientes sollicitent ses conseils sur le choix d'un déguisement. Et elles lui confient le soin de créer le leur. Ainsi l'espace de quelques heures,

1. *Prisons et Paradis*, Ferenczi, 1932.

vivent-elles, comme par la baguette d'une fée, l'existence d'une autre femme... Mais elle, qui aime se coucher de bonne heure, doit à tout prix se montrer. Alors, consciencieuse, elle fait ce qu'il faut.

« La Pausa », 21 septembre 1935, 8 heures du matin. Gabrielle séjourne depuis quelques jours à Roquebrune. Une demi-heure plus tôt, Paul Iribe a débarqué du Train Bleu, à la gare de Monaco. C'est le dernier jour de l'été et jamais le temps n'a été aussi radieux. Iribe ne veut pas faire réveiller Coco dont il respecte le sommeil. Alors, il se dirige vers cet incomparable belvédère qu'est la terrasse de la propriété. De là il parcourt cet horizon illimité dont il n'a cessé de ressentir la fascination depuis qu'il vient à Roquebrune. À sa gauche, Menton, et, plus loin, l'Italie, avec les montagnes qui descendent graduellement jusqu'à la côte ; à sa droite, Monaco, et, au-delà, la proue du Cap-Ferrat, dissimulant la baie de Nice. Face à lui, toute l'étendue de la mer, lisse à cette heure comme un miroir. Un certain bleu teint l'horizon, un bleu compact, solide, qui tire sur le violet. Non loin du rivage, les voiles rouges de quelques tartanes...

Comme il ferait bon passer le reste de sa vie ici, aux côtés de Gabrielle – c'est ce qu'il lui dit lorsque, réveillée, elle surgit à ses côtés, le visage hâlé, en peignoir d'éponge blanc. Plus tard à la fin de la matinée, il bavarde à proximité du court de tennis, raquette à la main avec ses partenaires lorsque réapparaît Coco, venue rejoindre ses invités. Il fait un mouvement vers elle, lorsque soudain, une douleur fulgurante le saisit à la poitrine qu'elle broie comme un étau. Il porte les mains à son cœur et s'effondre sur le sol. On se précipite à son secours... Il est sans connaissance. On ne parvient pas à le ranimer. Il est mort quand une ambulance, venue le chercher, le dépose dans une clinique de Menton...

La souffrance de Gabrielle est atroce. D'autant plus atroce qu'elle est parfaitement muette. Cette fin si foudroyante d'un homme si vivant entre les vivants, si enthousiaste, si curieux d'esprit, si inventif surtout, a quelque chose d'absurde, absurde comme l'est le spectacle du défunt couché dans son cercueil tout en blanc, en costume de tennis.

L'horreur, elle l'a déjà connue une certaine nuit dramatique de décembre 1919 et la voici à nouveau, cette fois-ci en pleine lumière méditerranéenne dans la splendeur de l'été, le dernier moment où on aurait pu l'attendre. Quelle malédiction, à travers les hommes qu'elle aime, s'acharne sur elle ?

Elle reste prostrée sur une chaise, tête basse, sans bouger. Elle pleure les yeux secs. On ne peut lui tirer le moindre mot. Alors on fait ce qu'il faut. On téléphone à Misia, suprême recours. N'est-ce pas elle qui, déjà, voici quinze ans, après la mort de Boy, l'avait sauvée ? Elle et son mari José-Maria l'emmenant à Venise, l'avaient arrachée à son chagrin. Misia, aussitôt, accourt. Grâce à elle, on évite le pire... N'importe ! à nouveau voici Gabrielle tragiquement seule, plus seule que jamais...

9

Le commencement de la fin

Elle ne peut même plus pleurer... Que lui reste-t-il, à présent ? Bien des années plus tard, elle le confiera à Raymond Massaro, bottier de père en fils, un de ces professionnels des métiers d'art qu'elle aime, estime et respecte parce que dans ce domaine-là, les faux-semblants, le bluff, la triche, la négligence n'existent pas. Ayant appris que Massaro vient de perdre son père, elle le fait venir chez elle. Après lui avoir prodigué les consolations et souhaité dans sa vie « beaucoup d'amour », elle lui offre cet ultime conseil : « N'oubliez jamais ceci, Raymond : si un jour, vous êtes au fond du chagrin, si vous n'avez plus rien, ni personne... vous disposerez toujours d'un ami à la porte duquel vous pourrez frapper... le travail [1] ! »

Effectivement, après l'enterrement de Paul Iribe à Barbizon, elle se jette dans la besogne à corps perdu, comme on se noie... On est en octobre, c'est le moment de préparer les soixante-dix ou quatre-vingts modèles de la collection de printemps qui aura lieu, comme de coutume, en janvier. Et comme elle aime à le dire, « on est toujours en retard ». Imaginez Gabrielle dans le studio du quatrième

---

1. Entretien du 22 juillet 1999 avec M. Raymond Massaro, bottier, rue de la Paix, Paris.

étage du 31 rue Cambon, véritable laboratoire de ses créations, au milieu d'une vaste pièce aux parois molletonnées où le moindre son est comme étouffé. Çà et là, sur des rayonnages remplis de rouleaux de tissus, de longs cylindres de satin blanc, sur les chaises, des jerseys déployés, des mètres et des mètres de tulle, de mousseline, de faille. Sur l'une des parois, une grande glace à trois faces, et, plus loin, un fauteuil où éventuellement Mademoiselle pourrait s'asseoir, mais elle ne le fera pas car elle va probablement rester debout huit à neuf heures d'affilée...

À cette époque, nul mieux que son amie Colette n'a su montrer Coco agrippée à sa tâche... et au mannequin, à même lequel elle bâtit la robe qu'elle a conçue, puisque, on le sait, elle ne dessine jamais de maquette préalable : « Mademoiselle est occupée à sculpter un ange de six pieds. Un ange blond doré, impersonnel, séraphiquement beau (.....) L'ange, inachevé, chancelle parfois sous les deux bras créateurs, sévères pétrisseurs qui le pressent. Chanel travaille des dix doigts, de l'ongle, du tranchant de la main, de la paume, de l'épingle et des ciseaux, à même le vêtement. Parfois, elle tombe à genoux devant son œuvre et l'étreint, non pour le révérer mais pour assagir quelque expansion de tulle... Fougueuse humilité du corps devant sa besogne préférée ! Chanel est ainsi pareille, les reins tendus, les pieds repliés sous les cuisses, à la lavandière prosternée qui bat le linge, aux dures ménagères entraînées vingt fois le jour à des génuflexions de nonnes [1]. »

Autour d'elle, attentifs et déférents, on retrouve la première d'atelier, un ou deux tailleurs en blouse blanche, une manutentionnaire qui apporte les tissus, une aide qui, tout à l'heure, va présenter les plateaux

---

1. *Prisons et Paradis, op. cit.*

chargés de bijoux parmi lesquels Mademoiselle va choisir.

Gabrielle, portant autour du cou un long ruban de bolduc auquel est accrochée une paire de ciseaux, ne cesse de parler en travaillant, d'une voix contenue exprès... Elle parle, elle enseigne et reprend, dit Colette, « avec une sorte de patience exaspérée ». Je distingue, dit-elle, des mots réitérés, chantonnés comme des motifs musicaux essentiels : « J'ai horreur des petits machins... sur un tissu qui se défend tout seul... Appuyez ici, lâchez à partir de là... Non, n'étriquez pas... Je ne me lasserai pas de redire... »

On devine qu'il est préférable de ne pas la déranger dans ces moments-là. Si un visiteur curieux prétend le faire, elle s'élance vers l'entrée de l'escalier, jetant à l'intrus : « Non, ne montez pas si vite, ce n'est pas la peine puisque vous allez redescendre » et de lui désigner d'un index autoritaire le chemin de la sortie.

Le paradoxe de Chanel ? C'est une couturière qui ne sait pas coudre... ou plus exactement, si elle l'a su, et il l'a bien fallu, à Moulins notamment, elle l'a oublié depuis longtemps. Mais lorsqu'elle s'est lancée dans la mode, à Deauville et à Paris, en avait-elle vraiment besoin ? Car elle est partie d'une volonté de destruction : elle détestait les chapeaux, les vêtements de ses contemporaines. « J'ai été l'outil du Destin pour une opération de nettoyage nécessaire », dira-t-elle. Son instrument de travail était bien davantage ces ciseaux qui enlèvent que ces aiguilles qui cousent et ajoutent ces superfluités haïssables, ces *chichis*, comme elle dit. Elle leur règle leur compte à l'aide d'une formule saisissante : « Y a-t-il des *chichis* dans la ligne d'un avion ? observe-t-elle. Non, eh bien ! J'ai fait mes collections en pensant aux avions. »

On observera au passage à quel point la doctrine et la pratique de Chanel sont profondément classiques. Molière, Boileau ou La Bruyère, parlant du style, n'ont eux-mêmes d'autre idéal que la simplicité et la rigueur, d'autres ennemis que les complications de la préciosité. Gabrielle, dont l'instruction a été si sommaire a su, d'instinct, rejoindre les principes essentiels de l'esthétique du Grand Siècle – ce qui est loin d'être le cas de tous les autres couturiers.

C'est malheureusement à l'époque où Gabrielle tente de se réfugier dans son travail que les événements politiques et sociaux de 1936 viennent bouleverser ses plans. Sans doute comme la plupart de nos compatriotes, ne discerne-t-elle pas encore la gravité de la réoccupation de la rive gauche du Rhin par les troupes allemandes en mars 1936. Albert Sarraut, président du Conseil français, a beau dénoncer cette flagrante violation du traité de Versailles par le chancelier Hitler, et affirmer solennellement : « Nous ne laisserons pas Strasbourg sous le feu des canons allemands », en fait, cette menace n'est suivie d'aucun effet. C'est la première de toute une série de reculades qui, enhardissant le chef nazi, conduisent trois ans et demi plus tard à la Seconde Guerre mondiale.

Gabrielle, pour sa part, a affaire à des difficultés qui vont la concerner beaucoup plus rapidement et beaucoup plus directement. En mai 1936, aux élections législatives, c'est la victoire du Front populaire. Cent quarante-six socialistes et soixante-douze communistes entrent à la Chambre. Léon Blum, en juin, forme le nouveau gouvernement. Mais cette victoire, loin de calmer les esprits, les échauffe. L'octroi des congés payés, des quarante heures, des contrats collectifs, de toutes sortes de mesures qui, d'ailleurs, existaient déjà dans d'autres pays européens, conduit paradoxalement à la naissance de milliers de grèves dans tous les secteurs de l'activité économique, à l'occupation illégale des usines, à la désorganisation totale de la vie du pays...

La vague des conflits, prenant l'allure d'un raz de marée, ne tarde pas à atteindre la rue Cambon. Un calicot portant la mention « occupé » apparaît un beau matin sur la porte du 31. Et un jour de juin, un piquet de grève menaçant en interdit l'accès, non seulement à celles qui prétendent y travailler, mais à Gabrielle elle-même... alors que c'est sa maison, celle qu'elle a elle-même fondée grâce à un travail acharné. Elle ne comprend pas, elle n'admet pas. On imagine son état d'esprit, son désarroi et aussi sa colère contre ces filles auxquelles, dit-elle, elle a procuré un gagne-pain. Et les congés payés dont on lui rebat les oreilles, ne les a-t-elle pas déjà accordés depuis belle lurette ? En effet, celles de ses ouvrières qui le demandent, elle les envoie quinze jours chaque année, par roulement, dans tout une série de maisons qu'elle a louées à Mimizan, dans les Landes, au milieu des pins. Elles sont alors nourries, logées et payées, comme si elles travaillaient. Alors ! Que veulent-elles, ces ingrates ? (Ce « village de vacances » avant la lettre, Gabrielle devra bientôt le fermer sur la demande expresse du maire, les « Mimizanaises » étant venues se plaindre que les couturières de Coco débauchaient leurs maris.)

Les discussions qui s'engagent en juin 1936 entre Gabrielle et ses employées seront très dures. Excédée, et jouant le tout pour le tout, Coco offre la propriété de son entreprise à son personnel : elle en sera simplement la dirigeante salariée. Au fond, c'est surtout cela qui l'intéresse, diriger et créer. Mais les déléguées des ateliers refusent sa proposition. Finalement, les choses s'arrangent, chacun y mettant du sien et le travail finit par reprendre.

Aux soucis qu'ont causé à Gabrielle les grèves de 1936, sont venus s'en ajouter d'autres. Dans la haute couture, la concurrence est sans pitié et la supériorité de Chanel n'est plus incontestée. Plusieurs noms sont devenus presque aussi célèbres que le sien. Il y a d'abord Mainbocher : ce chanteur américain établi à Paris, puis devenu rédacteur en chef de *Vogue* français, a ouvert une maison de couture sept ans plus tôt, en 1929. Son succès a été immédiat, et il compte dans sa clientèle nombre de personnalités d'outre-Atlantique, parmi lesquelles Mme Wallis Simpson, la future duchesse de Windsor, dont il dessinera la robe de mariée. Il est célèbre aussi pour avoir en 1934 créé la première robe du soir à baleines, sans bretelles. Pendant des décennies, Mainbocher incarnera aux yeux de bien des riches Américaines l'élégance et le raffinement, ce qui n'est pas sans porter tort à Chanel sur son propre terrain.

Il y a aussi Germaine Krebs, la future Madame Grès, qui travaille d'abord pour la maison Alix et dont le talent est très vite connu dans les milieux théâtraux et cinématographiques. C'est elle qui, en 1935, crée les costumes de *La Guerre de Troie n'aura pas lieu* de Jean Giraudoux. Est-il besoin de mentionner aussi Madeleine Vionnet, un génie de la mode, la spécialiste du « biais », et sa façon si particulière de travailler ? Elle utilise – ce qui intrigue le public – une poupée de palissandre de 80 cm de haut, originairement destinée aux élèves des Beaux-Arts, sur laquelle elle essaie ses drapés et juge de leur « tombé » sur toutes les faces puisqu'elle peut la faire pivoter sur son socle. Le succès de Vionnet est considérable.

Mais la principale concurrente de Chanel est une Italienne, Elsa Schiaparelli. D'une origine sociale tout à fait opposée à celle de Coco, elle est née en 1890, à Rome, d'une famille d'aristocrates italiens. Elle a été élevée au Palais Corsini. Mariée au comte de Kerlor, on la voit à Paris, à Londres, à New York. Divorcée, elle se fixe à Paris où elle fréquente Picabia, Tristan Tzara et les dadaïstes. Pour vivre, elle dessine et fabrique des chandails et des jupes dans un petit atelier de la rue de Seine. De là, elle passe à un entresol de la rue de la Paix, où le succès aidant, elle crée bientôt des tenues de ville et de soirée. Elle s'installe alors, en 1935, 21 place Vendôme, très près de Gabrielle qu'elle prétend ouvertement supplanter : « Chanel est finie ! » proclame-t-elle, un peu trop hâtivement sans doute. Mais il est de fait qu'elle réussit à lui ravir une partie de sa clientèle... D'une créativité débordante, elle s'inspire largement de l'esthétique surréaliste, utilisant les talents d'artistes amis de Gabrielle, comme Bérard, Cocteau ou Dalí, ce qu'elle n'apprécie guère, on s'en doute... Schiaparelli, par ailleurs, détourne au profit de ses créations, des matériaux nouveaux comme le rhodophane (une sorte de plastique transparent) et imagine des configurations surprenantes : boutons en forme d'écrevisse, de caniche ou de cygne, poches dont l'ouverture est une bouche ou homard rampant sur les jupes, poches-tiroirs, chapeaux-chaussures. Toutes ces extravagances, assurément, amusent et même séduisent une partie du public, mais n'en tombent pas moins, parfois, dans le mauvais goût. Ainsi cette robe noire avec, plaquées sur les seins, deux mains de taffetas, ce qui provoque les sarcasmes de Coco.

En outre, Schiaparelli se lance, dès 1934, dans la création de parfums avec *Schiap*, et, en 1938, *Shocking*. Et comme elle attire exactement le même type de femme, c'est la guerre, une guerre d'autant plus implacable qu'elle est systématiquement attisée par la presse de mode, et que le public féminin suit avec passion les épisodes du combat...

Désormais, Coco ne consentira plus à prononcer le nom de sa rivale, ne la désignant désormais que par des périphrases telles que « l'Italienne qui fait des robes » ou « l'Italienne » tout court, comme si ne pas énoncer son patronyme pouvait conjurer le danger qu'elle représente pour elle...

L'équilibre moral de Gabrielle, que la mort soudaine d'Iribe a laissé dans un quasi-désespoir, est sauvé par une courte idylle avec Luchino Visconti. Celui-ci, né à Milan et âgé de trente ans, personnage des plus séduisants, descend en droite ligne de la fameuse famille gibeline. Venu à Paris, il rencontre Chanel qui fait sur lui une très forte impression : il est fasciné par ce mélange, si rare, écrira-t-il, de « beauté féminine, d'intelligence masculine et de fantastique énergie. » Cette aventure est brève – les goûts profonds de Visconti étant semblables à ceux de Cocteau –, mais elle se transforme en une très profonde amitié qui durera jusqu'à la mort de Gabrielle. Dans les deux ou trois ans qui succèdent à leur rencontre, ils font ensemble de nombreux voyages en Italie : à Milan, où Luchino présente Gabrielle à son père, lequel tombe aussi sous son charme... à Venise, à Rome et à Capri. Ajoutons que Chanel est pour beaucoup dans la naissance de la carrière cinématographique de Visconti : c'est elle qui, sûre de son talent, n'hésite pas à le recommander à Jean Renoir qui, sur ses instances, le choisit en 1936 comme assistant pour *Les Bas-fonds*, d'après Gorki et en 1937 pour *Une partie de campagne*, inspiré d'une nouvelle de Maupassant. On connaît la suite... Là encore, on ne peut qu'apprécier le flair artistique de Gabrielle dans un domaine qui est loin d'être le sien. C'est sans doute sensible à ces qualités que Renoir lui demandera de créer les costumes de *La Règle du jeu*, film qu'il tournera au printemps 1939, futur classique des cinémathèques, dans lequel on peut encore apprécier les élégantes tenues de Nora Grégor.

Ce ne sont pas là, durant cette période, les seules contributions de Gabrielle aux arts du spectacle. On a vu, à propos de Cocteau, qu'elle avait, en 1937, imaginé les étranges bandelettes qui ceinturaient et mettaient en valeur le corps de Jean Marais. Elle a, la même année, habillé ses *Chevaliers de la Table ronde*. Ce n'est pas tout : deux ans plus tard, en 1939, elle réalise cette fois les costumes d'un œuvre conçue par Salvador Dalí, *La Bacchanale*, qui sera jouée par les Ballets russes de Monte-Carlo.

Désireuse de manifester partout sa présence, et de ne pas céder sa place à la concurrence, Gabrielle sent qu'il lui faut absolument participer à l'Exposition universelle de 1937, celle qui voit la construction d'un nouveau Trocadéro, et où, le long de la Seine, se dressent face à face les gigantesques pavillons de l'Allemagne et de l'URSS, croix gammée contre faucille et marteau. L'inauguration a lieu le 24 mai, avec plus de trois semaines de retard au milieu des plâtras. Les visiteurs français et étrangers affluent, comme si l'Europe sentait obscurément qu'il s'agit peut-être de sa dernière fête. On a prévu naturellement des manifestations pour la haute couture. Elles auront lieu dans le pavillon de l'Élégance et un emplacement spécial a été créé pour les défilés des mannequins, le Club des oiseaux, avec sa terrasse. Les modèles de la rue Cambon y sont particulièrement applaudis. Christian Bérard nous a laissé de ces instants privilégiés des croquis de Gabrielle portant elle-même les robes de tulle créées dans ses ateliers. C'est là encore, une façon de faire face...

Si l'on met à part les vedettes du spectacle et de la chanson, Gabrielle est un des personnages les plus souvent photographiés de cette époque : ce n'est pas un hasard. Elle a toujours veillé à attirer la sympathie des plus grands professionnels : d'abord pour représenter ses créations dans la presse de mode... mais aussi pour se faire elle-même portraiturer, élément important de son succès auprès du public. Ainsi le balte Hoyningen-Huene, l'un des meilleurs photographes de mode, s'il reproduit ses modèles pour *Vogue* est aussi l'auteur de plusieurs portraits d'elle, dont le plus remarquable est sans doute celui de 1935 où elle apparaît en buste avec une collerette de dentelle blanche, analogue aux « fraises » de la Renaissance. Son visage est particulièrement beau. Les lignes en sont fermement dessinées. Et sous l'arc impérieux des longs sourcils noirs, brillent des yeux profonds et sombres qui semblent transpercer celui qu'ils observent. Superbe portrait aussi que celui de Horst, le visage et le buste encadrés par le dossier de la grande bergère qui meuble l'actuelle entrée de son appartement de la rue Cambon. Ceux aussi de sir Cecil Beaton, photographe officiel de Buckingham. Ainsi Coco, reine de la haute couture, dispose-t-elle d'une série d'artistes de cour, exactement comme les monarchies européennes possédaient leurs peintres attitrés...

À côté de ces portraits en buste ou en pied, d'autres photographes, comme Lipnitzky et surtout Roger Schall, sont les auteurs de clichés plus familiers : c'est Coco pendant un souper à Monte-Carlo, entre Salvador Dalí et Georges Auric, racontant quelque plaisante anecdote à ce dernier, ou déguisée en arbre au Bal de la Forêt, ou, toujours souriante, dînant avec Marie-Laure de Noailles et Stravinski, ou juchée très haut dans le vieil olivier du patio de La Pausa...

Gabrielle, cependant, sait bien qu'il ne suffit pas de s'entourer des grands seigneurs de la photographie et de participer aux manifestations mondaines... C'est la qualité de ses créations couturières qui doit lui permettre de l'emporter sur ses rivales.

Pour les tenues de jour, Chanel s'en tient à la simplicité et à la rigueur qui ont assuré jusque-là son succès. C'est dans ce style qu'elle conçoit ses petites robes d'après-midi, ainsi que ses tailleurs de tweed ou de jersey qui marient si heureusement l'élégance et le pratique. Elle en fait fabriquer les tissus dans son usine de bonneterie d'Asnières, fondée avec l'aide d'un Russe de grand talent, Iliazd Zdanovitch, qui en a dessiné les machines à tricoter.

Mais c'est dans les tenues du soir que Chanel sait le mieux manifester son inépuisable fécondité créatrice, tout en gardant la pureté des formes et la perfection du détail. « Soyez chenille le jour et papillon le soir, conseille-t-elle dans un de ses articles, rien n'est plus confortable qu'une chenille et il n'y a rien de plus fait pour l'amour qu'un papillon. Il faut des robes qui rampent et des robes qui volent. » Et si l'on passe en revue ses modèles de robes du soir des années 1936 à 1939, quel festival d'inventions ! Et voici le plus paradoxal : alors qu'elle a acquis sa célébrité en ridiculisant les modes de la Belle Époque, elle peut à présent se permettre de les remettre au goût du jour, mais comme elle seule peut le faire, avec une ironie légère et beaucoup d'esprit... Réapparaissent maintenant, à l'occasion de bals costumés, de superbes robes à épaules nues, des crinolines à taille étroite, des robes à tournures, des bras voilés... Les teintes sont surtout le noir, le bleu marine, le blanc, parfois le rose vif, le rouge ou le vert pâle. En dehors de ces circonstances, elle excelle à créer pour le soir de longues robes diaphanes, aériennes, en tulle, en mousseline, en dentelle, en crêpe. D'autres sont en taffetas, en faille, en soie brochée d'argent, en lamé or, tous tissus sur la combinaison desquels elle joue en virtuose, ne négligeant ni sequins, ni paillettes et variant sans cesse les formes, mais sans jamais tomber dans les extravagances schiaparelliennes. Naturellement, elle propose, assorties à ses tenues, des coiffures raffinées avec ruban, nœud de faille ou voile pailleté simplement posé sur les cheveux et orné d'un camélia, d'une rose, d'un gardénia ou un diadème de fleurs... Et avec tout cela, maints bijoux de fantaisie, boucles d'oreilles, broches, colliers et bracelets viennent ajouter la touche finale aux modèles présentés.

Pour le printemps et l'été 1939, les dernières saisons qui précèdent la guerre, on parle beaucoup des nouvelles créations de Chanel, des robes dites « gitanes » et des robes « tricolores » qui n'ont rien de patriotique sauf quelques discrètes touches de couleur n'évoquant que de très loin notre emblème national. En tout cas, Gabrielle montre qu'elle a su résister victorieusement aux assauts des couturières acharnées à lui ravir la première place, mais au prix de quels efforts !

Bientôt, ces petites guerres qui affectent les milieux de la mode vont paraître singulièrement futiles à côté des graves événements qui menacent l'Europe. Nombreux sont ceux qui préfèrent s'aveugler devant une réalité qu'ils veulent ignorer.

Déjà, en septembre 1938 la guerre avait été évitée de justesse par les accords de Munich. Mais l'été suivant, l'invasion de la Pologne par les troupes allemandes amène les Alliés à déclarer la guerre à l'Allemagne le 3 septembre. La mobilisation s'effectue dans un certain malaise : la France n'a pas, comme en 1914, été attaquée, et elle n'a plus de revanche à prendre. Ce sont deux puissantes motivations qui lui manquent. Alors on se résigne à aller au combat par raison... parce qu'il faut bien arrêter ce dictateur trop avide... Et puis il fait si beau ! Bien trop beau pour déserter les plages, que l'on quitte à regret pour revêtir l'uniforme kaki.

Dès les premiers jours de septembre, Gabrielle décide de fermer ses ateliers de couture. Elle ne garde ouverte que sa boutique de parfums et d'accessoires. C'est une décision qu'elle a prise du jour au lendemain. Elle licencie ainsi deux mille cinq cents ouvrières. On a dit qu'elle l'avait fait par rancune, pour se venger d'elles, qui, trois ans plus tôt, en juin 1936, avaient fait grève. C'est peu vraisemblable. « Ce n'était pas un temps à robes », expliquera-t-elle plus tard. J'avais l'impression qu'une époque se terminait et que jamais on ne referait de robes. » Sans doute s'était-elle comportée tout autrement en 1914, mais elle était jeune et pleine d'espoir à l'époque ; elle commençait à bâtir son entreprise, elle n'était pas femme à interrompre son élan. Et puis il y avait Boy en qui elle plaçait une entière confiance. Alors qu'elle voulait, dès août 1914, fermer sa boutique de Deauville, il lui avait fortement conseillé de ne pas le faire. Maintenant, au contraire, à cinquante-six ans, même si sa maison était en pleine prospérité, son avenir était derrière elle, et il n'y avait plus personne à ses côtés pour l'encourager à continuer. Et puis elle en avait assez de ces concurrentes qui la talonnaient, qui la harcelaient, de Madeleine Vionnet qui ne parlait d'elle qu'en disant « cette modiste », de l'Italienne qui ne cesse de la narguer et de cette nécessité de se montrer partout, alors qu'elle eût cent fois préféré rester chez elle, tranquille, seule, ou avec quelques amis de choix !

Voilà pourquoi Gabrielle, sévèrement jugée pour sa décision et malgré les pressions dont elle est l'objet, notamment de la part de la Chambre syndicale de la haute couture, refuse de céder. Ses ouvrières ? Ses concurrentes seront trop heureuses de les reprendre... ce sont d'excellentes professionnelles. Sa clientèle ? C'est pareil ! Qu'elle aille chez les autres couturières, elles n'attendent que cela. Et cette « désertion » dont on l'accuse, quel ridicule ! Est-ce elle qui va habiller l'armée française ? Est-ce elle qui va assurer la défense contre les avions ou les chars allemands ? Ou voudrait-on qu'elle créât des tenues pour les femmes du monde qui désireraient se déguiser en infirmières comme l'avait fait Poiret en 1914 – lequel avait lui-même coupé l'uniforme fantaisie de Jean Cocteau à la même époque ? Alors, si les autres maisons de couture veulent rester ouvertes, grand bien leur fasse et bon vent !

Lorsque Gabrielle, feuilletant les journaux, voit mentionner dans les rubriques de mode, « fausse alerte », un manteau trois-quarts hermine « recouvrant une robe de dîner en crêpe marocain rehaussé de simili-bleuté », ou « offensive », qui « associe une blousette de soie imprimée à une jupe de drap du même ton, et à une courte jaquette au revers de soie imprimé, le masque à gaz[1] placé dans un petit sac tressé dans le même tissu », elle ne peut s'empêcher de ricaner. Comme elle a bien fait de fermer sa maison, échappant ainsi au ridicule de ses rivales qui prétendent, de cette façon-là, s'associer à l'effort de guerre de la patrie.

Ce n'est pas elles qui feront trembler Adolf Hitler, observe-t-elle, sarcastique.

---

1. Ces masques à gaz avaient commencé à être distribués dans la population des grandes villes à partir de l'hiver 1938-1939. Ironie du sort, la France les avait commandés pour la plupart à la Tchécoslovaquie...

10

Un si long entracte

31 rue Cambon, fin septembre 1939. Les volets du premier étage sont clos. Les dizaines de chaises dorées recouvertes de velours rouge qui, lors des défilés accueillaient les clientes de Coco, ont été recouvertes en juillet de vastes housses grises sur lesquelles déjà commence à se déposer une poussière blanchâtre... C'est le palais de la Belle au bois dormant. Pour combien de temps ? Jusqu'à la fin de la guerre ? Pour toujours ?

L'un des tout premiers jours du mois, Jean Cocteau[1] et son ami Jean Marais, qui vient d'être mobilisé, sont venus dîner chez Gabrielle ; repas mélancolique : c'est la dernière soirée que passe l'acteur à Paris. À la caserne de Versailles où il a été convoqué, on lui a accordé l'autorisation de se rendre pour quelques heures dans la capitale... Au cours du dîner, Cocteau, qui ne brille pas toujours par son optimisme, développe sans trop y croire le paradoxe selon lequel la guerre est l'état normal de l'humanité et la paix, une simple pause, une sorte de récréation périodique de l'homme qui lui est nécessaire avant de reprendre le combat...

Cela dit, il ne croit pas qu'il s'agisse, cette fois, d'un conflit de longue durée. Jean Marais, encore

---

1. Sur cette période et sur Cocteau, voir Henry Gidel, *Cocteau*, Flammarion, Coll. Grandes Biographies, 1998.

plus inconscient, prédit qu'il sera de retour dans une semaine. La guerre ne peut avoir lieu, affirme-t-il. C'est un immense bluff... D'ailleurs, on dit partout que les Allemands meurent de faim, manquent d'essence, que le blindage de leurs chars a la solidité du carton-pâte. Alors, comment pourraient-ils résister à la « première armée du monde ? »

Gabrielle, plus réaliste, ne partage pas ce point de vue. Et elle propose à « Jeannot » d'être sa « marraine de guerre ». Marais est expédié avec sa compagnie 107 de l'armée de l'air dans la Somme, à Montdidier, puis à Roye. Ladite formation est chargée d'accueillir d'éventuels avions dont la construction n'est d'ailleurs pas encore commencée et qui ne viendront jamais... En attendant, elle reçoit de Coco, grâce à l'acteur, barriques de vin, chandails, écharpes, gants fourrés, passe-montagne et cache-col. Il ne ferait pas bon, ici, dire du mal de Marais, lequel est fier que sa compagnie soit la « seule de l'armée française entièrement vêtue par Chanel ».

À ce moment-là, Cocteau vivait avec Jean Marais dans un grand appartement situé 9, place de la Madeleine, et dont les fenêtres donnaient sur le flanc gauche de l'église. C'est d'ailleurs Gabrielle qui réglait le loyer, car le poète ne disposait pas des ressources nécessaires. Il avait dû emprunter deux tapis à sa mère. L'achat de deux sommiers et de deux matelas avait suffi à épuiser ses réserves. Les chaises ? Jeannot – nécessité fait loi – les avait prises dans les jardins des Champs-Élysées et repeintes. Et André de Vilmorin, le frère de Louise, avait donné une batterie de casseroles à ce couple d'amoureux fauchés.

À présent, en ce début de la « drôle de guerre », Cocteau, bouleversé par la séparation d'avec Marais, et par la perspective d'un authentique conflit, causant de vraies morts, erre misérablement dans son trop vaste logis de la Madeleine, y ouvrant plusieurs fois par jour la porte de la chambre de Jeannot, comme si, par Dieu sait quel miracle, il pouvait l'y rencontrer. Alors Coco, le prenant en pitié, l'invite à passer quelques mois au Ritz où il se trouve plus près d'elle. Mais à la mi-novembre, mal à l'aise dans le cadre luxueux du palace, il le quitte pour loger à Neuilly, à bord de *La Mouette*, la péniche de son amie Violette Morris, où il écrira *Les Monstres sacrés*, créés en février 1940 au théâtre Michel.

Octobre 1939. Un modeste pavillon sur les hauteurs de Clermont-Ferrand. Un homme d'une cinquantaine d'années décachette son courrier.

— Tiens, une lettre de ma sœur ! dit-il à sa femme, qui l'interroge du regard. Cet homme, c'est Lucien Chanel.

Et il lit : « Je suis très désolée d'avoir à t'annoncer cette triste nouvelle. Mais la maison étant fermée, me voilà moi-même presque dans la misère... Tu ne peux plus compter sur rien de moi tant que les circonstances seront les mêmes[1]. »

Jusqu'alors, Gabrielle servait à son frère une pension mensuelle. Elle avait, une dizaine d'années auparavant, financé la construction de la maison qu'il occupait à présent et ces versements étaient destinés à lui permettre d'abandonner son métier de marchand forain – il vendait jusqu'alors chaussures et galoches au marché qui se tenait tous les samedis à Clermont, derrière la noire cathédrale qui domine la ville. Il pourrait ainsi vivre en rentier... En agissant de la sorte, Gabrielle, que le duc de Westminster songeait alors à épouser, désirait-elle disposer d'une famille plus présentable, comme on l'a soutenu ? C'est possible. Mais on n'en apporte aucune preuve. S'il s'était agi d'un de ces beaux châteaux médiévaux dont l'Auvergne regorge... mais un pavillon en meulières

---

1. Lettre citée par Edmonde Charles-Roux, *op. cit.*

avec une marquise en verre, où habite un forain à la retraite, est-ce quelque chose de si reluisant ?

L'autre frère de Gabrielle, Alphonse, tenait, grâce aux libéralités de sa sœur, un café-tabac à Valleraugue, dans le département du Gard. Elle lui adressait des mensualités plus élevées qu'à Lucien (l'équivalent du traitement d'un préfet), car elle avait un faible pour lui. Et il pouvait toujours compter sur elle pour remplacer une voiture accidentée ou régler une dette de jeu. Il menait en effet joyeuse vie, un peu comme son père qu'il lui rappelait par bien des traits. Malgré tout, lui aussi reçoit de sa sœur un mot l'avertissant qu'elle devra, par suite de la fermeture de sa maison, cesser ses libéralités à son égard.

Désormais, Lucien vivra de ses économies et Alphonse des revenus de son commerce de Valleraugue.

Comment expliquer l'attitude de Gabrielle ? Ayant fermé ses ateliers, elle estime qu'elle doit, sinon mettre un terme à ses générosités, du moins en alléger le poids, puisque ses revenus vont considérablement diminuer, se limitant à la vente des parfums dans des conditions selon elle désastreuses, à propos de ses litiges avec la Société de Neuilly. De plus, elle a atteint à un âge où la « peur de manquer » commence à sévir. Pourquoi dans ces conditions, estime-t-elle, continuer à entretenir des gens qui, elle ne se fait guère d'illusions, ne tiennent à elle que pour de sordides motifs d'intérêt. Elle n'avait sans doute pas tort. C'est ce dont elle aurait eu la triste confirmation si elle avait pu lire la lettre qu'Alphonse adressait à sa femme, et où il écrivait cyniquement : « Je lui dis [dans une lettre à Gabrielle] que tu te fais du mauvais sang de peur qu'elle soit malade. Il faut toujours flatter, ça ne coûte rien[1]. »

_____

1. Lettre publiée dans *Un secret cévenol de Coco Chanel*, publication du Musée cévenol au Vigan, Gard (s.d.).

Alors, dans ces conditions, pourquoi continuer à voir ses frères ? Elle cesse en 1939 toute relation avec eux. Alphonse mourra en 1953 et Lucien dans les années 1950, sans qu'elle les ait jamais revus ni eux, ni leurs femmes, ni leurs enfants. D'ailleurs, ne lui rappellent-ils pas une époque de tristesse et de misère qu'elle préfère définitivement effacer de sa mémoire ?

En fait, la réalité est plus complexe qu'il n'y paraît. Gabrielle, qui a rompu avec ses frères, conserve cependant toute son affection pour son neveu André Palasse, le fils de sa sœur Julia, morte de tuberculose en 1915. On a vu que, sur les conseils de Boy, elle l'avait fait entrer dans un collège anglais très chic, celui de Beaumont, tenu par des jésuites, celui-là même où Capel avait été « dressé », selon la suggestive expression de sa tante. On en avait fait un gentleman... C'est d'ailleurs pour cette raison qu'elle lui avait offert le château de Peyros. Il le méritait bien... La préférence très nette que Gabrielle accorde à André Palasse s'explique aisément : il n'avait plus de mère. Elle-même, qui n'avait pas eu d'enfant et peut-être le regrettait, le considérait comme quelqu'un qui, en d'autres circonstances, eût pu être son fils. À présent, il était à elle et personne ne le lui disputerait...

Au contraire, lorsqu'elle avait prétendu s'occuper des enfants d'Alphonse, veiller à leur éducation, les dresser eux aussi, elle s'était heurtée au brutal refus de leurs parents. Elle en avait été blessée, humiliée... Eh bien ! puisqu'ils acceptaient son argent, mais méprisaient ses conseils, elle ne voyait pas pourquoi, maintenant que ses revenus avaient diminué, elle continuerait à les pensionner. Il ne fallait pas la prendre pour une imbécile. Qu'ils se débrouillent !

Le seul lien qui subsiste désormais entre Gabrielle et ses frères est la bonne Adrienne, qui coule des jours heureux dans un château des environs de Clermont-Ferrand et accueille sans discrimination tous les membres de sa famille qui le souhaitent, et notamment les enfants des uns et des autres qui viennent y passer leurs vacances d'été et adorent jouer dans le parc.

Faut-il rappeler, après huit mois de « drôle de guerre », le brutal réveil du 10 mai 1940, l'effondrement en quelques jours de l'armée française ? Très vite, c'est l'exode insensé de millions de personnes vers le sud. À Paris règne une atmosphère de fin du monde. Au-dessus de la métropole flotte un gigantesque nuage de fumée noire, produit par l'incendie des dépôts d'essence. En plein jour, il fait presque nuit. Parfois, les sirènes hurlent et la capitale n'est bientôt plus qu'un désert sinistre gardé par quelques concierges désœuvrés.

Gagnée par la panique générale, Coco décide elle aussi de partir. Son « mécanicien » ayant été mobilisé, elle a dû embaucher un chauffeur qui, par crainte de se faire remarquer, n'a pas voulu piloter sa Rolls. Il a préféré utiliser sa propre voiture. Gabrielle se fait conduire à Pau, où, on s'en souvient, elle avait rencontré Arthur Capel. De là, elle se rend à Corbères, au château de son neveu, qui vient d'être fait prisonnier. Elle retrouve dans les environs Étienne Balsan qui, à ce moment-là, séjourne dans sa propriété familiale de Doumy. Il est marié et a beaucoup vieilli. Il a perdu une partie de sa chevelure, mais rien de sa passion des sports équestres, et « monte » chaque jour l'un des multiples pur-sang qu'il entretient dans ses écuries. Après quelques semaines passées au château, Gabrielle décide de revenir à Paris. L'armistice a été signé le 22 juin par le maréchal Pétain. Coco emmène avec elle Marie-Louise Bousquet, une femme du monde pleine d'esprit, qui tient salon dans son bel appartement de la place du Palais-

Bourbon. On repasse par Vichy. Là, les deux femmes dînent au restaurant de l'hôtel du Parc, où le maréchal prend lui-même son repas. Gabrielle racontera plus tard la scène à Marcel Haedrich :

« Tout le monde riait, buvait du champagne. Ces dames portaient des chapeaux grands comme ça. J'ai dit : "Tiens, c'est la pleine saison, ici." Un monsieur s'est tourné vers moi : "Que voulez-vous dire, madame ?" J'ai répondu : "Je veux dire qu'on est bien gai ici et que c'est bien agréable." La femme du monsieur a dû le calmer[1] ! »

Pas de problème de ravitaillement en essence pour Gabrielle, sur le chemin du retour. Les Allemands en distribuent aux réfugiés qui regagnent leur domicile : il est vrai que c'est de l'essence française ! Pour se nourrir, c'est plus difficile. En tout cas on ne s'ennuie jamais avec Coco, ses réflexions sont piquantes : « Au fond, dit-elle, s'il n'avait pas fait aussi beau temps, l'exode n'aurait jamais eu lieu. »

À Paris, elle a la surprise de trouver le Ritz réquisitionné par les Allemands. Devant l'entrée se dressent des barrières métalliques et, de chaque côté de la porte, une sentinelle casquée et armée monte la garde. Le drapeau à croix gammée, noir, blanc et rouge, flotte au sommet de l'édifice. Elle aperçoit l'un des directeurs de l'hôtel et lui fait signe. Elle apprend que l'on a dû déménager ses meubles et ses objets personnels de la suite qu'elle occupait. Mais un général allemand, apercevant dans un couloir des malles portant son nom, est intervenu pour demander, au cas où il s'agirait de la « Coco Chanel qui fait des robes et vend des parfums », qu'elle puisse rester dans l'hôtel. La direction s'excuse : elle ne peut proposer à Mlle Chanel qu'un ensemble de deux petites chambres et une salle de bains donnant sur la rue Cambon et

1. Marcel Haedrich, *Coco Chanel*, Pierre Belfond, 1971.

non plus sur la place Vendôme, comme c'était le cas pour la superbe suite qu'elle occupait jusqu'alors. Certes, il fallait accepter d'habiter chez les Allemands, mais il lui suffirait d'ouvrir ses fenêtres et de se pencher légèrement pour surveiller son magasin de parfums, et comme, on l'a vu, le Ritz possédait une sortie sur la rue où était établi son commerce, lequel était désormais son seul gagne-pain, ce serait extrêmement commode. Assurément, elle disposerait d'infiniment moins d'espace mais puisqu'il ne s'agirait que d'y dormir, alors quelle importance ? Pour la journée, pour recevoir ses amis, elle disposait de l'appartement du 31... Au fond, ses goûts étaient fort simples...

Depuis la fermeture de la Maison, elle mène une existence très discrète. Finis les mondanités, les sorties, les dîners en ville, les grands restaurants. Tout au plus se rend-elle de temps à autre à l'Opéra pour y applaudir son ami Serge Lifar. Maintenant qu'elle n'est plus tenue de se montrer, elle retourne à cette vie tranquille qui a toujours été son idéal, mais qu'elle ne pouvait concilier jusqu'alors avec l'exercice de sa profession.

Cependant, elle est bien loin d'être seule... Viennent la voir, déjeuner ou dîner avec elle, Serge Lifar, qui, habitant l'hôtel de Castille, rue Cambon, passe chez elle presque tous les jours, ou Cocteau bien sûr, qui est en train de s'installer dans un minuscule appartement du Palais-Royal. De temps à autre, le fidèle Reverdy quitte sa petite maison de Solesmes pour venir la voir. Bien entendu, Misia vient le plus souvent possible, et, parfois Sert. Celui-ci a perdu en 1938 Roussy, sa jeune femme devenue tuberculeuse, droguée et méconnaissable. Dans ces circonstances, Gabrielle s'était montrée d'un incroyable dévouement. Comme Roussy, dont l'état de santé nécessitait à tout prix un séjour au sanatorium, refusait obstinément de s'y rendre, elle lui raconta qu'elle souffrait du même mal, la suppliant de l'accompagner à Prangins, en Suisse, où elle allait elle-même se soigner, pour qu'elle ne se sentît pas trop seule[1]. Cette comédie fut efficace, mais là-bas, les soins prodigués à la jeune femme ne purent la sauver d'un mal alors souvent incurable.

Accablée par sa mort, Misia tomba gravement malade, souffrit d'une crise cardiaque et perdit l'usage d'un œil à la suite d'une hémorragie rétinienne... En outre, elle se droguait pour tenter d'échapper à ses problèmes... Notamment celui de ses relations avec son ex-mari. À présent, elle vit avec Coco, comme toujours, une amitié orageuse. Gabrielle va de temps à autre dîner chez elle, rue de Constantine ou chez Sert, 252 rue de Rivoli, auprès duquel, faute de mieux, Misia joue le rôle d'hôtesse. Chez lui règne un luxe écrasant et, malgré les restrictions alimentaires, sa table est la plus abondante et la plus raffinée de Paris.

Mais, en dehors des visites qu'elle reçoit et de la gestion de ses affaires, à quoi Gabrielle consacre-t-elle son temps ? D'abord, il lui faut s'habiller... Après la fermeture des ateliers Chanel, ses « premières » se sont recasées sans mal un peu partout : venir de chez Mademoiselle vaut tous les diplômes, toutes les recommandations. Or, l'une d'elles, Mme Lucia, s'est installée à son compte rue Royale où elle a emmené Manon (Madame Ligeour) qui travaille chez Coco depuis l'âge de treize ans. C'est chez Lucia que Gabrielle se fait désormais habiller, Lucia qui ne se montre pas peu fière d'avoir une telle cliente !

Gabrielle qui se plaignait de ne pouvoir lire qu'à la fin de ses journées, se rattrape à présent. Reverdy la guide dans ses choix et Serge Lifar, dont elle appré-

---

1. Arthur Gold et Robert Fizdale, *op. cit.*

cie la voix, lui lit, à sa demande, des extraits des chefs-d'œuvre classiques. D'autre part, elle s'est remise au chant : elle n'a jamais, au fond, accepté les échecs qu'elle a essuyés dans ce domaine à Vichy, près d'une quarantaine d'années auparavant... Aussi passe-t-elle des heures à reprendre les plus célèbres airs du bel canto, parmi lesquels du Verdi, du Puccini, du Massenet, s'accompagnant tant bien que mal au piano. En janvier 1941, Boulos Ristelhueber, fils de diplomate et secrétaire de Misia, accompagnant celle-ci rue Cambon, note dans son journal : « En arrivant chez Coco, j'entends d'étonnantes roulades. Deux sorcières à la crinière rouge vif sont installées l'une au piano, l'autre debout, accoudée sur la queue. Coco écoute sagement leurs objurgations. C'est une leçon de chant. "Ce n'est pas croyable, me dit Misia, en rentrant. À cinquante-quatre ans[1] ! Et elle prétend que sa voix a un avenir." » Misia, visiblement, ne pèche point par excès d'indulgence envers son amie...

Pendant toute la période de l'Occupation, Coco reçoit Cocteau dont on ne sait pourquoi, elle ne cesse de dire du mal, ce qui choque Boulos qui le lui reproche : « Je me dispute avec Coco à son propos, écrit-il en 1941. Je trouve impossible d'esquinter systématiquement nos amis comme elle le fait. Ça devient gênant. Je sais que dans le fond, elle les aime bien, mais ça n'empêche qu'elle leur fait le plus grand tort et il me semble indispensable de le lui dire. » Cette causticité de Gabrielle, qui n'était peut-être pas dans sa nature, s'était en tout cas accentuée au contact de Misia qui était elle-même très redoutée pour la cruauté de ses formules. Assassiner verbalement leurs amis avait d'abord été un jeu que savouraient les deux femmes, puis une sorte de plaisir un peu malsain qui leur était devenu absolument indis-

1. En fait, Gabrielle, en janvier 1941, a déjà 57 ans. Mais elle l'a caché à Misia.

pensable. Coco d'ailleurs l'avouera plus tard à Paul Morand : « J'adore critiquer. Le jour où je ne critiquerai plus, la vie pour moi sera finie. » L'oisiveté dont elle souffre depuis la fermeture de sa maison de couture l'a sans doute aigrie. Elle ne pensait pas que ne rien faire serait si dur. Le travail aussi lui était une drogue : elle commence à en prendre conscience. Et puis, elle s'est peut-être trompée en fermant sa maison et en s'imaginant que ses clientes habituelles auraient disparu parce qu'après tout, d'autres, les Lanvin, les Fath, les Lelong, les Piguet, les Patou, les Balenciaga, continuent à vendre des robes, eux, et travaillent, tandis qu'elle... Et c'est trop tard, maintenant : que ne dirait-on pas si, ayant fermé, elle rouvrait sous l'occupation allemande ? Alors tant pis, il faut qu'elle accepte les conséquences d'une décision probablement trop hâtive.

Le journal que tient Cocteau sous l'Occupation nous livre quelques instantanés sur Gabrielle et sur les sujets de conversation qu'elle peut avoir avec le poète. Il s'agit souvent du rappel de moments amusants vécus en commun. Le bruit ne courait-il pas dans la presse au début de 1940, alors qu'elle l'hébergeait au Ritz, qu'il allait incessamment l'épouser ? Le journal *Aux écoutes* prétendait d'ailleurs que Cocteau, interrogé à ce sujet, n'avait pas démenti la nouvelle : « Chanel riait, écrit Cocteau, je riais. Mais ma mère me dit : "Pourquoi ne pas me l'avouer, mon pauvre petit, puisque c'est dans les journaux [1]." »

Autre évocation du *Journal*, en avril 1942 : Cocteau y narre une matinée musicale à laquelle tous deux assistent au milieu d'un public où abondent des snobs ridicules qu'il surnomme les Impossibles et les Effroyables (sur le modèle des Merveilleuses et des Incroyables du Directoire). Ce sont ceux que

---

1. *Journal* (Gallimard, 1989) en date du mars 1942.

l'on appelait alors les zazous, jeunes dandies dont la veste tombait jusqu'à mi-cuisses, leurs pantalons s'arrêtant à mi-mollet. Après le fou rire qui saisit les deux amis au spectacle de ces jeunes gens, Cocteau rappelle à Gabrielle un dîner qu'elle avait donné en 1937 dans sa suite du Ritz en l'honneur de Winston Churchill et de son fils Randolf. À la fin du repas, le futur Premier ministre, ivre mort, pleurait à chaudes larmes en déplorant l'attitude d'Édouard VIII qui venait d'abdiquer pour épouser Wallis Simpson, une divorcée...

Désœuvrée, Chanel, comme nous le rappelle Cocteau, accepte de s'occuper de la réalisation des costumes de son *Antigone* reprise (avec une musique d'Honegger) à l'Opéra en janvier 1943. Et sans doute cette occasion qu'elle a, à ce moment, de renouer provisoirement avec ce qui naguère encore était sa profession lui fait-il ressentir davantage encore ce qu'elle a perdu en fermant ses ateliers...

C'est pendant l'automne de 1940 que Gabrielle, s'enlisant dans une stérile inactivité et sur le point de sombrer dans un quasi oubli, rencontre celui qui va être son amant pendant une bonne dizaine d'années.

On se souvient que son neveu André Palasse a été fait prisonnier par les Allemands en juin 1940. Or, d'une santé fragile, tuberculeux comme Julia sa mère, il risque de bien mal supporter le régime des camps, les baraquements mal chauffés, une nourriture rationnée... Et puis combien de temps supportera-t-il cette captivité ? Il va y laisser sa peau. Il faut absolument le sortir de là. Mais à quelle porte frapper ? Or elle connaît de longue date un diplomate allemand, Hans Gunther von Dincklage, né en 1896 à Hanovre. Anglais par sa mère, il a reçu une bonne instruction, parle et écrit couramment la langue de Shakespeare comme celle de Racine. Vif et spirituel, féru de musique, c'est en outre un fort bel homme, de très haute taille, mince, souple et élancé, blond, les yeux d'un bleu délavé. Il plaît et il ne connaît plus le nombre de ses conquêtes. Ce que Maximilienne née von Schoenebeck, sa femme, ne supporte pas très longtemps, demandant le divorce en 1935. Deux ans plus tôt, il avait été nommé attaché à l'ambassade d'Allemagne, rue de Lille, et chargé des relations avec la presse. Il loua un bel appartement au Champ de Mars, 14 avenue Charles-Floquet[1]. Très vite, Dincklage fut invité dans les meilleurs salons parisiens. On s'arrachait le galant diplomate qui, outre ses autres qualités, s'était révélé un remarquable danseur. Ses amis l'appelaient familièrement Spatz, « le moineau », à cause de la légèreté avec laquelle il prenait l'existence et aussi parce que cet oiseau-là picorait volontiers dans le cœur des plus jolies femmes. Ce n'était pas sans arrière-pensées que les services de Joachim von Ribbentrop, le ministre des Affaires étrangères, l'avaient maintenu dans son emploi malgré son manque de sérieux. Il faisait partie de ces personnages de charme chargés d'offrir une image flatteuse de leur pays et de compenser par leur séduction la brutalité des vociférations hitlériennes. Cette tâche convenait d'ailleurs à merveille à la personnalité indolente de cet homme de plaisir qui, on le devine, ne brillait guère par l'ardeur de ses convictions nazies. En fait, son principal souci, pendant toutes ces années-là, fut de rester tranquillement dans ce Paris qu'il adorait.

Ce play-boy, si répandu dans la haute société internationale, Coco en avait entendu parler avant-guerre comme d'un bon joueur de polo qui disputait des matches à Deauville et collectionnait les coupes.

---

1. Il devait habiter plus tard 150 rue de l'Université, puis 64 rue Pergolèse.

Par la suite, elle l'avait à plusieurs reprises rencontré dans le monde, sans qu'il y eût entre eux autre chose que ces liens très vagues qui unissent des gens que le hasard met de temps à autre en présence au cours d'un dîner en ville ou d'un gala.

C'est donc tout naturellement à Dincklage que Gabrielle s'adresse pour obtenir le rapatriement de son neveu. Galant, il promet d'intervenir. D'ailleurs, il promet toujours... Les démarches comme celles de Coco ne sont pas rares à l'époque. Ce qui s'explique fort bien : plus d'un million et demi de prisonniers français s'entassent dans les camps allemands et tous ceux qui connaissent des « occupants » un peu influents sont abondamment sollicités. Sacha Guitry, par exemple, que sa notoriété a mis en contact avec les autorités allemandes, profite de ses hautes relations pour réclamer la libération de prisonniers de guerre. Un jour il en obtient dix, en une seule fois. Il réussit même à arracher Tristan Bernard des griffes de la Gestapo [1].

Mais Dincklage n'est pas un personnage assez puissant pour que l'on puisse tabler sur son efficacité... Quel crédit peut-on bien accorder à un Spatz ? à un moineau ? Six mois après la démarche de Coco, André Palasse est toujours derrière les barbelés... Mais elle-même a succombé au charme du bel Allemand. Elle approche alors de la soixantaine : pour elle qui se sent si seule, n'est-ce pas le moment d'une dernière passion ? À ceux qui lui reprocheront plus tard la nationalité de son amant, elle répliquera : « Quand on a cet âge-là et qu'un homme vous fait l'honneur de vous courtiser, est-ce qu'on lui demande ses papiers ? »

Comme Dincklage ne dispose pas de relations assez puissantes pour faire libérer Palasse, il présente Coco

---

1. Sur Guitry et son attitude sous l'Occupation, voir Henry Gidel, *Les Deux Guitry* (coll. Grandes Biographies), Flammarion, 1995.

à Theodor Momm, un officier allemand, excellent cavalier, ex-Rittmeister, responsable du Textile français auprès des autorités d'occupation. C'est une très bonne initiative : vu les activités passées de Gabrielle, ce serait bien le diable si on ne trouvait pas un prétexte pour faire libérer son neveu. Or il se trouve que Coco, outre sa filature d'Asnières, en possède une autre à Maretz, dans le Nord, près de Cambrai, une usine qui a cessé ses activités depuis septembre 1939. Pourquoi ne pas la rouvrir ? Il faut bien remettre la France au travail, non ? Et si on rouvre l'établissement, il faut un directeur compétent, n'est-ce pas ? Aussitôt dit, aussitôt fait ! Et voilà ! Ce n'est pas plus difficile que cela...

Coco est, bien entendu, infiniment reconnaissante à Spatz de lui avoir présenté Theodor Momm et cela ne fait qu'accroître l'attachement qu'elle éprouve pour lui... L'idylle entre eux est connue, ou soupçonnée, par quelques amis de Coco. Lui, rattaché aux services diplomatiques du Reich, évidemment toujours vêtu en civil, parlant parfaitement notre langue, est un homme discret. Il ne tient pas du tout à faire parler de lui par une liaison tapageuse : ses chefs pourraient se demander si Spatz ne serait pas plus à sa place dans une armée en opération qu'occupé à des activités galantes dont l'utilité ne saute pas aux yeux. À partir de la fin 1941, partir pour le front russe est la terreur des Allemands. Terreur de plus en plus justifiée : à partir de 1943, selon August von Kageneck[1], la moyenne de survie d'un jeune sous-lieutenant affecté au front de l'Est est de quinze jours. Or ce type d'affectation est assez souvent utilisé comme une menace ou une sanction contre les personnels dont l'état d'esprit ou l'efficacité ne sont pas jugés satisfaisants...

L'idylle que vivent Spatz et Coco se déroule à l'abri des regards... On ne les voit ni chez Maxim's,

1. Voir *Lieutenant de Panzer* et *Examen de conscience*, Perrin.

ni à la Tour d'Argent, ni chez Drouant ou Prunier ou encore chez Carrère, la boîte alors à la mode. Spatz, pour les raisons qu'on a dites, et Coco tout simplement parce qu'elle aime se coucher tôt. Et non pas parce qu'elle aurait honte de se compromettre avec un Allemand. Pour elle, comme pour beaucoup à cette époque, la France a été battue, l'armistice signé, on n'est plus en guerre et il faut en prendre acte : elle serait assez de l'avis d'Arletty à qui l'on reprochait une liaison allemande et qui disait avec ce franc-parler qui faisait son charme : « Il n'y avait qu'à ne pas les laisser entrer. » D'ailleurs, à ses yeux, Dincklage est plutôt un Anglais, comme l'était sa mère et il ne lui parle qu'en français. Et surtout, elle-même ne travaille pas avec l'occupant comme le font ses confrères dont les clientes sont les femmes d'officiers, d'industriels ou de diplomates d'outre-Rhin, telle Mme Abetz, l'épouse de l'ambassadeur du Reich à Paris. Et elle n'a rien de commun non plus avec une foule de négociants, d'entrepreneurs, d'hommes d'affaires, d'artisans qui accumulent des fortunes en commerçant avec les Allemands.

Coco et Spatz se rencontrent le plus souvent au second étage du 31 rue Cambon. Mais elle l'invite aussi à La Pausa, où ils restent, l'été surtout, pendant d'assez longues périodes. Là-bas, en 1942, Robert Streitz, l'architecte de la villa, membre d'un important réseau de résistance, demande à Gabrielle d'intervenir auprès de Spatz en faveur d'un professeur de physiologie, Serge Voronov, arrêté par la Gestapo. Il sera libéré. On ne sait toutefois si c'est l'intervention de Dincklage ou une autre qui aura été décisive.

Si Gabrielle ne s'affiche pas avec Spatz, elle ne cache pas non plus sa liaison avec lui. Et lorsque ses amis lui recommandent la prudence, elle ne comprend pas. Pour elle, il s'agit de ces liens privilégiés que le hasard fait naître entre deux êtres humains et qui relèvent strictement du domaine privé... Quelle absurdité à ses yeux que d'y voir un choix politique qui n'a jamais été le sien ! Sur ce plan d'ailleurs, ses préférences vont bien plutôt à l'Angleterre, à son régime, à ses mœurs, et on l'a vu, à ses hommes.

Oui, mais les apparences ? lui dit-on, la sottise humaine ? Ce que l'on va dire ? Ce que l'on va penser ? De cela, elle se moque bien...

Elle a tort.

Ne disposant plus des substantiels revenus que lui procurait la haute couture, Gabrielle ne bénéficie que des ressources, non négligeables, d'ailleurs, que lui procure la vente des parfums. D'autre part, les Wertheimer, s'étant, par une prudence que l'avenir devait largement justifier, réfugiés aux États-Unis, la Société passe officiellement aux mains d'un de leurs amis, un homme de confiance, le constructeur d'avions Amiot. La Société des parfums est maintenant présidée par Robert de Nexon, le demi-frère de « l'adoré » d'Adrienne Chanel. Mais naturellement le nouveau conseil d'administration composé de prête-nom est en fait dirigé de loin par ses vrais propriétaires. C'est dire que Gabrielle ne parviendra pas malgré ces changements et la présence d'un proche de sa tante, à obtenir la révision à son profit des accords de 1924. Actionnaire minoritaire (10 %), Gabrielle ne peut que s'incliner. Mais elle est prête à reprendre les armes à la première occasion. Son fidèle conseil, maître René de Chambrun, doit freiner ses élans procéduriers. Il préfère sagement rapprocher les points de vue. On verra qu'il n'a pas tort.

En attendant, les parfums continuent à se vendre rue Cambon grâce à la Société française, mais surtout aux États-Unis par l'intermédiaire de la filiale américaine. Les frères Wertheimer ont en effet réussi à fabriquer le *N° 5* sur place, en faisant acheter à Grasse et dans les environs tout ce que l'on a pu trouver comme stock de jasmin, tant que le transfert en a été possible. En outre, ils ont consacré à la publicité des sommes énormes[1] sans commune mesure avec celles qu'engageaient leurs concurrents. Ces efforts ont été payants au-delà de toute espérance...

Au chômage depuis 1939, Gabrielle a été un temps fort absorbée par sa lutte avec la Société des parfums. Mais son besoin d'activité est tel qu'elle va se passionner, en 1943, pour un combat d'une tout autre dimension. Un combat qui, si elle l'avait gagné, eût peut-être changé le cours de l'Histoire.

On n'ignore pas que déjà, pendant la Première Guerre mondiale, en 1917, des négociations secrètes avaient eu lieu entre les adversaires pour tenter de mettre fin à une hécatombe de plus en plus sanglante[2].

Durant la Seconde Guerre mondiale, les mêmes causes produisent des effets identiques. Devant l'ampleur du massacre qui dépasse en horreur celui qui a eu lieu vingt-cinq ans plus tôt, il est impensable que, dans un camp comme dans l'autre, il n'y ait personne qui songe à arrêter le bain de sang... Sans prétendre faire le recensement complet des négociations secrètes qui se déroulent alors, faut-il rappeler la tentative rocambolesque de Rudolf Hess, un des proches d'Hitler ? En 1941, il s'empare d'un Messerschmitt, s'échappe d'Allemagne et atterrit en Écosse. Il prétend rencontrer Churchill afin de jeter les bases d'un armistice[3]. Et l'on sait que le complot du 20 juillet 1944 contre Hitler n'avait pas d'autre but...

---

1. De plusieurs millions de dollars de l'époque (cf. Galante, *op. cit.*).
2. Guy Pedroncini, *Les Négociations secrètes pendant la guerre*, Flammarion.
3. Il fut néanmoins condamné à la prison à vie par le tribunal de Nuremberg, n'échappant à la pendaison qu'en raison de son état psychique...

Mais qui eût cru qu'il fallait, dans l'histoire de ces tentatives avortées, réserver une place à Coco Chanel ? C'est ce dont se convainquit en 1971 René de Chambrun, l'avocat de Gabrielle, lorsque cette année-là il reçut une lettre de Théodore Momm qui était comme Chambrun, devenu avocat international. C'était, on s'en souvient, cet ami de Spatz qui avait fait libérer André Palasse. Or, dans sa lettre, il révélait à son confrère que Gabrielle, obsédée par le souci de mettre un terme à la guerre, avait tenté en novembre 1943 de rencontrer son ami Churchill pour le convaincre d'accepter le principe d'entretiens secrets anglo-allemands. Or, ce projet qui peut paraître chimérique ne l'est pas autant que l'on pourrait le croire, si on veut bien le replacer dans son contexte historique. En Grande-Bretagne, en effet, une frange non négligeable de la population n'est pas hostile à ce projet pacifiste : elle comporte des hommes politiques, comme lord Runciman, certains aristocrates dont le duc de Westminster lui-même, ami très proche de Churchill, et le propre frère de George VI, le duc de Windsor, l'ex-Édouard VIII. Sans compter nombre d'Anglais qui, le danger allemand s'étant pour eux écarté, jugent le moment venu de mettre un terme au carnage. Ceux aussi qui craignent la mainmise de Staline sur l'Europe. En France même, où l'on voit la guerre et par conséquent l'Occupation et les restrictions se prolonger indéfiniment, le million et demi de prisonniers de juin 1940 rester enfermé depuis plus de trois ans, les déportations massives de juifs et de résistants, les bombardements anglo-saxons qui atteignent aussi la population civile, on conçoit que l'idée d'une paix séparée qui mettrait fin à tous ces maux n'est pas a priori révoltante... Certes, il y a bien Hitler, mais il a fort à faire avec Staline... Laissons donc ces deux dictateurs se combattre et s'affaiblir mutuellement : les démocrates ne peuvent qu'y trouver avantage. D'ailleurs, n'est-ce pas Staline qui, par son accord d'août 1939 avec son confrère, lui a permis de déclencher la guerre ? Et n'est-ce pas lui encore qui, après la prise de Paris par la Wehrmacht, a envoyé à son complice un télégramme de félicitations ? Alors...

En Allemagne, si Hitler, jouant le tout pour le tout, est partisan d'une lutte à outrance, il n'en est pas de même autour de lui. Un nombre grandissant d'Allemands se rend bien compte que la défaite est infiniment probable, et que le pouvoir du Führer sera du même coup balayé... Ne vaut-il pas mieux traiter avant que le pays soit aux trois quarts détruit par la folle obstination d'un dictateur en sursis ? Et que de sang n'épargnerait-on pas aussi bien dans la population civile que chez les combattants ?

Lorsque Gabrielle expose son projet à Theodor Momm, celui-ci en reste sans voix... Mais elle se montre si enthousiaste et si persuasive qu'il se prend à rêver lui aussi à l'éventualité d'une paix de compromis. Gabrielle, après tout, pourrait peut-être convaincre Winston Churchill que son idée d'exiger une capitulation sans conditions, formulée en janvier 1943, à la suite de la conférence d'Anfa avec Roosevelt n'est pas forcément la meilleure, qu'elle entraînerait d'innombrables morts. Sans compter que l'humiliation infligée à tout un peuple pourrait bien engendrer vingt ans après, une troisième guerre mondiale. A-t-il déjà oublié les conséquences du traité de Versailles ?

Devant la chaleur et la force de conviction que manifeste Gabrielle, Theodor Momm ne peut se défendre d'admirer son interlocutrice : trente ans après cet entretien, dans sa lettre à Chambrun, il n'hésite pas à écrire qu'« un peu du sang de Jeanne d'Arc devait couler dans ses veines », allusion au courage de la démarche solitaire de l'héroïne auprès du roi de France.

Faut-il que le Rittmeister soit persuadé de l'utilité du projet de Gabrielle pour que, prenant son bâton de pèlerin, il se rende dans la capitale allemande afin d'intéresser les plus hautes personnalités du Reich à sa réalisation ? Chanel sait que Winston doit, en novembre 1943, passer par Madrid. Si les autorités allemandes permettaient son voyage là-bas, elle pourrait ainsi le rencontrer, par exemple à l'ambassade de Grande-Bretagne. Elle connaît d'ailleurs très bien l'ambassadeur lui-même, sir Samuel Hoare, ami du duc de Westminster.

À Berlin, Theodor Momm, qui pensait d'abord convaincre un haut fonctionnaire de la Wilhelmstrasse, le ministère des Affaires étrangères du Reich, se heurte à un refus. Dans les milieux diplomatiques, on est très prudent, on préfère ne pas se retrouver soupçonné de trahison et convoqué par la Gestapo...

Bien sûr, il pourrait s'adresser aux gens de l'Abwehr. Mais il écarte aussitôt cette idée. Il n'ignore pas que le Führer considère les services de l'amiral Canaris comme un nid de comploteurs. Canaris lui-même, impliqué avec Stauffenberg dans l'attentat du 20 juillet 1944, sera arrêté et exécuté.

Reste pour Theodor Momm à se confier aux services d'un protégé de Himmler qui jouit lui-même de la confiance d'Hitler, le SS Walter Schellenberg [1]. Celui-ci, malgré sa jeunesse – il n'a que trente-trois ans – dirige l'« Amt VI », service qui contrôle le renseignement à l'étranger. Himmler lui-même, chef des SS, envisage parfois la possibilité d'une défaite allemande et de la disparition du Führer. Et il n'exclut pas d'avoir, sinon à lui succéder, du moins à jouer à ce moment-là un rôle important. Dans cette perspective, donner à l'insu d'Hitler des gages de

---

1. Voir ses mémoires publiés sous le titre *The Labyrinth*, New York, Harper and Bros.

bonne volonté aux Alliés lui paraît une idée très intéressante. Et après tout, Churchill pourrait être tenté par une paix de compromis qui épargnerait à ses concitoyens ce sang et ces larmes qu'il leur a promis dans son fameux discours de juin 1940, ainsi que ce débarquement si meurtrier et si aléatoire dont il ne pourra pas faire l'économie... Himmler donne carte blanche à Schellenberg mais sans vouloir se compromettre personnellement. Celui-ci met donc au point une opération à laquelle il donne le nom de *Modellhut* – terme que l'on pourrait traduire par « chapeau de mode » ou « modèle de chapeau » – par allusion à la première profession de Coco. *Opération* est d'ailleurs un bien grand mot : il ne s'agit guère, somme toute, que de laisser Gabrielle se rendre en Espagne grâce à un laissez-passer valable quelques jours... Mais les choses se compliquent un peu du fait que, sans expliquer pourquoi, Coco veut absolument se faire accompagner de son amie Vera Bate. C'est tout simplement parce que celle-ci, apparentée à la haute noblesse anglaise, est beaucoup plus proche qu'elle de Churchill. Si besoin était, elle viendrait en renfort pour aider Coco à convaincre le Premier ministre. Encore faudrait-il savoir où elle se trouve en ce moment ? Elle a, quelques années plus tôt, divorcé puis épousé en secondes noces un champion d'équitation, le major Lombardi, et elle vit à Rome. Mais elle refuse de venir à Paris, malgré la lettre de Coco l'y invitant, parce qu'elle ne veut pas quitter son mari dont elle est très amoureuse et qui, suspecté par les Allemands, se cache dans le voisinage. Il faudra quasiment l'y contraindre. Un subordonné trop zélé la fait même incarcérer... parmi les femmes de mauvaise vie. N'importe, on la fait venir en France en la comblant d'égards pour lui faire oublier les quinze jours de cellule. Mais pendant ce voyage forcé, elle meurt de peur... Où l'emmène-t-on ? Est-ce bien à

Paris ? Au Ritz, enfin, à son grand soulagement, elle rencontre Coco. Celle-ci, estimant que le moment n'est pas encore venu de la mettre au courant, l'emmène à Madrid sous le prétexte qu'elle veut y ouvrir une maison de couture et qu'elle a besoin de son aide. Mais, dans la capitale espagnole, Vera Lombardi, commence à trouver bizarre l'attitude de son amie qui se voit finalement contrainte de lui révéler toute l'histoire. Malheureusement, Gabrielle ne parviendra pas à rencontrer Churchill : elle doit se contenter d'une entrevue avec l'ambassadeur de Grande-Bretagne, sir Samuel Hoare, auquel en désespoir de cause, elle remet un message à transmettre au Premier ministre. Mais elle sait désormais que, n'ayant pu obtenir de contact direct avec Winston, elle a échoué dans sa mission... Que s'est-il donc passé ? Il se trouvait tout simplement que Churchill était bien à Madrid, mais si gravement malade que son médecin personnel, le docteur Moran, le jugeant perdu, lui interdisait toute visite, même brève [1]. Eût-il été, en bonne santé, convaincu par les arguments de Chanel ? On peut en douter. Le vieux lion tenait à tout prix à une capitulation sans conditions. Rien, ni personne n'aurait pu le faire fléchir.

Gabrielle avait eu tort, en tout cas, d'être trop discrète avec Vera. Celle-ci, intriguée par la conduite de son amie, était allée, pendant leur séjour à Madrid faire part de ses soupçons à un fonctionnaire de l'ambassade de son pays. Si bien que Coco fut suspectée et suivie par les agents secrets britanniques, nombreux alors dans la capitale espagnole. Mais ces filatures s'arrêtèrent très vite, car Gabrielle semble avoir alors figuré sur une liste très confidentielle, établie par l'Intelligence Service, des Français

---

1. Lord Moran, *Vingt-cinq ans aux côtés de Churchill*, 1940-1965, R. Laffont.

auxquels on peut s'adresser, le cas échéant en toute confiance[1]. Ce qui donnerait alors tout son sens à cette question qu'après la guerre elle posait parfois à certains de ses compatriotes : « Avec quel colonel anglais étiez-vous en rapport ? »

Allons plus loin. On a vu que Westminster était un partisan déterminé d'une paix séparée. Il semble à peu près certain, à présent, que l'initiative de Coco, dès le début, était appuyée en sous-main par Bendor. Il est même permis de penser que c'est le duc lui-même qui, ayant déjà tenté vainement de convaincre son ami Winston du bien-fondé de son point de vue aurait jugé, en désespoir de cause, que Chanel avait quelques petites chances d'y parvenir. Il lui aurait demandé de se lancer dans cette entreprise en lui faisant promettre de ne souffler mot du rôle qu'il y jouait. Ainsi s'expliquerait la curieuse expression « silence héroïque » utilisée par Theodor Momm concernant l'attitude de Coco après son arrestation en septembre 1944, et aussi les soupirs qu'elle laissait échapper en déplorant : « Tous mes amis étaient de l'autre côté. »

On comprendrait mieux aussi le bon accueil que Schellenberg avait tout de suite réservé au projet que lui avait présenté Theodor Momm. Il n'ignorait ni les liens qui avaient uni Coco à Bendor, ni les idées de ce dernier sur l'opportunité d'une paix négociée, il savait aussi que Gabrielle était une amie de Churchill et de sir Samuel Hoare et une intermédiaire des plus sérieuses. Et surtout il pouvait soupçonner que l'opération était téléguidée par Westminster, ce qui lui donnait encore plus d'intérêt...

De plus, en cas de défaite allemande, il pourrait toujours se prévaloir de ne pas avoir ménagé ses efforts en faveur de la paix et on lui en tiendrait compte, il en était certain : l'avenir devait lui donner raison, puisqu'il s'en tira avec six années de détention.

---

1. Pierre Galante, *op. cit.*

Sous bien des aspects, toute cette partie des activités de Gabrielle reste mystérieuse. Ni le documentaire de la BBC intitulé *Chanel : a private life* (1995), ni le témoignage de l'agent Stuart Hampshire qui interrogea Schellenberg en 1945, ni même le rapport de l'Intelligence Service sur ledit Schellenberg, extrêmement bref concernant l'affaire elle-même [1], ne satisfont notre curiosité. Gabrielle pensait-elle vraiment qu'elle pourrait réussir dans son entreprise ? A-t-elle été manipulée ? Quel a été le rôle de Westminster ? Il est bien évident qu'aucun rapport ne viendra jamais nous renseigner sur tous ces points, et le silence complet que garda dans ce domaine une femme aussi bavarde que Gabrielle accentue encore l'impression qu'on ne connaîtra jamais la vérité sur cette curieuse affaire.

C'est, en tout cas, profondément déçue que Gabrielle revient à Paris, après l'échec de sa mission. Elle est de ces femmes qui n'aiment pas perdre, même dans les domaines qui ne sont pas de sa compétence. Alors, elle reprend dans la grisaille de l'Occupation cette existence assez terne qui, malgré la liaison avec Spatz, contraste trop cruellement avec celle à la fois si brillante et si laborieuse qu'elle menait avant-guerre...

Et pendant ce temps-là, ses confrères – et c'est ce qui nourrit son amertume – redoublent d'activité. Le président de la chambre syndicale de la haute couture, Lucien Lelong, a pu obtenir pour la profession des dérogations permettant de se fournir en tissus de luxe, sans « points de textile ». Certes, la clientèle aristocratique et fortunée a disparu mais elle est remplacée par celle – moins distinguée assurément – que le marché noir et les trafics de tout genre ont considérablement enrichie.

---

1. Rapport conservé au dépôt d'archives militaires de College Park, dans l'État de Maryland aux U.S.A.

Cette clientèle-là fait aussi un succès à la confection de luxe. Celle-ci florissait déjà aux États-Unis, mais était restée inconnue chez nous jusqu'à la guerre. Des dizaines de boutiques fort élégantes s'ouvrent alors rue du Faubourg-Saint-Honoré, puis rue Dufour, et rue de Sèvres, aux femmes que les prix de la haute couture découragent, mais qui trouvent là, à des prix plus raisonnables, une qualité presque équivalente...

Après la guerre, Gabrielle pourra, en tout cas, se glorifier d'avoir été un des rares membres de la profession à n'avoir pas gagné un centime avec la clientèle allemande [1]...

Paris, 10 septembre 1944. Quinze jours après la Libération. Place Vendôme, l'hôtel Ritz. Deux jeunes gens chaussés d'espadrilles, manches de chemises roulées sur leurs biceps, gros revolver passé à la ceinture, bondissent d'une « traction » noire Citroën. Ils escaladent le perron, bousculent le portier à la casquette galonnée, et s'engouffrent dans l'hôtel par la porte tambour. Ils savent où ils vont. Quelques minutes plus tard, ils réapparaissent, encadrant de très près une femme en tailleur blanc d'une soixantaine d'années, très digne, pâle mais le visage impassible, qu'ils contraignent sans ménagement à entrer dans leur véhicule, lequel démarre en trombe vers une destination qu'elle ignore...

Coco Chanel vient d'être arrêtée, enlevée serait plus exact. Par qui ? On ne le saura jamais. Sur l'ordre d'un « comité d'épuration », lequel ? Présidé par qui ? Composé de qui ? Jamais on n'a pu l'établir, et les membres ne se sont jamais fait connaître...

Même jour. Midi, 31 rue Cambon. Germaine, la femme de chambre-cuisinière de Gabrielle, qui a

---

1. Notons cependant que Madeleine Vionnet avait fermé ses portes en 1940.

assisté à l'arrestation et à l'enlèvement de sa maîtresse, arrive en larmes à la boutique Chanel.

— Remettez-vous, lui dit-on, Mademoiselle est revenue depuis plus d'une heure...

En ce qui concerne l'arrestation de Gabrielle, une comparaison avec celle de Sacha Guitry, intervenue dès le 23 août 1944, peut offrir l'occasion de mieux comprendre les événements. Dans les deux cas, même anonymat – jamais percé – de comités ou pseudo-comités censés représenter l'opinion populaire et n'ayant d'autre légitimité que celle qu'ils se donnent à eux-mêmes, d'autre adresse que l'arrière-salle d'un bistrot ou l'appartement de l'un de leurs membres. Dans les deux cas, les motifs sont les mêmes : existence de relations avec l'occupant, toujours supposées *a priori* d'étroite complicité et marquées du sceau infamant de la trahison... Dans les deux cas, absence totale de la moindre enquête préalable concernant l'authenticité des faits reprochés, inexistence de tout mandat, mépris total de toute légalité.

Mais alors que dans le cas de Guitry, la victime est remise dans les mains de la justice – avec un dossier totalement vide d'ailleurs – et subit, outre les insultes et les coups, deux mois de prison, blocage pendant deux ans de ses comptes bancaires, interdiction de paraître sur la scène, de donner des pièces pendant le même laps de temps avant d'être totalement innocentée, Gabrielle, pour sa part, échappe à ce triste sort.

De là est née l'idée qu'elle a bénéficié d'une très haute protection... Se faire libérer en deux ou trois heures dans de telles conditions ne s'expliquerait, selon certains, que par l'intervention du duc de Westminster ou celle de Churchill. Et pourquoi pas des deux ? On imagine très bien, après tout, Westminster alertant Churchill pour tirer leur amie commune de ce mauvais pas. Mais cette hypothèse impliquerait que Gabrielle ait pu joindre l'un ou l'autre avec une rapidité stupéfiante. Et cela alors qu'elle était aux mains de jeunes gens surexcités qui, la prenant pour une « collabo », la jugeaient digne du poteau d'exécution. À moins que, figurant, on l'a vu, sur cette liste secrète de l'Intelligence Service des Français dont on pouvait être sûr, elle n'ait eu par-devant elle quelque document, ou numéro de téléphone secret susceptible de la tirer de ce mauvais pas. C'est à notre sens dans le brouillard où se situe cette affaire, ce qui expliquerait le moins mal l'extrême rapidité de sa libération, et la différence de traitement par rapport à Guitry. Que l'on se réfère par comparaison au sort réservé à Léonie Bathiat – alias Arletty – assignée à résidence dans une commune de Seine-et-Marne pendant un an et demi pour être tombée amoureuse d'un officier d'aviation allemand, le beau Hans Serring. Elle avait pourtant grâce à cette relation obtenu, avec Guitry, la libération de Tristan Bernard. On n'en tint nul compte...

Pendant le mois de septembre, Gabrielle, fidèle en amitié et très courageuse dans de telles circonstances, continue à cacher dans son appartement de la rue Cambon Serge Lifar. Le danseur a, comme beaucoup, reçu des menaces de mort. On lui reproche d'avoir eu en qualité de maître de ballet de l'Opéra de trop nombreux contacts avec ses confrères allemands du milieu chorégraphique, lorsqu'ils venaient donner une représentation à Paris. Il finira par se livrer au « comité d'épuration » de la danse, où il n'aura guère de peine à expliquer qu'il lui était impossible, dans l'exercice de ses fonctions, d'agir autrement... Oui, il a vu Goering, il a vu le docteur Goebbels... Et après ! Pouvait-il s'enfermer dans son bureau lorsqu'il y avait une réception ? Il évite la prison mais il est révoqué et condamné à un an d'interdiction d'exercer son métier...

Dès qu'elle le peut, Gabrielle, après avoir fait un détour par la Suisse pour y prendre quelque argent (c'est là qu'elle a déposé l'essentiel de ses fonds), part pour Londres. Elle y rend visite aux amis dont la guerre l'a séparée, et en particulier à Westminster avec lequel, on le devine, les sujets de conversation ne manquent pas, parmi lesquels peut-être l'échec du projet de paix de compromis, échec qu'ils ont alors tout loisir de commenter...

11

Retraite ou exil ?

L'automne 1944 n'est pas gai pour Gabrielle. Elle remâche ses rancœurs : on l'a traitée d'une manière ignoble... Qu'on ne lui parle plus de Résistance, de FFI, de comités d'épuration qui arrêtent sans discrimination innocents et coupables, et même du Général en personne qui n'aurait jamais dû laisser faire tous ces voyous...

Spatz a pu quitter Paris, mais elle est sans nouvelles de lui... la voilà seule, à nouveau, dans une capitale qui reste maussade, dans un pays dont les habitants, loin de se réconcilier, gaspillent leur temps à régler leurs comptes et à assouvir leurs rancunes les plus féroces. Les magistrats « épurateurs » condamnent d'autant plus lourdement les inculpés qu'eux-mêmes ont tous, à l'exception d'un seul, prêté serment au maréchal Pétain : il leur faut à tout prix se dédouaner... Les exécutions sommaires et les assassinats se multiplient. Quant à la guerre, elle n'est pas près d'être terminée et l'offensive éclair de Von Runstedt dans les Ardennes en novembre 1944 a bien failli renverser la situation militaire...

Vieillissante – elle va avoir soixante-deux ans – désœuvrée, lasse de tout, proche de la dépression, Gabrielle va pendant plusieurs années traîner son ennui en Suisse. Son nomadisme foncier lui fait préférer les hôtels, dont elle change souvent, d'ailleurs.

Elle aime particulièrement Lausanne et les bords du lac Léman. On la trouve le plus souvent au Beau-Rivage, mais aussi au Palace-Beau-Site, au Central-Bellevue et au Royal et Savoy. Mais elle se rend aussi à Genève où se trouve la banque Ferrier-Lullin qui gère ses capitaux avant qu'elle ne les confie à l'UBS à Zurich. L'hiver, elle passe quelques semaines en Engadine, à Saint-Moritz.

Au Beau-Rivage, le palace qu'elle préfère, Gabrielle vit au sein d'une société cosmopolite de milliardaires âgés qui, l'hiver, quittent la Suisse pour aller réchauffer leurs rhumatismes au soleil de Monte-Carlo. On les rencontre principalement à l'hôtel de Paris, celui où était descendue Coco bien des années auparavant avec le grand-duc Dimitri. C'était là aussi qu'elle séjournait lorsqu'elle avait, pour la première fois, rencontré Bendor.

À Ouchy, elle éprouve un sentiment de sécurité et presque d'éternité devant le spectacle immuable du lac Léman, miroir d'étain qu'encadre un cirque de montagnes souvent couronnées de nuages. C'est ce même paysage qui déjà enchantait Rousseau, Mme de Staël ou Lord Byron...

Éternels, les clients du Beau-Rivage le paraissent aussi : les vieilles dames à robe sombre qui massent distraitement les fanons de leur cou, mal retenus par un ruban de moire, ou les messieurs, fantômes du passé, qui d'une canne tremblante tentent d'assurer leur démarche.

Au milieu de cette clientèle, les apparitions de Coco dans la salle à manger du palace ne passent pas inaperçues : son tailleur de tweed blanc, son chemisier noir où scintille un triple rang de perles, et son canotier de paille font courir un frémissement dans ce public où figurent quelques-unes de ses anciennes clientes. On chuchote, on murmure, les visages s'éclairent. On évoque le passé, l'avant-guerre, Longchamp, Deauville, Biarritz, les années Chanel... le bon temps.

Michel Déon, qui a été l'un des meilleurs amis de Gabrielle, a évoqué les circonstances dans lesquelles un jour il était arrivé en sa compagnie au Beau-Rivage, dans sa voiture de sport. S'ennuyant à mourir dans sa Cadillac noire avec ses domestiques, elle avait quitté l'imposant véhicule pour s'installer à côté de lui, la tête voilée de gaze rose comme une automobiliste de la Belle Époque. « Derrière, suivait la Cadillac, conduite par un chauffeur en livrée, avec les deux femmes de chambre sur la banquette de peluche grise, l'une agrippant de ses mains rongées par les détergents sa (...) mallette à bijoux, comme si elle apportait le saint sacrement aux sursitaires du Beau-Rivage[1]. »

Retirée en Suisse, Gabrielle n'a pas voulu abandonner son neveu André Palasse dont la santé est toujours précaire. Sa tuberculose étant loin d'être guérie, on a même dû lui pratiquer un pneumothorax. Comme elle tient à le voir le plus souvent possible, elle lui loue une maison dans les vignes de Lavaux, puis un appartement à Chexbres, et enfin une jolie villa enfouie dans les arbres sur les hauteurs qui dominent Lutry. Elle ne se borne pas à lui rendre visite. Elle effectue chez lui plusieurs séjours. Elle cherche visiblement, dans la chaleur et l'intimité de ces liens familiaux, à compenser une solitude et une inactivité qui lui pèsent de plus en plus.

Après la capitulation de l'Allemagne le 8 mai 1945, Spatz vient la rejoindre en Suisse. Habitant Lausanne, il ne vit pas avec elle, mais on les aperçoit souvent ensemble, lors de séjours à Villars-sur-Ollon, une station de sports d'hiver du canton de Vaud. Et certains évoquent l'éventualité d'un mariage qui, du reste, n'aura jamais lieu. En tout cas le baron – qui est dans le besoin – bénéficie, aus-

---

1. Michel Déon, *Bagages pour Vancouver*, La Table Ronde, 1985.

sitôt arrivé en Suisse, de la confortable pension que lui verse Gabrielle. Une des rares photographies de lui dont nous disposons le montre avec elle en 1951 dans un paysage de sapins, de neige et de chalets. Play-boy vieillissant, mais très élégamment vêtu d'un manteau de bonne coupe, il garde, avec son sourire, toute sa prestance... Autour de ce couple peu banal, se propagent des ragots que l'on ne citera que pour leur pittoresque : selon certains Spatz bat Coco, selon d'autres, c'est Coco qui le malmène et aux dires d'un troisième groupe ils se frappent mutuellement. Vers 1952, Dincklage quitte la Suisse pour s'installer sous le soleil d'Ibiza, où il se livre aux joies de la peinture érotique pour laquelle sa mémoire de don juan lui fournit une ample matière...

Pendant toutes ces années, Gabrielle effectue de longs séjours à La Pausa, où Spatz vient souvent la rejoindre. Elle réside aussi à Paris, beaucoup plus longtemps qu'on ne l'a dit, mais elle souffre de ne pas y retrouver la société qui l'avait fêtée entre les deux guerres. Une grande partie de l'avant-garde artistique et littéraire était alors étroitement liée au Tout-Paris, où abondaient les mécènes... C'était la vicomtesse de Noailles, la comtesse Pastré, la princesse de Polignac, Misia Sert, Coco elle-même... Mais à présent, les personnalités qui dominent la vie intellectuelle ou artistique, les Camus, les Sartre, les Malraux... ne sont nullement des gens de salon. D'autres, comme Picasso, s'isolent ou s'enfoncent dans l'engagement politique, tel Aragon... Seul ou presque, Cocteau fait exception, et les gens du monde qui, comme Étienne de Beaumont avec ses bals costumés, tentent de ressusciter le climat d'avant-guerre se dépensent en vain et finissent par renoncer. Alors de plus en plus, Gabrielle éprouve l'impression déprimante d'appartenir à un monde disparu...

324

Il est une autre raison pour laquelle Coco réside moins longtemps dans la capitale : ses relations avec un Allemand sous l'Occupation sont souvent considérées sans la moindre indulgence. On est encore trop près de la tragédie pour qu'il en soit autrement... On vient à peine de découvrir l'horreur des camps de déportation. Dans ce contexte, la conduite de Gabrielle jettera longtemps une ombre sur sa personnalité, éloignant d'elle non pas ses amis les plus chers, mais un certain nombre de ses relations, des gens qui changent de trottoir pour ne pas avoir à la saluer... Malheureusement, dans son cas comme dans celui de Guitry ou de Cocteau, l'absence de toute condamnation pénale en une période où la magistrature ne péchait guère par un excès de mansuétude, suffit rarement à laver de tout soupçon. Pis encore, il n'est pas exceptionnel que d'un écrivain ou d'un artiste, on oublie ses talents pour ne plus retenir que les bruits qui ont couru sur son attitude sous l'Occupation.

On n'a pas oublié que Gabrielle ne se montrait guère satisfaite des accords qui la liaient à la Société des parfums. Pierre Wertheimer étant revenu en France, elle reprend ses tentatives pour modifier son contrat dans un sens plus favorable à ses intérêts. On n'insistera pas ici sur les multiples péripéties qui ont jalonné cette interminable guérilla. Retenons seulement qu'elle se termine en mai 1947. À partir de cette date, Gabrielle va toucher 2 % bruts sur tous les parfums Chanel vendus dans le monde. Elle devient ainsi l'une des femmes les plus fortunées de la planète.

« Maintenant, je suis riche », soupire-t-elle devant un ami. Riche, c'est exact, mais si désœuvrée, surtout depuis que cette lutte est terminée. Il est vrai qu'elle y gagne désormais d'avoir noué avec Pierre Wertheimer des relations de confiance et d'amitié que leurs différends interdisaient trop souvent. Même si, assez paradoxalement, ce long combat avait créé entre ces deux adversaires d'indestructibles liens. À présent, une réelle sympathie s'installe entre eux. Pierre Wertheimer est ravi de se réconcilier ainsi avec sa fausse ennemie. On célèbre dans la joie la conclusion de l'accord. Maître René de Chambrun, l'avocat de Coco, plus de cinquante ans après l'événement, évoque encore avec émotion les multiples bouteilles de champagne débouchées en cette occasion [1]. Il n'est pas peu fier d'être parvenu à instaurer, grâce à des trésors de diplomatie, ce climat inespéré, cet état de grâce...

En Suisse, Gabrielle achète, en partie pour des raisons fiscales, une villa située sur la colline de Sauvebalin, qui domine la ville. Cet endroit est d'ailleurs l'une de ses promenades favorites. Il y a sur la hauteur une belle forêt et un belvédère nommé Le Signal, d'où l'on aperçoit, outre le lac Léman, les Alpes savoyardes, vaudoises et fribourgeoises. L'édifice aux murs gris entouré d'un jardin de 5 000 mètres carrés manque de charme, une « villa de banlieue », avoue Gabrielle. Elle tâche de la rendre plus agréable en en décorant l'intérieur avec un certain luxe, notamment grâce à ses Coromandel et plus tard avec des sièges métalliques conçus par Diego Giacommetti, le frère du sculpteur. Mais très vite, elle préfère revenir dans ses palaces où elle se sent moins seule. Elle n'en fréquente guère les clients, mais se fait quelques amis dans le pays, qu'elle invite soit à l'hôtel où elle réside, soit dans les restaurants du vieux Lausanne, comme la Bossette ou la Pomme de pin. D'autres fois, elle n'hésite pas à venir danser dans une brasserie de Chexbres, à quelques kilomètres de chez elle. Ses amis sont

---

1. Entretien du 14 octobre 1999.

souvent des médecins qu'elle a consultés, comme le docteur Théo de Preux ou le docteur Vallotton qu'elle héberge avec sa femme dans sa propriété de Roquebrune. Mme Vallotton se souvient de l'avoir entendue chanter en duo avec son amie Maggy van Zuylen, la mère de la baronne Guy de Rothschild, les airs du répertoire d'Yvonne Printemps.

À quoi ressemble sa vie quotidienne en Suisse ? Coco reste dans sa chambre jusqu'au déjeuner, lisant des magazines de mode ou les derniers romans parus. L'après-midi, elle se fait conduire par son « mécanicien » sur les hauteurs boisées qui dominent la ville et se promène toute seule, pendant une heure ou deux, suivie par sa voiture, qui roule au pas... Parfois, des amis viennent la voir : René et Josée de Chambrun ou Paul Morand qui, ex-ambassadeur à Berne, se retrouve en Suisse sans le sou. Il vient souvent déjeuner ou dîner avec elle, mais il parle peu et, toujours pressé, part aussitôt après le dessert...

Quel contraste avec l'existence qu'elle a connue. Sa vie est grise comme l'eau du lac qu'elle contemple... Elle vit au ralenti. Sa liaison avec Spatz n'est plus ce qu'elle était... Que faire pour sortir de cette torpeur ?

Lui vient alors une idée, une de ces idées qui naissent parfois au seuil de la vieillesse, surtout lorsqu'on a joué un rôle notable dans la société de son siècle. Pourquoi ne rédigerait-elle pas ses mémoires ? Certes, le projet peut paraître prétentieux. Elle ne cherche pas à convaincre les lecteurs de son importance dans l'histoire de la haute couture – de ce côté-là, elle n'éprouve guère d'inquiétude. Elle veut tout simplement *exister* à ses propres yeux. Car elle sent sa personnalité se dissoudre dans l'anonymat d'une vie marginale ou neutre, comme le pays dans lequel elle coule des jours beaucoup trop paisibles pour la lutteuse qu'elle n'a jamais cessé d'être. Et que dire de ce climat sédatif – et réputé comme tel – des rivages du lac Léman ? Il concourt à cette espèce de mort lente à laquelle son inactivité la condamne.

À l'inverse, retracer les épisodes de sa vie passée, en évoquer les péripéties, les joies comme les peines, serait pour elle une renaissance.

Bien entendu, elle est trop lucide pour prétendre rédiger personnellement ses souvenirs. Certes, elle a écrit quelques dizaines de maximes, mais c'était avec le concours de Reverdy. Des mémoires, c'est une autre affaire... Mais pourquoi pas Reverdy justement ? Malheureusement, il lui est trop lié. Et puis, tel qu'elle le connaît, il serait indocile, il prétendrait modifier sa manière de voir. Ce ne serait plus tout à fait ses mémoires à elle...

Il y avait bien eu Paul Morand qu'elle avait invité pendant l'hiver 1946 à Saint-Moritz. C'était au célèbre Badrutt, le grand palace fin de siècle, au cœur de la station. Elle conversait avec lui des soirées entières dans le « salon », qui se vidait peu à peu de ses clients. « Converser » n'était pas le mot d'ailleurs, car c'était elle, exclusivement, qui parlait sans relâche de sa voix cassée, cherchant comme Proust, à retrouver le temps qui certes, pour elle, n'avait jamais été perdu. Et sous l'arc de ses sourcils passés au crayon gras, pareils à ces voûtes de lave noire si nombreuses au pays des volcans, ses yeux n'avaient jamais été aussi étincelants... Rentré dans sa chambre, Paul Morand, fasciné, prenait à chaud des notes hâtives, transcrivait des formules fulgurantes, reproduisait des portraits de ses amis ou plutôt des eaux-fortes, tant ils étaient cruels. Mais Gabrielle attendait-elle de Morand qu'il rédigeât ses souvenirs, le lui avait-elle demandé ? ou s'était-elle simplement racontée – comme elle aimait le faire – à cet ami de vingt-cinq ans qu'était pour elle l'auteur de *Lewis et Irène*[1] ? Il est difficile de l'établir.

―――――――――――

1. C'est trente ans plus tard que Morand publiera ses notes dans *L'Allure de Chanel*, Éditions Hermann, 1976.

En fait, c'est le hasard qui, six mois après, va lui fournir la personne qu'elle cherche. À Venise, pendant l'été 1947, elle fait la connaissance de Louise de Vilmorin, auteur de plusieurs romans dont *Le Lit à colonnes*. Les deux femmes sympathisent et Gabrielle, ayant exposé son projet, prend rendez-vous avec Louise à Paris pour le début de septembre. Elle évoquera son passé devant elle, à charge pour sa collaboratrice de prendre des notes, de les mettre en forme et de bâtir un récit qui captivera le public. Louise a accepté d'autant plus volontiers qu'à ce moment-là elle traverse une mauvaise passe financière, ce qui n'est d'ailleurs ni la première fois ni la dernière. « Je ne suis qu'un pauvre oiseau », gémit-elle. Pour le prix de sa contribution, Gabrielle lui propose de partager les droits d'auteur du futur ouvrage – ce qui permettra à « l'oiseau » de mener, au moins pour quelque temps, l'existence de luxe dont il s'estime digne... Les séances de travail s'étalent sur trois ou quatre mois, plus ou moins troublées par les complications de la vie sentimentale de Louise. Elle est en effet la maîtresse de l'ambassadeur de Grande-Bretagne Duff Cooper (qu'elle appelle « coquille », calembour oblige). Mais paradoxalement, cette liaison reçoit l'entier agrément de lady Diana Cooper, la femme du diplomate, qui s'est elle-même entichée de Louise... L'entente est parfaite entre les trois personnages aux yeux desquels, selon la formule bien connue, le mariage est une chaîne si lourde qu'il faut être trois pour la porter.

Quoi qu'il en soit, la façon dont Gabrielle conçoit ses « mémoires » est très particulière : il ne s'agit pas pour elle de se montrer fidèle à la vérité qui, comme le prétend son ami Cocteau, est « beaucoup trop nue pour exciter les hommes ». La légende de Coco fait partie à présent de son personnage. Serait-elle assez sotte pour aller la détruire par des aveux inopportuns ? Alors, elle va dissimuler la triste réalité des débuts de son existence : à l'entendre, ses parents étaient des paysans fort à l'aise qui possédaient plusieurs fermes et ne circulaient que dans des attelages luxueux. Son père parlait anglais... S'il a effectivement abandonné sa famille, jamais, au grand jamais, il n'a laissé ses filles dans un orphelinat. Les religieuses qui ont élevé Gabrielle sont devenues dans son imagination des tantes sévères et fortunées qui ne badinaient pas avec les principes. Il n'est plus question de l'époque où elle était commise dans un magasin de confection et encore moins « poseuse » dans un caf'conc' de Moulins fréquenté par les officiers de la garnison. Et pourquoi diable la surnomme-t-on Coco ? Va-t-elle avouer que c'est parce qu'elle chantait « Qui qu'a vu Coco dans l'Trocadéro ? complainte canine » ? Elle préfère dire que c'est tout simplement parce que son père l'appelait tendrement « petit Coco » ! Le reste du récit est du même tonneau. Il s'arrête en 1914 lorsque Gabrielle s'est installée comme couturière, « à dix-neuf ans à peine », précise-t-elle. Simple détail : elle se rajeunit de dix ans d'un seul coup... Ce qui, d'ailleurs, lui permet de passer rapidement sur une période à laquelle elle aime mieux ne plus songer.

Mais si on lit soigneusement son récit, on se rend compte qu'il contient aussi des notations parfaitement véridiques : « Mentir ne me demandait aucun effort. Non seulement j'étais naturellement menteuse mais encore mon imagination, nourrie de toutes sortes de mauvais romans, m'aidait à enjoliver mes mensonges, à les animer d'incidents pathétiques... »

Et pourquoi ne pas la croire lorsqu'elle confesse : « Une enfance sans amour développa en moi un violent besoin d'être aimée » ? Il est assez touchant de l'entendre déclarer, à propos de ses années de gloire : « Je veux croire qu'en aimant ce que je faisais, on m'aimait, moi, à travers mes créations. » Quel aveu de détresse !

Si Gabrielle espère exister grâce à ce récit, elle n'en perd pas pour autant de vue ses intérêts matériels. Elle compte vendre très cher ses mémoires à un éditeur américain, ainsi que les droits d'adaptation à l'écran. Sans attendre l'achèvement de la rédaction, elle s'envole dès février 1948 pour New York dans un Lockheed « Constellation », un de ces tout nouveaux appareils qui effectuent le trajet en une douzaine d'heures et comportent de luxueuses cabines individuelles. Bien entendu, elle emporte le manuscrit de la première partie, à titre d'échantillon[1]. Mais, contrairement à ses espoirs, ou plutôt à ses certitudes, elle revient bredouille. Le récit a-t-il paru sans intérêt aux éditeurs ? Sans doute a-t-elle été la première fautive en passant sous silence les réalités qu'elle préfère oublier : elle affadit par là son récit et lui ôte cet accent de vérité qui aurait attaché le lecteur. En évoquant sans fard la misère de ses débuts, elle eût, par contraste, rendu plus éclatants ses mérites comme ses triomphes. Le récit de sa prodigieuse ascension eût alors séduit les Américains qui adorent tout ce qui exalte les énergies individuelles.

Toujours est-il que Gabrielle revient furieuse des États-Unis, attribuant à Louise la responsabilité du fiasco : elle lui reproche de n'avoir pas su rendre ses souvenirs attrayants. Malgré tout, elle qui peut se montrer d'une si brutale franchise dans ses propos, n'ose pas annoncer à sa collaboratrice l'échec d'un projet auquel elle tenait tant. Et c'est le silence de Coco qui, seul, l'en informe. Voyant les milliers de dollars s'envoler, la pauvre Louise, déçue et blessée, adresse à Gabrielle les dernières pages qu'elle a écrites. Elle les accompagne d'une lettre ironique où elle se dit certaine que Coco terminera l'ouvrage

---

1. Voir Louise de Vilmorin, *Mémoires de Coco*, Le Promeneur (Gallimard). Texte inachevé de 80 pages environ.

toute seule, beaucoup mieux qu'elle n'aurait pu le faire elle-même...

Leur amitié, très refroidie par cet incident, y survivra quand même...

Paris, avenue Montaigne. 12 février 1947, 10 h 30 du matin. À la porte de l'hôtel particulier situé au numéro 30, un superbe dais de satin gris perle orne la façade. Nombre de visiteurs élégants qui ont bravé un froid de moins de six degrés, se pressent. Ils montrent aux portiers un carton blanc où l'on peut lire : « Christian Dior prie Madame X (ou Monsieur X) de bien vouloir lui faire l'honneur d'assister à la présentation de sa première collection. »

À cette époque, ce Monsieur Dior[1] est un quasi inconnu... sauf peut-être chez le couturier Lucien Lelong pour lequel travaille cet ex-marchand de tableaux devenu modéliste, qui n'a que quelques années d'expérience. Mais les clientes les plus chics de la maison ont remarqué son exceptionnel talent. Mis au courant, le plus grand industriel du textile de ces années-là, Marcel Boussac, prend rendez-vous avec lui. Aussitôt séduit par le personnage, il décide de lancer une maison de couture à son nom et engage comme capital de départ une somme de 60 millions de francs[2].

À cette présentation accourt le tout-Paris, prévenu par une rumeur persistante d'après laquelle on va assister à l'événement de l'année. Il s'agit d'une foule de gens qui, pour la plupart, étaient avant 1939 des familiers de la rue Cambon. C'est Christian Bérard, Marie-Laure de Noailles, Étienne de Beaumont qui – Gabrielle l'apprend avec horreur – a dessiné des bijoux pour le nouveau couturier, et Marie-Louise Bousquet qui tient salon le jeudi dans son magni-

---

1. Voir Marie-France Pochna, *Christian Dior*, Flammarion,
2. Correspondant à 17 millions de francs actuels.

fique appartement de la place du Palais-Bourbon. Bien entendu, le bataillon serré des journalistes de mode est là, au grand complet, parmi lesquels les équipes rivales de *Vogue* et du *Harper's*...

Deux heures plus tard, on sait que Christian Dior est sans conteste l'un des plus grands couturiers de l'époque... Beaux joueurs, les confrères du jeune Dior se précipitent pour le féliciter, pour l'embrasser... « Je n'ai rien vu d'aussi beau depuis longtemps », s'écrie une vieille dame qu'on salue avec beaucoup de respect. C'est tout simplement Madeleine Vionnet, celle qu'on surnommait « la sorcière » à cause des miracles vestimentaires qu'elle accomplissait avant 1939. Mais, parmi les opinions, il en est une à laquelle on attachera une importance particulière, celle de Carmel Snow, la grande prêtresse de la mode américaine, la fameuse directrice du *Harper's*. Dans son enthousiasme, elle s'écrie : « *Dear Christian, your dresses are wonderful, they have such a new look !* » L'expression fera le tour du monde.

Mais qu'est-ce, au juste, que ce *new-look* qui vient de surgir si soudainement ? Pourquoi apparaît-il comme une révolution ? C'est qu'il manifeste une rupture complète avec la mode des années 1940 : fini le temps des talons compensés et des larges épaules rembourrées par des *paddings*. Il ne s'agit plus de porter des tenues pratiques comme sous l'Occupation mais de revenir à la fonction essentielle de la haute couture : embellir le corps féminin. La femme créée par Christian Dior a la taille cintrée, la poitrine haute et généreuse, les épaules rondes et des jupes qui descendent presque jusqu'au sol. Mais cette mode contraint à porter, pour les robes du soir, gaines, guêpières, corsets, baleines... tout l'appareillage abandonné dans les années 1920.

On imagine sans peine la réaction de Gabrielle devant ce *new-look* qui prend l'exact contre-pied de ce qu'elle a toujours prôné et n'apparaît « nouveau » que parce qu'il retourne à l'ancien. Elle invente une formule qui résume son impression : « Dior ? il n'habille pas les femmes, il les tapisse. » Il n'empêche : plus on parle de Dior, plus le souvenir de Chanel s'estompe dans les mémoires. D'ailleurs, n'y a-t-il pas neuf ans déjà qu'on a vu sa dernière collection... C'était avant-guerre. Alors...

Malgré tout, et sans qu'elle ait le moindre regret, elle reste persuadée que la nouvelle mode, quel que soit le talent que Dior manifeste, porte dans sa conception même les germes de son propre dépérissement. Certes son triomphe présent s'explique : après les restrictions imposées par la guerre, les femmes ont soif de luxe mais le temps n'est pas loin, pense-t-elle, où les clientes habillées par Dior en auront assez de ces lourdes structures, de ces jupes-corolles qui nécessitent des mètres et des mètres de tulle ou d'organdi. Jalousie peut-être, mais clairvoyance aussi, l'avenir le prouvera. Néanmoins, pour le moment, l'enthousiasme en faveur du *new-look* (le *nioulouque*, comme l'écrivent ironiquement certains) est général. Et notamment aux États-Unis où une journaliste de la NBC n'hésite pas à déclarer : « Dior a fait pour la couture française ce que les taxis de Paris ont fait pour la France, lors de la bataille de la Marne. »

Quant aux oppositions qui se manifestent, leur excès même les condamne : la « Ligue des femmes » se déchaîne contre la « détestable exhibition de poitrines arrogantes » à laquelle M. Dior convie les Américaines, exhibition qui risque d'abaisser « le niveau déjà bien bas de la moralité publique ». Et voici ce qu'écrit au couturier un honnête citoyen américain du Middle West, M. Appleby : « Ma femme devient insupportable depuis qu'elle ne mange plus que dix pruneaux par jour pour acquérir votre fichue taille de guêpe. La maison est un enfer. Allez au diable ! »

La France n'est d'ailleurs pas en reste. Dans le 18e arrondissement, rue Lepic, des ménagères en furie prennent à parti deux jolies filles habillées à la nouvelle mode : elles lacèrent leurs vêtements et les malheureuses, à demi nues, doivent s'engouffrer dans un taxi...

Mais toutes ces réactions, relatées par la presse, ne font que souligner le triomphe de Dior. Grâce à lui, la haute couture française qui végétait, malgré l'activité des maisons comme Balenciaga, Rochas, Piguet, Fath et quelques autres, redémarre. Et les fabricants de textile, qui en avaient perdu l'habitude, se frottent les mains...

1947, 1948, 1949, 1950. Les années passent, monotones, presque interminables pour Gabrielle, dans leur morne ressemblance. Lausanne, Paris, Roquebrune. En Suisse, outre quelques visites d'amis, les indispensables marches quotidiennes sont le centre de ses journées[1]. L'après-midi, elle parcourt l'aimable campagne vaudoise. L'une de ses promenades favorites la mène dans la clairière d'une forêt, proche de Lausanne, au chalet des Bons-Enfants, vieille ferme où l'on sert sur des tables rustiques, qui exhalent une bonne odeur de résine des tartes aux myrtilles et des jattes de lait. D'autres fois se risquant plus loin, elle grimpe par des sentiers de montagne jusqu'aux sapins du Jura pour contempler plus loin les pentes étagées des vignobles offerts au soleil jaune du printemps... Cette vie saine et cette activité physique quotidienne contribuent à maintenir chez elle une robustesse et une énergie qui resteront intactes jusqu'à sa mort.

Tout en restant fidèle à la Suisse, Gabrielle fait à Paris des séjours de plus en plus longs. En juillet 1949, elle accueille sur la recommandation de

---

1. Michel Déon, *Bagages pour Vancouver, op. cit.*

Luchino Visconti Franco Zeffirelli, un jeune réalisateur italien alors âgé de vingt-six ans. Elle lui sert de guide dans la capitale, lui organise des rencontres avec Roger Vadim encore inconnu à l'époque, et Christian Bérard entre autres, et le couvre de cadeaux. Les souvenirs qu'il a publiés attestent la générosité dont elle sait faire preuve. Par ailleurs, sans mener une vie mondaine à proprement parler, elle recommence à se rendre à l'Opéra et dans les salles de théâtre... Peu à peu, sans parvenir à oublier vraiment la terrible humiliation qui lui a été infligée en septembre 1944, elle se réaccoutume à la vie parisienne. Mais l'été, elle le passe à La Pausa dont elle aime le vaste horizon marin, les oliviers noueux, les senteurs de lavande. Elle y reste à cause de la douceur du climat jusqu'aux derniers jours d'octobre, y invitant des amis comme Serge Lifar, André Fraigneau, Michel Déon ou Jean Cocteau qui bientôt sera son voisin chez Francine Weisweiller au cap Ferrat.

Malgré tout, Gabrielle supporte de plus en plus mal son inactivité. À quoi viennent s'ajouter les décès successifs de ceux auxquels elle a été liée : le grand-duc Dimitri est mort en 1942, José-Maria Sert en 1947 alors qu'il décorait la cathédrale de Vich, en Catalogne. Westminster mourra, lui, en 1953. Mais nulle disparition ne l'affecte autant que celle de Misia. D'autant plus que les deux amies ne se sont jamais perdues de vue. Jamais non plus, d'ailleurs, elles n'ont cessé de se jalouser, de se haïr même. Mais elles ne peuvent se passer l'une de l'autre et rien ne les unit autant que ce qui les sépare... Coco continue d'appeler Misia Mme Verdurinski (ce qui est cruellement vrai) et le portrait qu'elle fait d'elle à Paul Morand constitue l'une des plus riches collections de flèches empoisonnées qui ait jamais été réunie :

— Elle est généreuse : à condition qu'on souffre, elle est prête à tout donner, à tout donner pour qu'on souffre encore.

— Quand elle me brouille avec Picasso, elle dit :
« Je t'ai sauvée de lui. »

— Elle aspire au grand, elle adore le côtoyer, le
flairer, l'asservir, le ramener au petit.

— Moi, il m'arrive de mordre mes amis, mais
Misia, elle les avale.

Mais on imagine bien que celle qui, jadis, devant un
parterre d'amis, lançait à Coco : « Tais-toi, idiote ! »
savait se défendre.

À vrai dire, ceux qui à l'époque fréquentaient Misia
ne sont pas étonnés par l'annonce de sa mort. Elle
n'est plus que l'ombre d'elle-même et, depuis près de
dix ans déjà, est devenue pratiquement aveugle. La
disparition de Sert et celle de Roussy lui ont porté les
derniers coups... elle se réfugie alors dans la drogue.
Et ce n'est pas seulement pour rejoindre Coco qu'elle
part fréquemment pour la Suisse : c'est aussi pour se
procurer la morphine qui lui est devenue indispensable, au point qu'au cours des dîners en ville, elle
n'hésite pas à se piquer discrètement à travers sa jupe,
sous la table... Parfois, elle oublie de manger ou s'habille n'importe comment...

Une photographie de Horst réalisée à Venise
en 1947, nous montre l'étonnante silhouette de
Misia : une forme blanche toute raide, un spectre,
voilà tout ce qui subsiste de la jeune femme épa-
nouie et radieuse que peignaient jadis avec ravisse-
ment Renoir et Bonnard.

C'est durant l'après-midi du 15 octobre 1950 que
Gabrielle, qui vient d'être prévenue de l'état où se
trouve son amie, accourt rue de Rivoli dans l'ancien
appartement de Sert. Misia, alitée depuis un mois,
très faible, est mourante... mais encore très lucide.
Elle a reçu l'extrême-onction. Lorsqu'elle apprend la
venue de Chanel, trop épuisée pour supporter cet
ouragan de paroles, elle soupire et se tournant de
côté vers le mur de la chambre gémit : « Coco, ah !
elle me tuera ! »

Viennent en même temps que Gabrielle quelques amis, parmi lesquels Claudel et Cocteau. Misia s'éteindra doucement au cœur de la nuit.

Très tôt, le lendemain matin, Gabrielle, femme de décision, agissant avec le sang-froid d'une paysanne devant la mort, prend les choses en main. Elle fait porter Misia sur le grand lit à baldaquin de José-Maria... Puis, s'enfermant avec elle dans la chambre, elle entreprend de la parer une dernière fois. Lorsqu'une heure plus tard, ouvrant enfin la porte, elle permet à ses amis de la contempler, ils ne peuvent que constater le miracle : reposant sur un lit de fleurs blanches, entièrement vêtue de blanc, une rose pâle sur la poitrine ornée d'un ruban de même teinte, coiffée, soigneusement fardée, Misia a retrouvé sa splendeur d'antan...

C'est le dernier service que Coco pouvait lui rendre...

Misia sera inhumée dans le petit cimetière de Valvins, bordé par le cours paisible de la Seine, non loin de la tombe de Stéphane Mallarmé, son vieil admirateur qu'elle est allée rejoindre...

Un an et demi après, Gabrielle, qui, dans son obstination, ne renonce toujours pas à l'idée de faire écrire sa biographie, s'adresse cette fois à Michel Déon[1], un jeune journaliste qui a déjà écrit un roman : *Je ne veux jamais l'oublier*. Il accepte. Pendant plus d'un an, ils essaient tous les deux de mettre au point ces mémoires, mais comme c'est sa légende que Gabrielle prétend cette fois encore raconter et non pas sa vie véritable, l'entreprise ainsi conçue est vouée à l'échec. Ce qui peut dans sa conversation passer pour vraisemblable sonne faux

---

1. Elle a aussi fait appel – mais leur collaboration a vite tourné court – à André Fraigneau, avec lequel elle a travaillé en octobre 1951, à La Pausa.

dès que c'est écrit noir sur blanc. Et elle s'en rend bien compte, lorsqu'elle lit le manuscrit de trois cents pages que lui a remis Déon. Elle se retrouve dans la même situation qu'avec Louise de Vilmorin. Elle n'ose pas dire sa déception à un homme qu'elle aime bien, qu'elle estime et qui s'est efforcé de lui donner satisfaction. « Dans ces trois cents pages, dira-t-elle à l'un de ses amis, Hervé Mille, qui transmettra le message à l'écrivain, il n'y a pas une seule phrase qui ne soit de moi, mais je pense que ce n'est pas ce que l'Amérique attend... »

Certes, Gabrielle songe effectivement à d'éventuels lecteurs d'outre-Atlantique puisqu'elle a tenté de vendre le manuscrit de Louise de Vilmorin aux éditeurs new-yorkais, mais ses propos masquent en réalité un aveu qui lui coûte : elle s'est trompée en croyant viable un genre littéraire à mi-chemin entre la biographie et le conte de fées. On ne concilie pas les inconciliables... Et les lecteurs français n'auraient sans doute pas apprécié davantage les faux souvenirs de Coco Chanel...

N'aurait-elle pas d'autres moyens de faire savoir qu'elle est encore là ?

12

Le retour de Mademoiselle

Le 19 août 1953, Gabrielle entame sa soixante et onzième année. Elle a, rappelons-le, fermé sa prestigieuse maison de couture quatorze ans plus tôt. Elle vit seule, désabusée, elle a perdu nombre de ses amis, et, à l'exception de la génération précédente, le nom de Chanel n'évoque plus pour beaucoup qu'un célèbre parfum... Or, c'est au crépuscule de son existence, à l'âge où presque tout le monde s'est retiré de la vie active, qu'elle va lancer au monde un stupéfiant défi : rouvrir sa maison de couture... et non pas pour lui faire jouer un rôle marginal, pour occuper ses vieux jours, mais afin de lui rendre tout son lustre d'avant-guerre, son prestige international...

Qu'est-ce qui a pu pousser Gabrielle à se lancer dans une aventure aussi évidemment risquée ? Il existe tout un faisceau de motivations étroitement imbriquées. D'abord, et quoi qu'elle en ait dit, elle est devenue depuis longtemps une femme d'affaires très avisée, les Wertheimer en savent quelque chose. Or, pour le moment, ses ressources proviennent essentiellement de son pourcentage sur la vente des parfums. Elles ne peuvent augmenter que si le chiffre d'affaires s'accroît. Or, malgré la publicité fantastique faite involontairement par les célèbres propos de Marilyn Monroe, qui ne porte la nuit que quelques gouttes de *Chanel N° 5* et bien qu'il reste le parfum le plus célèbre dans le monde, les ventes n'augmentent pas assez vite aux yeux de Gabrielle. Non pas qu'elle craigne de tomber dans la misère, mais en affaires il est bien connu que celui qui n'avance pas suffisamment recule... Le « toujours plus » est la règle absolue.

Alors, que faire ? Elle prend un rendez-vous en Suisse avec Pierre Wertheimer. Ils se retrouvent sur la terrasse du Beau-Rivage, à Ouchy. La conversation est amicale, aussi paisible que l'est en ce moment la surface parfaitement lisse du lac qui s'étale sous leurs yeux.

— Pierre, si nous lancions un nouveau parfum ? suggère doucement Coco.

Elle pense que ce serait un excellent moyen d'accroître le chiffre d'affaires de la Société.

— Je crains que ce ne soit pas une très bonne idée, répond Wertheimer, en souriant.

Et il s'explique : la mise sur le marché d'un nouveau produit nécessiterait par les temps qui courent, une publicité terriblement coûteuse pour des résultats très incertains. De plus, le nouveau parfum ne ferait que nuire à l'ancien, lequel se vend très bien : c'est le *N° 5* que veulent les Américains et rien d'autre. D'ailleurs, *Gardénia* et *Cuir de Russie*, lancés après le *N° 5*, n'ont jamais, malgré leurs qualités, obtenu les mêmes résultats...

Gabrielle, convaincue, s'incline. N'importe, il y a sûrement quelque chose à faire, estime-t-elle et elle se jure de ne pas abandonner la partie...

Il a beau y avoir cinq ou six ans que le *new-look* est apparu, rétablissant presque tout ce qu'elle abhorrait à la Belle Époque, elle ne s'y accoutume pas, même si les excès initiaux ont disparu. Et quand elle constate que l'on persiste à trop cintrer les tailles, à corseter, à baleiner, à martyriser le corps des femmes, elle ne tient plus... Comment les malheureuses vont-elles faire pour se baisser ou même pour monter en auto, sans faire craquer leurs coutures ? C'est d'un grotesque ! « Les couturiers ont oublié qu'il y a des femmes à l'intérieur des robes », s'écrie-t-elle. Les années ne lui ont pas fait perdre une once de sa verve : « Vous, aimez-vous ces dames en brocart qui, une fois assises, ressemblent à de vieux fauteuils Louis XIV ? » Les articles des journalistes de mode, ou plutôt les oukases de ses confrères, excitent son ironie. Elle lit en ricanant : « Cette année la tête se portera petite », et, de rage, elle jette le magazine sur le sol en s'écriant : « Et si j'ai une grosse tête, est-ce que je devrai me jeter à la Seine pour faire plaisir à ces messieurs ? » Peu d'entre eux, d'ailleurs, trouvent grâce à ses yeux à l'exception de Cristobal Balenciaga qui travaille dans un esprit résolument opposé à celui du *new-look*, et à qui elle reconnaît un très grand talent. Elle estime que ses confrères déshonorent la haute couture française. Selon Chanel, celle-ci est en pleine crise, tâtonne et se cherche en vain un style. Comme un yo-yo, la taille monte, descend puis remonte au gré des années et des caprices des couturiers. Et la jupe, parfois attirée par le sol, semble bientôt s'en éloigner avec répugnance, obéissant à quelque mystérieuse injonction...

Par ailleurs, Gabrielle déplore la mainmise des hommes sur la profession. Avant la guerre, c'était surtout les femmes qui dominaient la mode : elle-même, Madeleine Vionnet, Elsa Schiaparelli, Mme Grès... À présent, ce sont les hommes, prétend Coco, qui se chargent de dire aux femmes comment elles doivent s'habiller. Et ils les habillent mal parce qu'ils les méprisent ou du moins ne les aiment pas... il suffit de considérer les mœurs de la plupart d'entre eux et vous comprendrez tout, poursuit-elle, péremptoire. Alors qu'il s'agit d'habiller les femmes, on les déguise, on leur propose des singeries avec lesquelles on ne peut ni marcher ni courir. Voilà pourquoi les Américaines, qui ont le sens pratique, commencent à bouder les productions françaises...

En cette même année 1953, il se trouve que Gabrielle va passer quelques semaines à New York, chez son amie Maggie van Zwuylen. Sa fille Marie-Hélène (qui devait plus tard épouser Guy de Rothschild), invitée à un prestigieux bal des débutantes avec les plus riches héritières des États-Unis s'était fait faire pour la circonstance une magnifique robe. Toute fière de son acquisition, elle court vers Chanel pour la lui faire admirer, virevoltant devant elle et rouge de plaisir :

— Quelle horreur ! s'exclame Coco, avec une grimace qui ne laisse aucun doute sur la sincérité de sa réaction.

Voici Marie-Hélène au bord des larmes. Que faire ? Gabrielle, pleine de remords, ne peut tout de même pas prétendre que quelques retouches suffiront à métamorphoser l'« horreur » en une robe élégante...

Alors Coco, avisant un grand rideau en taffetas de soie rouge, le palpe, le lisse, le fait crisser sous ses doigts, le jauge, le fait décrocher :

— Ceci fera l'affaire, dit-elle, devant les deux femmes médusées.

Quelques heures plus tard, elle a improvisé une robe de bal si belle que toutes les amies de Marie-Hélène lui demandent l'adresse de sa couturière...

Plus tard, la baronne de Rothschild dira que c'est cet incident qui a décidé Gabrielle à rouvrir sa maison. On n'est pas obligé de la croire, mais il est certain que cette affaire a certainement influé sur le parti qu'elle a pris...

Une autre considération a été, peut-être, plus importante dans l'esprit de Coco : elle sait parfaitement qu'un retour triomphal dans la haute couture équivaudrait à des millions de dollars de publicité en faveur du *Chanel N° 5*. Sa vente, et du même coup ses propres revenus, en seraient incroyablement dopés.

On n'ignore pas que depuis la fin de la Seconde Guerre mondiale, le nombre des clientes susceptibles d'acheter des vêtements de haute couture a fortement diminué. Si bien que la plupart des maisons ne comptent plus, pour prospérer, que sur la vente des parfums qui portent leur nom. Ces parfums eux-mêmes bénéficient réciproquement du prestige du couturier et du succès de ses collections. Dans cette perspective, le calcul de Gabrielle est parfaitement judicieux, comme le prouvera d'ailleurs la suite des événements...

Enfin, pour Gabrielle, rouvrir sa maison, c'est ressusciter, le terme n'est pas trop fort pour une femme qui a si souvent affirmé que le travail était toute sa vie. Or elle n'était plus rien depuis septembre 1939... Quelques années plus tard, à partir de 1946, elle avait voulu exister à nouveau en tentant à plusieurs reprises de faire écrire le récit magnifié de son existence. Une fois convaincue en 1953 de l'impossibilité de cette entreprise, il ne lui reste plus pour ne pas sombrer dans le néant qu'à se battre maintenant sur le terrain où sa compétence est la plus évidente : la haute couture. Oui, à soixante et onze ans, la « vieille », comme l'appellent ses confrères avec une affectueuse désinvolture, va leur montrer ce qu'elle sait faire...

Une fois sa décision prise, au cours de l'été 1953, Gabrielle va mener les choses rondement. Elle va avoir besoin de capitaux considérables : elle vend La Pausa à Emery Reeves, l'agent littéraire de son ami Churchill. D'ailleurs, elle n'aurait que faire désormais de cette maison de vacances, puisqu'elle va s'immerger dans le travail. Ensuite, par l'intermédiaire de son amie Carmel Snow, elle prend contact avec un grand confectionneur américain qui serait prêt à reproduire par dizaines de milliers les robes pratiques et élégantes de ses futures collections. Elle-même serait rémunérée sous la forme de « redevances ».

La nouvelle de cette démarche se répand vite grâce à un système de fuites qu'il serait naïf de croire accidentelles...

En fait, l'intention de Gabrielle est de rouvrir la maison avec le concours financier des Wertheimer. Il s'agit, pour ce faire, de les inquiéter... Ils préféreront certainement que l'opération se fasse avec eux. Dans le cas contraire, Dieu sait ce qui pourrait advenir avec l'imprévisible Coco ! Mais les intérêts des deux associés sont trop étroitement liés pour qu'ils ne cherchent pas à s'entendre dans ce domaine. Un triomphe de Chanel dans la couture deviendrait aussitôt le leur. Il en serait de même pour un échec, il est vrai, et ils prennent des risques, mais Pierre Wertheimer tient à tenter l'aventure. Il parvient à convaincre ses associés.

On signe donc un accord : la société de Neuilly prendra en charge la moitié des frais de la couture considérés ici comme frais de publicité, favorisant la vente des parfums, ce qui est logique.

Coco a gagné cette première bataille.

Mais n'est-ce pas l'accueil réservé à la collection, prévue pour février 1954, qui sera décisif ?

Elle a décidé de présenter cent trente modèles. Elle engage environ soixante-dix personnes : couturières, essayeuses, vendeuses... Naturellement, elle choisit en priorité celles qui travaillaient pour elle avant la guerre. Ainsi elle embauche Lucia Boutet, ancienne modéliste rue Cambon, qui s'était mise à son compte en 1939, fondant une maison de couture 13 rue Royale. Avec elle, elle engage Mme Ligeour, dite Manon, qui dirigeait l'atelier de Lucia et avait débuté chez Chanel à l'âge de treize ans. C'est à elle exclusivement que s'adressera Coco pour l'habiller, jusqu'à sa mort[1].

---

1. Entretien du 5 septembre 1999 avec Mme Ligeour.

Pour commencer, Gabrielle installe, au 31 rue Cambon, deux ateliers d'environ vingt-cinq personnes chacun, quitte à en ajouter d'autres si le succès vient couronner ses efforts. En tout cas, elle a confiance... En décembre 1953, elle va passer un dimanche à Milly-la-Forêt, chez Cocteau, avec son amie Marie-Louise Bousquet et Michel Déon. La conversation dure de une heure de l'après-midi à dix heures du soir, sans qu'on dise du mal de personne, écrit Cocteau, dans son *Journal*[1], ce qui est exceptionnel vu la présence de Gabrielle. Le poète remarque « l'étonnante détente de Coco », qu'il attribue à la reprise de ses activités.

Elle a confiance mais sait rester aussi modeste que lucide : « Pourquoi je suis revenue ? confie-t-elle à un journaliste. Je m'ennuyais et j'ai mis quinze ans à m'en apercevoir. Aujourd'hui, j'aime mieux le désastre que le néant. »

Ses confrères craignent beaucoup son retour, d'autant plus qu'elle ne révèle rien de ce qu'elle leur prépare. Ils se rappellent tous ce mot du grand Poiret à son propos : « Ce jeune garçon (*sic*) nous en fera voir de toutes les couleurs », avait-il pronostiqué en 1920. Il avait vu juste : il devait mourir dans la misère.

C'est peu de dire que le 5 février 1954 est un jour attendu. Plus de deux mille personnes ont tenté en vain d'assister au défilé... Néanmoins, le Tout-Paris est là, entassé sur les chaises dorées, les acheteurs et toute la critique de mode, avec aux meilleures places les rédactrices de mode du *Harper's* et des trois *Vogue* – l'américain, l'anglais et le français. Certaines sont debout sur les chaises ou sur les premières marches du célèbre escalier aux miroirs pendant que Gabrielle, invisible pour le public, se tient en haut, juste au-dessous du premier étage, tirant nerveusement sur sa cigarette...

1. *Le Passé défini*, 1953, tome II.

Malgré le choix superstitieux du cinquième jour du mois pour la collection, c'est une catastrophe, du moins aux yeux des journalistes français et anglais. Les robes et les ensembles que présente Chanel apparaissent aux regards des admirateurs de Dior et du *new-look* comme des fantômes du passé, des survivances des années 1920 ou 1930... Au mieux, c'est pour eux une mélancolique rétrospective, au pire, le défilé consternant de toilettes complètement démodées. L'ambiance est glaciale et on n'entendra que quelques maigres applaudissements. Zeffirelli déclarera plus tard que ce fut là une des plus cruelles expériences qu'il ait connues de son existence. La presse fut « atroce de mépris et de méchanceté », écrit Michel Déon. Certains articles étaient déjà prêts avant que les journalistes eussent vu un seul modèle. *Combat* titre : « Chez Coco Chanel à Fouilly-les-Oies en 1930 »...

À l'issue de cette première présentation, Coco ne se montre pas à ses amis. Elle veut leur épargner et s'épargner à elle-même le spectacle de leur embarras. Chanel reste apparemment de marbre : c'est dans ces circonstances que l'on reconnaît la trempe d'une personnalité. Madame Manon[1], toujours très proche d'elle, se souvient qu'elle craignait beaucoup « la réaction que Mademoiselle aurait le lendemain de ce fiasco ». C'était sous-estimer celle qui était déjà une « dame de fer ». « Ils vont voir ! dit simplement Gabrielle, nous allons recommencer... » Et elle se remet aussitôt au travail. Certes, on n'aperçoit pas l'ombre d'une cliente et les grands salons d'essayage du premier sont déserts. Mais « tant mieux, dit-elle, on sera plus à l'aise que dans le petit cabinet du second pour préparer la prochaine collection ». Voilà comment elle parle, rue Cambon, pour rassurer et galvaniser ses troupes.

_____

1. *Ibid.*

Sa vraie force réside dans sa certitude absolue d'avoir raison. Au lieu de lutter avec ses concurrents sur leur propre terrain, elle va renverser la situation en montrant que ce sont eux qui sont démodés. Ils agissent exactement comme le vieux Poiret, explique-t-elle, ils cherchent à épater leurs clientes par leurs extravagances vestimentaires au lieu de se soucier des femmes elles-mêmes et des réalités qu'elles vivent. Ils oublient cette vérité élémentaire : il faut qu'elles plaisent aux hommes ; il faut qu'ils s'écrient non pas « quelle jolie robe vous avez ! » mais « comme vous êtes jolie ! » Et cela, Gabrielle est sûre que les femmes finiront par le comprendre.

Ce qui frappe ici, au moins autant que la force de volonté de Gabrielle, c'est l'intelligence de son analyse. Curieusement, ce n'est pas la France ni l'Angleterre qui vont comprendre Chanel mais les États-Unis, et ils entraîneront l'Europe qui, à son tour, lui fera un triomphe.

Dès le 5 février, plusieurs acheteurs américains des magasins de luxe de la Cinquième Avenue, comme Lord and Taylor ou B. Altman, avaient acquis quelques-uns de ses modèles... Rédactrice de *Vogue*, Bettina Ballard [1] est si intéressée par la collection de Chanel qu'elle en fait publier trois pages de photos dans son magazine. Le frontispice montre le nouveau mannequin de Gabrielle, la ravissante Marie-Hélène Arnaud, nonchalamment appuyée contre un mur et mains dans les poches. Elle est vêtue d'un tailleur de jersey bleu marine laissant apparaître un chemisier de linon blanc à nœud de satin noir boutonné à la jupe. Elle porte avec une délicieuse impertinence un petit canotier de paille qui laisse flotter en arrière ses rubans...

Bettina, enthousiasmée par cette tenue qui donne une allure si jeune, l'achète aussitôt pour elle-même

---

1. *In my Fashion*, David Mc Kay Company, New York, 1960.

et la porte devant quinze cents pontifes américains de la mode réunis à Manhattan pour l'exposition des modèles importés de France. Nombre d'entre ces messieurs n'avaient jamais vu de Chanel... C'est pour eux une révélation et pour les autres une redécouverte. Bettina leur explique l'esprit dans lequel travaille la couturière : elle veut promouvoir une mode conçue à la fois pour le confort et la beauté de la femme et non pour la satisfaction personnelle de quelques esthètes de la couture. L'auditoire se montre très sensible à ces propos qui flattent le pragmatisme américain. Un second argument va achever de les convaincre : si le *new-look* était par sa complication impossible à reproduire par les confectionneurs, au contraire la simplicité rigoureuse des vêtements de Chanel se prête infiniment plus à la copie et par conséquent à la diffusion commerciale de masse. Voilà un aspect de la question qui est capital pour les acheteurs de la 7e Avenue. Ils entrevoient déjà les bénéfices colossaux qu'ils vont engranger... Très vite et dès le début de 1955, le succès de Chanel est assuré... *Life*, après la troisième collection à laquelle il consacre quatre pages, résume tout : « La femme qui se cache derrière le parfum le plus célèbre du monde a peut-être fait sa rentrée un peu tôt mais déjà elle influence tout. À soixante et onze ans elle apporte mieux qu'une mode, une révolution. »

Gabrielle gagne si bien son pari que les tenants les plus acharnés du *new-look* en abandonnent les excès, fluidifiant la silhouette et décintrant la taille.

Il n'en est pas moins vrai que, dans les débuts, cette expérience hasardeuse a coûté terriblement cher à Gabrielle elle-même, mais aussi et surtout à la Société des parfums. Et Pierre Wertheimer a eu toutes les peines du monde à persuader ses associés qui s'affolaient, de continuer à investir à perte rue Cambon, d'autant plus que l'accueil de la presse avait été désastreux. Mais il a foi dans le destin de Chanel et lui rend plus d'une visite pour la réconforter. Un soir, il la trouve exténuée. Ses mains, sous l'effet d'une crise d'arthrose, la font horriblement souffrir. En outre, elle doit porter des lunettes noires, car, est-ce l'effet de sa fatigue, elle n'est plus capable de supporter la lumière qui est braquée sur le mannequin qu'elle habille. Elle le pique à plusieurs reprises d'une épingle maladroite. Décidément, c'en est assez pour la journée. Wertheimer la raccompagne jusqu'au Ritz. Elle marche silencieusement, la tête baissée. Mais au moment où elle va disparaître derrière la porte de l'hôtel, elle se retourne et dit à son associé stupéfait un mot qui ne sort pas souvent de ses lèvres : « Merci pour tout, Pierre. »

Il sait qu'elle continuera.

Le 24 mai 1954, un accord entre Gabrielle et la Société des parfums va permettre à la couturière de se consacrer en toute sérénité à ce travail qui est sa raison de vivre[1]. Elle vend sa maison de couture, sa société immobilière et toutes les sociétés portant son nom. Naturellement, elle garde ses 2 % de royalties sur les parfums, tout en assurant son concours à leur création. Elle reste chez elle rue Cambon, où elle garde la haute main sur la couture (choix des collaborateurs, collections, modèles etc.), à l'exclusion de la partie financière. Elle reçoit un confortable traitement de directeur, tandis que la Société règle tous ses frais : logement au Ritz, remboursement des impôts payés en France, secrétaires, domestiques, nourriture, Cadillac, chauffeur, téléphone et jusqu'aux timbres-poste... En somme, c'est une sorte de super-viager qui va durer... dix-sept ans. Elle ne pouvait rêver plus fabuleux arrangement...

1. Pierre Galante, *ibid.*

Et c'est désormais en toute tranquillité qu'elle va pouvoir travailler à reconquérir sa place dans la couture : la première, évidemment...

S'il est une tenue à laquelle la couturière a su, aux yeux du monde entier, indissolublement associer son nom, c'est bien son fameux tailleur gansé qui renouvelle, en l'amplifiant encore, celui de sa petite robe noire de 1926. Sans doute Gabrielle n'a-t-elle pas inventé le costume tailleur, mais elle en a complètement renouvelé la conception. Imaginé à la fin du XIXe siècle pour satisfaire le besoin de liberté physique de la femme, sa silhouette très près du corps, l'usage de draperies assez lourdes et d'entoilages relativement rigides gênait encore les mouvements. Gabrielle supprime l'entoilage, utilise systématiquement des étoffes fines à mailles structurées comme le jersey, et les fait travailler au fer. Elle parvient ainsi à unir rigueur et fonctionnalité à souplesse et légèreté, ce qui correspond aux désirs et à l'image de la femme active... Né dès janvier 1955, avec la troisième collection, ce tailleur séduit d'emblée la clientèle et deux ou trois ans après, il est devenu la base de bien des garde-robes féminines. D'autant plus qu'il est à l'abri des variations saisonnières si agaçantes et qu'on peut le garder plusieurs années. La jupe, dont la longueur est constante, couvrant le genou, qu'elle soit large ou étroite, permet toujours de marcher aisément. La jaquette est généralement courte, peu cintrée, ornée de poches, fermée bord à bord de boutons dorés et garnie de ganses de galon ton sur ton. Les matières utilisées, outre le jersey, sont le shantung, les tweeds blancs ou bleu marine.

Voilà la tenue que Chanel vendra à des milliers de clientes. Elle va d'autre part en céder les droits de reproduction à de grands confectionneurs américains qui les fabriqueront par centaines de milliers, à des prix divers, selon la qualité. Et puis, partout dans le monde, ce tailleur sera bien entendu purement et simplement copié sans autorisation avec plus ou moins de bonheur...

On connaît l'opinion de Gabrielle sur le problème de la copie, opinion qui est à l'opposé de celle de ses confrères. « Les trouvailles sont faites pour être perdues », affirme-t-elle. D'ailleurs, à ses yeux, le plagiat, loin d'être un vol, est le plus merveilleux des hommages : « La copie c'est l'amour », dit-elle. Cette prise de position lui vaudra des polémiques avec la chambre syndicale de la haute couture parisienne au président de laquelle elle adresse, le 25 juillet 1958, cette lettre qu'on ne résiste pas au plaisir de citer tant elle est du pur Chanel, net et sans bavure :

Monsieur le président,
J'ai l'honneur de vous remettre (.....) une démission que vous souhaitez mais que, par un scrupule dont je vous remercie, vous hésitez à me demander.
Ainsi se trouve tranché le conflit qui m'oppose à votre chambre syndicale.

Chanel

Ce qui n'empêchera pas Gabrielle de continuer à s'acquitter régulièrement de sa coûteuse cotisation annuelle : le geste est beau. Elle ne veut pas qu'on la juge mesquine.

Le succès du tailleur ne doit pas masquer l'immense diversité des créations de Chanel. Le tailleur lui-même est présenté sous cent variétés différentes. Il n'en est pas deux qui se ressemblent. D'autre part, Gabrielle crée de luxueuses robes du soir, mais aussi des robes de cocktail ou de garden-party, en mousseline de soie ou en organdi, de multiples robes-tuniques, robes boléros, aussi réussies dans le strict et l'ajusté que dans le flou et le vaporeux. À partir de 1964, elle conçoit aussi des pantalons pour l'intimité du soir (continuant à en refuser le port pour toute autre circonstance). Et elle n'hésite pas à s'inspirer des arts orientaux, tibétains ou chinois dans le choix des dessins et des teintes. Enfin, est-ce le souvenir de ses origines paysannes, elle reproduit volontiers les couleurs de la nature : or du soleil, rouge du sang, multiples verts des plantes...

Un après-midi d'automne, dans les années 1960, l'un de ses amis se promenant dans la forêt de Chantilly aperçoit l'immense Cadillac noire de Gabrielle arrêtée le long d'un fossé, chauffeur au volant... Un peu plus loin, dans une clairière, il découvre Coco, lui tournant le dos, accroupie sur un tapis de feuilles mortes. Craignant de la déranger, il s'apprête à se retirer discrètement lorsqu'il la voit se relever avec souplesse, tenant à la main trois ou quatre feuilles de hêtres aux teintes délicates.

— C'est exactement cela que je voulais, lui explique-t-elle, tout heureuse de sa trouvaille.

Et c'est en effet ce coloris-là qu'elle va faire reproduire dès le lendemain par un de ses fabricants de tissus. Elle venait de revoir les Clouet du musée de Chantilly et n'a pu s'empêcher, au retour, de chercher si les paysages traversés ne lui offraient pas quelque nouvelle source d'inspiration.

On ne s'étonnera pas qu'une pareille artiste reçoive, si peu de temps après son retour à la couture, en 1957, le prix Neiman Marcus qui récompense « la créatrice de mode la plus influente du xxᵉ siècle ». Ce généreux mécène est le propriétaire du plus important magasin de mode de Dallas. Et comme Gabrielle adore l'Amérique, elle accepte de s'y rendre – en compagnie de Georges Kessel, le frère du journaliste et romancier. Pour ces trois semaines au Texas, elle emporte avec elle une vingtaine de tailleurs et de robes. Heureuse d'être fêtée, elle se montre de très bonne humeur avec les journalistes d'outre-Atlantique, dont les questions ne sont pas toujours très discrètes : – Que mangez-vous ? – Un gardénia le matin, une rose le soir. – Quel âge avez-vous ? (*sic*) – Cent ans, ou moins, ça dépend des jours. – Qu'est-ce que c'est que ces boutons de manchettes ? – Oh ! ils m'ont été offerts par Stravinski, il y a longtemps. – Pour quelle raison ? – L'admiration, bien sûr... oh ! la mienne, évidemment ! qu'alliez-vous imaginer ?

Tous la trouvent charmante, étonnamment jeune et gaie. Lorsqu'on l'interviewe, elle sait user d'un naturel et d'un esprit qui les font rire de bon cœur. Ainsi, lorsqu'elle déclare : « Quand je vois certaines tenues prétendument "inspirées par Chanel", je proteste avec vigueur : je peux vous garantir qu'il n'y a pas un seul sac de pommes de terre parmi mes créations[1]. »

La vigoureuse personnalité de cette *old lady*, l'énergie qu'elle a conservée, la vivacité de ses reparties, lui conquièrent le cœur de tous. Mais ce qui stupéfie le plus les Américains, c'est l'extraordinaire réussite de son *come-back* qu'ils comparent à celui du boxeur Ray Sugar Robinson. « Coco » (c'est ainsi qu'on l'appelle aussi là-bas), ayant abandonné son titre de championne du monde en 1939, vient de le reprendre haut la main quinze ans après par K-O. « *Like Sugar Ray, Coco did it* », titre en grosses lettres le plus important journal de Dallas.

Avant-guerre déjà, Gabrielle considère les bijoux comme ne devant jamais rester isolés de l'idée de la femme et de la tenue qu'elle porte. D'où son intérêt pour les bijoux de fantaisie que leur faible coût permet de renouveler plus aisément au gré des modes.

---

1. Allusion à la « robe sac » à forme rigoureusement droite qui sévissait en 1957.

Elle ne change pas d'avis lorsqu'elle rouvre sa maison. Après Étienne de Beaumont et Fulco di Verdura, ce sont les créateurs Grippoix et Robert Goossens qu'elle fait travailler dès 1953 pour parer ses mannequins de croix, de broches, de boutons-bijoux, de bracelets, de boucles d'oreille, de pendentifs et de colliers qui sont autant de petits chefs-d'œuvre d'invention et de goût. Et pour le monde entier les six rangs de perles si souvent portés par Coco elle-même font partie intégrante du *Chanel look* au même titre que le fameux tailleur.

Robert Goossens[1] se souvient de l'extrême attention que Gabrielle apportait à la conception et à l'exécution de ces bijoux, de ses exigences impitoyables, mais aussi de la considération évidente qu'elle nourrissait pour les professionnels des métiers d'art. Ce qui frappe surtout le personnel de la rue Cambon, c'est la sûreté du goût que manifeste Gabrielle dans le choix des bijoux que des assistantes lui présentent en vrac sur de vastes plateaux : braquant sur eux un coup d'œil aigu, elle saisit d'emblée, sans hésitation, les parures qui conviennent le mieux à la tenue qu'elle vient d'achever et au mannequin qui la revêt[2]. Il semble que, là comme dans tous les autres domaines de la haute couture, elle soit douée d'une sorte d'infaillibilité.

Gabrielle manifeste un même souci de perfection dans le choix des chaussures qui accompagnent ses modèles. Elle les fait fabriquer notamment par le bottier Raymond Massaro[3], dont le père était déjà son fournisseur, et le grand-père celui du maharadjah de Karputalah. Le père de Raymond, Lazare, chaussait Gabrielle elle-même dès 1938. Lorsque la couturière rouvre sa maison, c'est tout naturellement

1. Entretien du 15 juin 1999.
2. Entretien du 15 juin 1999.
3. Entretien du 22 juillet 1999.

aux Massaro qu'elle s'adresse pour les collections. Raymond Massaro nous livre sur elle quelques souvenirs qui ne manquent pas de piquant : tantôt elle ne voulait avoir affaire qu'à M. Massaro père, tantôt, on ne savait pourquoi, elle ne supportait plus que son fils alors âgé de vingt-cinq ans. C'était devenu un sujet de plaisanterie dans la famille et l'objet de joyeux paris... Mais qu'allait-il advenir si la capricieuse Coco ne voulait plus ni de l'un ni de l'autre ? Nous ne nous tracassions pas trop, sourit Raymond Massaro, car mon oncle étant lui-même bottier, nous le tenions en réserve pour le lui proposer dans ce cas qui, fort heureusement, ne se présenta jamais. La collaboration de Massaro et de Chanel se révélera fructueuse puisqu'elle conduira à l'invention de la fameuse sandale beige à bout noir pour la journée et or pour le soir, avec bride élastique dégageant le talon et faisant disparaître ainsi la disgracieuse boucle métallique. Ce modèle avec ses variantes tient, si l'on ose dire, le haut du pavé depuis 1958, date de sa création... Ses principaux avantages – et c'est ceux que recherchait Gabrielle – sont de faire paraître le pied plus petit (grâce aux deux couleurs), d'allonger la jambe et de dégager la silhouette, ce qui ne lui est pas indifférent à titre personnel... Au cours d'une longue mise au point élaborée en commun, Massaro a pu admirer le souci de rigueur et de perfection de son illustre cliente.

À côté de cela, Gabrielle peut se montrer égoïste et tyrannique : la veille d'un quinze août, tout en sachant qu'il part en vacances, elle prétend lui faire fabriquer une paire de bottes (en été !). Par bonheur, il se trouve qu'il en a une toute prête à ses mesures. Rusé, le bottier ne la lui fait livrer que le lendemain, afin qu'elle s'imagine qu'il y a travaillé toute la nuit. Coco jugea cela tout naturel. Une autre fois, un coup de téléphone de la rue Cambon le prie de venir immédiatement au studio[1] pour prendre les mesures d'un mannequin. Recevant une très bonne cliente, il ne peut obtempérer sur-le-champ. Lorsque, enfin disponible, il s'apprête à quitter son atelier de la rue de la Paix, un second appel l'informe qu'il lui est inutile de se déplacer car le mannequin vient d'être « viré »... M. Massaro en rit encore. Mais dans le métier qu'il exerce, de quoi pourrait-il s'étonner ? Sa famille et lui-même en ont vu d'autres... Avec Barbara Hutton[2] qui, au Ritz, plaçant deux doigts sur ses lèvres, siffle ses femmes de chambre comme le ferait un voyou de Belleville convoquant ses protégées, ou avec la duchesse de Windsor qui, ex-Wallis Simpson, exige d'être appelée Altesse et ne daigne jamais payer une seule des robes qu'elle commande. Malgré ses foucades, ses caprices, son égocentrisme, ses colères, ses médisances, l'immense majorité des gens qui ont travaillé avec Gabrielle semblent en avoir conservé un souvenir sympathique et leurs yeux s'éclairent lorsqu'ils évoquent sa vigoureuse personnalité.

Parmi les personnes qui, à présent, sont les plus à même d'apporter leurs témoignages se trouvent, évidemment, celles qui, par leurs fonctions mêmes l'approchent quotidiennement. Ainsi Mme Manon, qui était devenue la première d'atelier la plus importante de la maison. Combien de fois n'a-t-elle pas vu Mademoiselle arracher une emmanchure qui ne lui paraissait pas offrir suffisamment de jeu au mouvement du bras, anéantissant ainsi en une seconde des heures de patient travail. « On ne crée rien dans la joie, s'écriait-elle, mais dans la colère, sauf peut-être les poules, quand elles pondent, et encore... » Plus d'une fois Manon, ivre de fatigue, éclate en sanglots,

---

1. Une pièce du quatrième étage où l'on élabore les modèles.
2. L'une des plus riches héritières de l'époque.

se jure de quitter la tyrannique Mademoiselle, mais cela lui est impossible. Elle sent qu'elle lui appartient, avoue-t-elle. D'ailleurs, Coco parvient à consoler sa victime :

— Allons ! Voilà Manon qui arrose déjà la collection... elle est un peu en avance, mais c'est bon signe... cela va être un triomphe !

D'ailleurs il n'est pas rare que Gabrielle soit de bonne humeur lorsqu'elle arrive au studio. Comme à cette époque se dresse sur la tablette d'une cheminée le buste d'un ecclésiastique anglais [1], il lui prend la fantaisie de l'embrasser, lui laissant sur les lèvres la trace de son rouge...

— Il n'avait pas l'air commode, aujourd'hui ! J'espère que maintenant il va bénir notre travail...

On a tout dit sur la façon dont Coco, qui ne dessinait jamais ses modèles, donnait par gestes des indications à ses premières chargées de les « bâtir » sommairement. Après quoi, armée de ses célèbres ciseaux accrochés à un bolduc, à peu près comme un sculpteur qui à l'aide de son burin dégrossit un bloc de pierre, elle procédait par suppressions successives pour obtenir la rigueur finale.

— Personne ne sait arracher comme Mademoiselle, disait-on, autour d'elle, avec un mélange de respect et de flatterie.

Consciente du caractère spectaculaire de cette façon de procéder, Coco finit par en créer une sorte de numéro qu'elle exécute devant les journalistes ou Pierre Wertheimer. Quand on annonce l'arrivée de M. Pierre, elle se surpasse, et celui-ci, qui n'est pas dupe, adresse à Mme Manon un clin d'œil de complicité amusée pendant que craquent avec un bruit sec et prolongé les coutures distendues par les mains vigoureuses de sa vieille amie.

Les mannequins, même s'ils passent moins d'heures rue Cambon, ont eux aussi l'occasion d'ob-

---

1. Actuellement placé dans la salle à manger de la rue Cambon.

server Mademoiselle dans sa vie quotidienne. À partir de 1958 et pendant cinq ou six ans, la cabine[1] de Chanel sembla rivaliser avec l'annuaire de la noblesse française. Gabrielle a recruté Jacqueline de Mérindal, Mimi d'Arcangues, Claude de Leusse, Odile de Croy... Il ne s'agit plus pour elle, comme dans les années 1920, de plier des gens du monde à son service par un désir de revanche sociale, mais, explique Claude de Leusse[2], elle avait décidé qu'il était logique de faire présenter les modèles par le genre de femmes qui les porteraient. Après quatre ou cinq ans, malgré tout, elle estimera qu'en définitive les mannequins professionnels sauront mieux mettre en valeur ses toilettes. Alors elle licencie baronnes et comtesses, non sans une certaine satisfaction, probablement... Inutile de dire qu'elle manifeste avec ces jeunes femmes les mêmes exigences outrancières qu'à l'égard du reste de son personnel : Claude de Leusse se voit contrainte de couper sa superbe chevelure car elle cache la nuque et le cou qui sont, selon Gabrielle, les « plus belles choses qu'une femme puisse montrer ». De même, elle se trouve obligée de comprimer, à l'aide d'un bandage ou d'un busc, sa poitrine jugée trop abondante par la couturière qui entend ne créer que des toilettes convenant à son physique androgyne.

Son autoritarisme éclate aussi à propos des invitations qu'elle adresse soudainement. Gare à celle qui prétend ne pas être libre le jour dit : cela lui vaudra une brouille qui peut durer des semaines. Souvent, on est invité, trois ou quatre fois de suite, puis on est oublié pour longtemps... Au cours de ces repas, Gabrielle, faisant preuve de beaucoup de verve, adore critiquer les uns et les autres tout en faisant

---

1. On désigne de ce nom la pièce où s'habillent les mannequins d'une maison de couture, mais aussi l'ensemble de l'équipe.
2. Entretien du 18 juin 1999 avec l'auteur.

jurer à ses convives de ne rien répéter... Parmi ses cibles préférées, figurent ses confrères qu'elle nomme avec un rictus de mépris les *couturasses*. Ainsi Pierre Cardin ou Courrèges, sur lesquels elle invente des anecdotes sarcastiques. Elle ne fait guère d'exception que pour deux ou trois d'entre eux, surtout Yves Saint-Laurent dont elle pense qu'« il ira loin, ce petit, d'ailleurs il me copie, cela prouve qu'il a du goût ». Le bruit court qu'elle le reçoit secrètement...

Autres cibles, les critiques de mode : Liane Viguié qui a été mannequin rue Cambon dans les toutes dernières années retranscrit ses propos pris sur le vif : « Elles arrivent à chaque collection par régiment, mal vêtues, mal coiffées, absolument pas féminines, et, parfois, ce qui n'arrange rien, elles sentent mauvais. Elles sont grosses, laides, envieuses des tailles fines de mes mannequins et des femmes qui peuvent se payer de la haute couture. Mais ce que je leur reproche surtout, c'est de faire de mauvaises critiques. Je ne veux pas dire par là qu'elles écrivent du mal – chacun a son point de vue –, mais elles ne savent pas critiquer, ce qui est normal quand on ne sait pas de quoi on parle[1]. »

Mais ses victimes préférées sont, comme de coutume, ses meilleurs amis, en particulier Jean Cocteau, un « petit bourgeois sans talent qui essaie désespérément de voler les idées de ses confrères ». Et elle ajoute : « Que de bruit il fait... j'en ai marre de ces gens qui remuent du papier de soie autour de moi en voulant me faire croire que c'est le tonnerre. » En fait, elle lui reproche d'avoir réussi à être infiniment plus connu que celui qu'elle vénérera toute sa vie : Reverdy, mort à Solesmes en 1960. « Surtout ne prévenir personne », avait-il demandé. Sa femme et deux moines de l'abbaye l'avaient accompagné au cimetière. Elle

---

1. *Mannequin haute couture*, Robert Laffont, 1977.

avait appris sa mort par les journaux. Cette fois, elle est définitivement seule et tente de se consoler : « Il n'est pas mort. Les poètes, vous savez ce n'est pas comme nous : ils ne meurent pas du tout. »

Reprocherait-elle à Cocteau de vivre ? Elle lui en veut, en tout cas, d'avoir changé de mécène. Depuis 1959, en effet, il bénéficie de la vive amitié de la richissime Francine Weisweiller qui lui donne une hospitalité permanente dans sa superbe villa Santo Sospir au cap Ferrat. Chanel supporte très mal cette situation, sans jamais cesser toutefois de recevoir amicalement Cocteau chez elle...

Pour en revenir aux mannequins, Gabrielle, quel que soit son comportement à leur égard, adore leur présence. La jeunesse et la gaieté de cette dizaine de jolies filles qui l'entourent réchauffent le cœur de la vieille dame qu'elle est devenue. Parfois, elle semble les considérer comme s'il s'agissait de ses enfants, elle les guide, leur prodiguant des conseils lorsqu'elles ont des problèmes sentimentaux ou familiaux. Évidemment, elle a ses favorites... Surtout la très belle Marie-Hélène Arnaud, à laquelle elle confie d'importantes responsabilités, au point que l'on se figure qu'elle va succéder à Chanel. On jase, ce qui provoque l'irritation de Mademoiselle. Elle confie à l'un de ses avocats, qui prend le parti d'en rire : « Si vous croyez que c'est drôle, vous, d'être prise pour une vieille gouine ! »

Malgré la dureté que manifeste Gabrielle pour les autres – comme d'ailleurs pour elle-même –, la plupart de ses mannequins ont conservé d'elle un excellent souvenir. « Pour un salaire double de ce que Dior me proposait, je ne devais être présente que deux heures par jour », révèle Liane Viguié. Certes, Coco n'aimait pas qu'on lui tienne tête, explique-t-elle, sinon elle mordait. Mais pour celles qui voulaient bien comprendre ce qu'elle désirait obtenir, « travailler à ses côtés était un véritable plaisir », et

Claude de Leusse ne s'exprime pas autrement à son sujet.

On se souvient qu'avant-guerre Gabrielle a été souvent sollicitée pour habiller les actrices de théâtre et de cinéma : son talent et son nom étaient une garantie de qualité et une chance supplémentaire d'obtenir le succès. Cocteau en était persuadé, comme les décideurs d'Hollywood, à commencer par Sam Goldwyn.

Une fois la maison rouverte, on lui demande à nouveau son concours. Elle est tellement à la mode que ce sont les réalisateurs de la Nouvelle Vague qui s'adressent à la vieille dame : pour *Les Amants*, en 1958, Louis Malle lui demande de créer les robes de Jeanne Moreau. Trois mois plus tard, Gabrielle imagine, pour Delphine Seyrig, les toilettes de *L'Année dernière à Marienbad*, le film onirique d'Alain Resnais. La même année, c'est Visconti qui la sollicite pour une double tâche : habiller, dans *Bocaccio 70,* Romy Schneider et lui communiquer ses secrets d'élégance. Elle le fera d'autant plus volontiers qu'elle éprouve pour la jeune comédienne de vingt-trois ans, déjà connue par la série des *Sissi*, beaucoup de sympathie, n'hésitant pas à lui donner sur sa vie sentimentale des conseils qu'elle n'écoute pas toujours...

13

Jusqu'au bout

Lausanne, automne 1965. Gabrielle Chanel écrit d'une main ferme, malgré ses quatre-vingt-deux ans, quelques lignes parmi les plus importantes sorties de sa plume :

Ceci est mon testament.
J'institue comme mon seul héritier et légataire universel la fondation COGA, Vaduz.
Le onze octobre mil neuf cent soixante-cinq.
Gabrielle Chanel

Qu'est-ce que cette mystérieuse fondation *Coga* ? Elle a été constituée, en 1962, à la demande de Gabrielle par Mᵉ René de Chambrun[1], son avocat, et l'un des amis suisses de ce dernier, le docteur Gutstein. Cette fondation, dont le nom bizarre est tout simplement la combinaison des premières syllabes de Coco et de Gabrielle, est une société-holding, alimentée par la couturière. Elle a pour but de satisfaire aux diverses volontés qu'elle a clairement exprimées de son vivant : c'est-à-dire continuer à verser toutes les pensions qu'elle servait à un certain nombre de personnes (les héritiers Palasse, de vieux

---

1. Qui a bien voulu nous communiquer nombre de renseignements sur ces points, ainsi qu'un copieux ensemble de notes inédites sur sa cliente devenue une amie très proche.

serviteurs, des employés, des amis dans le besoin...),
aider les jeunes artistes, secourir des gens qui souf-
frent. Gabrielle donnera plus tard des précisions à
ses exécuteurs testamentaires. Le siège de ladite
fondation est la ville de Vaduz qui n'est autre que
la capitale de la principauté du Liechtenstein et
que Gabrielle a choisie pour ses commodités fiscales.

De toute façon, la société qui lui verse les royalties
sur les parfums est suisse et elle-même est domiciliée à Lausanne. Rappelons, en outre, que les impôts
qu'elle doit régler en France sur son salaire de directrice de Chanel lui sont intégralement remboursés
par les Wertheimer.

Si Gabrielle, à l'évidence, n'aime guère verser quoi
que ce soit au fisc, elle montre en revanche beaucoup plus de générosité dans de multiples occasions, mais à condition qu'on ne lui demande rien.
Ainsi, elle s'est rendue, à Obazine, dans la plus
grande discrétion, afin de verser d'importantes
sommes d'argent à l'orphelinat qui l'avait accueillie
dans son enfance. Elle n'en gardait pourtant pas que
de bons souvenirs. Autre geste généreux parmi cent
autres : à Jacques Chazot, qui admire sa grosse
bague octogonale, sorte de chevalière en platine
ornée de saphirs, elle dit :

— Vous l'aimez ? Tenez, elle est à vous.

Et elle ajoute avec tact pour le mettre à l'aise :

— Justement j'avais l'intention de vous l'offrir
pour votre anniversaire [1].

En revanche, le comportement de Louise de Vilmorin l'exaspère. Quand elles sortent toutes les
deux, il n'est pas rare que Louise lui dise, au
moment de régler l'addition...

— Prête-moi de l'argent... J'ai oublié mon portefeuille.

— De toute façon, il n'y a jamais rien dedans,
réplique ironiquement Coco.

---

[1]. *Chazot Jacques*, Stock, 1975.

Et lorsque Louise vient voir son amie rue Cambon, en sortant, elle repasse avec elle par la boutique. Là, examinant les articles exposés : ceintures, colifichets, flacons de parfum, elle se sert – comme dans une grande surface – commentant avec des exclamations de joie « Oh ! le ravissant foulard ! Et ce sac... mon Dieu ! » Bien sûr, elle oublie de passer à la caisse et préfère exprimer sa gratitude à coup de chaleureuses embrassades, avec un « À bientôt mon chou », ou un « Viens donc me voir à Verrières... »

Une fois Louise montée dans son taxi, l'infortuné personnel de la maison est dans ses petits souliers : c'est sûr, Mademoiselle sera de mauvaise humeur toute la journée.

Les toutes dernières années de sa vie ne seront pas les moins actives. Pas question de « retraite bien gagnée », de « place aux jeunes » ou autres fariboles. « Rien ne me fatigue plus que de me reposer », a-t-elle souvent proclamé. En 1954, ses amis ont observé qu'elle avait physiquement et moralement rajeuni de dix ans. Elle tiendra jusqu'au bout. Elle est capable, les jours qui précèdent les collections, de rester neuf à dix heures de suite debout, pendant que les mannequins se succèdent, souvent épuisées, au bord de l'évanouissement. Pendant ces séances, elle ne mange pas (« on n'a pas le temps ! »), elle boit quelques gorgées d'eau : il n'y a jamais de pause...

— Qu'est-ce que vous avez à me regarder comme ça, aboie-t-elle à l'adresse de ceux qui n'en reviennent pas de la voir aussi résistante.

Vers trois ou quatre heures du matin, on la raccompagne au Ritz où elle ôte enfin ce canotier qui ne l'a pas quittée de la journée... et dès le lendemain, la voici toute fraîche, prête à reprendre ces épuisantes séances de travail. En quelques jours, elle doit réviser quelque quatre-vingts modèles.

Est-ce à dire que sa santé soit parfaite ? Loin de là... Depuis des années, il lui faut, pour dormir, se faire faire par Céline, sa femme de chambre, une injection d'un médicament morphinique, le Sédol. Ses crises de somnambulisme se sont aggravées et elle devra se faire attacher à l'aide de sangles sur son petit lit de cuivre. En 1970, une paralysie de la main qui durera deux mois lui fait comprendre qu'il n'est pas raisonnable de se rendre à New York pour la première de *Coco*, une comédie musicale racontant sa vie, avec Katherine Hepburn dans le rôle principal. Elle ne doit pas oublier qu'elle a quatre-vingt-six ans...

Il faut sauver les apparences. Ainsi, pendant les trois dernières années de sa vie – c'est pour mon personnel, dira-t-elle – elle demandera à Jacques Clemente [1] de venir, tous les jours, la maquiller au Ritz, de neuf heures du matin (à neuf heures une, il serait renvoyé) à neuf heures quarante-cinq. Après quoi, il file chez la cliente suivante, la duchesse de Windsor. Tout jeune alors, Clemente est d'abord terrifié par la perspective de maquiller la grande dame de la rue Cambon. D'autant plus qu'elle ne lui donne aucune indication sur ce qu'elle désire et ne dit pas un traître mot : elle l'observe. L'examen passé, il est admis. La difficulté n'était pas de faire briller son regard : il est d'un noir plus luisant que celui d'un éclat d'anthracite, mais de l'adoucir. C'est l'éternel problème des femmes très brunes. Comme il s'en est bien tiré, la confiance s'établit vite avec Gabrielle et c'est comme s'il avait ouvert toutes grandes les vannes de sa parole... Ce sont d'interminables monologues, grâce auxquels Clemente apprend tout de Coco... Au début, il a bien essayé de donner son avis deux ou trois fois, mais il a vite compris qu'on ne le lui demandait pas. Il n'a pas à s'en plaindre, ce jeune homme de vingt ans aura

---

1. Entretien du 17 juin 1999 avec l'auteur. Jacques Clemente, disciple d'Arachelian. Maquilleur de mode puis de cinéma, il a eu pour clientes Liz Taylor, Sophia Loren, Catherine Deneuve...

amplement profité de la fabuleuse expérience, acquise au fil des ans, par l'une des femmes les plus remarquables de son siècle.

Les années, en tout cas, n'ont pas de prise sur sa verve féroce :

— Quel âge, demande-t-elle à Chazot, donnez-vous à la comtesse de B. ?

— Dans les cinquante, je pense !

— Ah ! Ah ! non, alors ! ou plutôt si, avant Jésus-Christ...

Et ses yeux luisent de plaisir comme ceux d'un gamin qui a fait une bonne farce. Il faut l'entendre, aussi, quand elle parle de certaines nouvelles modes, et notamment des minijupes avec sa voix rauque de paysanne :

« Maintenant les jeunes femmes s'habillent soit en clown, soit en petite fille... Elles ont tort. Les hommes n'aiment pas les petites filles de dix ans et ceux qui les aiment les étranglent après... »

En fait, sa solitude est son grand problème. Qui l'aime ? Qui pense à elle depuis le décès de son poète ? La plupart de ses amis sont morts. Elle subit le terrible sort des gens trop riches qui ont peine à croire au désintéressement de ceux qui les entourent... famille incluse. Un jour, au studio, une secrétaire lui dit :

— Madame, votre neveu demande s'il peut monter vous voir... Il serait heureux de...

— Non, inutile, dites-lui qu'il peut passer à la caisse, comme d'habitude...

Un jour de mélancolie, s'adressant à Tiny Labrunie, sa petite-nièce, elle lui confie, avec son regard de petit faune triste :

— Au fond, Tiny, c'est toi qui as raison, tu as un mari, des enfants, et moi je suis seule, j'ai raté ma vie.

Heureusement, elle est encore entourée de personnes qui l'aident et l'admirent. Depuis 1954, elle a confié d'importantes responsabilités dans sa maison à Lilou Marquand, sœur de l'acteur Christian Marquand et femme de Philippe Grumbach, journaliste à *L'Express*. Jusqu'en 1971, Lilou lui consacre une part si importante de son existence qu'elle met en péril l'équilibre de son couple. De son côté, Claude Delay, psychanalyste et écrivain, lui apporte, dans les dix dernières années de sa vie, son amitié vigilante.

Pourtant, chaque soir, au crépuscule, une crise d'angoisse se saisit de Gabrielle, lui faisant éprouver de manière insupportable le poids de sa solitude. Aussi prolonge-t-elle le plus tard possible le travail, au grand dam de ses employés. L'idée de dîner seule la terrifie.

— Et vos amis ?

— Les amis ! les amis ! les femmes n'ont pas d'amis. On les aime ou on ne les aime pas.

Elle continue cependant à sortir le soir, chez les Lazareff ou chez Hervé Mille, rue de Varennes. Une autre fois, elle se rend à l'Opéra avec ce dernier et le critique Mathieu Galey qui note dans son *Journal* : « Extraordinaire charme de cette très vieille dame presque encore désirable sous ses fards. Son regard reste vif, son sourire ironique et engageant (...) une allure souveraine. »

Elle préfère recevoir chez elle où Lilou Marquand lui organise des dîners. Mais, par peur de rester seule après leur départ, elle retient ses hôtes jusqu'à des heures indues, continuant à leur parler sur le palier... et jusqu'à la porte du Ritz.

Cette peur l'avait conduite à s'enticher de son maître d'hôtel François Mironnet, auquel elle demandait souvent d'ôter ses gants blancs et de s'asseoir à sa table. Peut-être avait-elle été séduite par une vague ressemblance avec Bendor, disaient les uns, avec Reverdy, pensaient les autres. Jugeant humiliant pour un homme comme lui de remplir ces fonctions, elle lui avait confié le soin de s'occuper des bijoux. On devine sa fureur lorsque Mironnet, qui n'avait pas osé lui dire ses intentions, s'absente quelques jours pour se marier. Elle se sent, une fois de plus, abandonnée...

Du point de vue commercial, la maison Chanel fonctionne parfaitement. Depuis 1954, on a dû créer une douzaine d'ateliers supplémentaires et trois cent cinquante personnes travaillent pour l'entreprise. Mais Gabrielle a vu se réduire le nombre de ses amis : elle les lasse par ses interminables monologues, par l'éternelle évocation de son passé ou de ses thèmes favoris. Elle n'a plus guère auprès d'elle, outre Lilou Marquand et Claude Delay, que Serge Lifar, Jacques Chazot qui la voit quotidiennement et André Dubois.

La mort la saisit le 11 janvier 1971, dans sa mansarde du Ritz, un dimanche. C'était le jour que haïssait cette femme dont le travail était devenu la seule raison de vivre. Ce jour où il arrivait parfois qu'on la rencontrât, solitaire, sur une chaise de fer des jardins du Palais-Royal. Sous les fenêtres derrière lesquelles elle croyait encore apercevoir les silhouettes de ses amis Colette et Cocteau qui l'avaient quittée depuis plusieurs années déjà.

Ce soir de janvier, donc, après une promenade au champ de courses de Longchamp, elle est prise d'un malaise... Elle devine que sa fin est proche. Elle se couche, ses mains tremblent, elle a du mal à casser l'ampoule de Sédol et à faire sa piqûre. Elle murmure : « C'est comme cela qu'on meurt », mot terrible de lucidité, un mot des Romains de la grande époque...

Elle sera enterrée, selon sa volonté, au cimetière de Lausanne, seule dans sa tombe.

Mais, seule, ne l'avait-elle pas toujours été depuis qu'un certain jour de mars 1895, son père l'avait abandonnée derrière les froides et grises murailles d'Obazine ?

Paris, 1998-1999

Remerciements

Mme Marie-Thérèse Berger
M. François Bregiroux
M. Theodor Brunecker
Mme Danielle Ceria
M. René de Chambrun
M. Jacques Clemente
Mme M.-L. de Clermont-Tonnerre
M. Patrick Doucet
Mme Marika Genty
Mme Cécile Goddet
M. Robert Goossens
M. Patrick Greuzat
Mme George Gruber-Bernstein
M. Daniel Herault
M. Hans Krauss
Mme Claude de Leusse
Mme Manon Ligeour
M. François Manière-Mezon
M. Raymond Massaro
Mme Odile Prémel
M. Stanley Gillmore
M. Edward Thompson-Barrett

Bibliographie

SUR COCO CHANEL

BAUDOT (François), *Chanel*, Paris, Assouline, « Mémoire de la mode », 1996.

— *Chanel joaillerie*, Paris, Assouline, « Mémoire des marques », 1998.

CHARLES-ROUX (Edmonde), *L'Irrégulière ou Mon itinéraire Chanel*, Paris, Grasset, 1974.

— *Le Temps Chanel*, Paris, Chêne-Grasset, 1979.

DELAY (Claude), *Chanel solitaire*, Paris, Gallimard, 1971 (sous le nom de Claude Baillén), nouvelle édition revue et augmentée, 1983.

GALANTE (Pierre), *Les Années Chanel*, Paris, Mercure de France, 1972.

HAEDRICH (Marcel), *Coco Chanel secrète*, Paris, Laffont, 1971.

— *Coco Chanel*, Paris, Belfond, 1987.

LA HAYE (Amy de) et TOBIN (Shelley), *Chanel, the Couturiere at Work*, Londres, The Victoria & Albert Museum, 1994.

LEYMARIE (Jean), *Chanel*, Genève, Skira, 1987.

MACKRELL (Alice), *Coco Chanel*, Londres, B.T. Batsford Ltd, « Fashion Designers », 1992.

MADSEN (Axel), *Chanel : a Woman of her Own*, New York, Henry Holt and Company, 1990.

MARQUAND (Lilou), *Chanel m'a dit...*, Paris, J.-C. Lattès, 1990.

Mauries (Patrick), *Les Bijoux de Chanel*, Londres/ Paris, Thames & Hudson, 1993.

Morand (Paul), *L'Allure de Chanel*, Paris, Hermann, 1976 ; nouvelle édition, illustrations de Karl Lagerfeld, 1996.

Un Secret cévenol de Coco Chanel, Musée cévenol, Le Vigan, Gard (s. d.).

Vilmorin (Louise de) *Mémoires de Coco*, Le Promeneur, Gallimard, 1999.

Wallach (Janet), *Chanel : her style and her life*, New York, Nan A. Talese/Doubleday, 1998.

AUTOUR DE COCO CHANEL

Barthes (Roland), *Système de la mode*, Paris, Seuil, 1967, rééd. Seuil, « Points », 1983.

Cocteau (Jean), *Portraits-Souvenir*, Paris, Grasset, 1935 ; rééd. Grasset, « Cahiers Rouges », 1989.

— *Journal 1942-1945*, texte établi et annoté par Jean Touzot, Paris, Gallimard, 1989.

— *Le Passé défini, Journal 1951-1952, 1953, 1954*, 3 vol., texte établi et annoté par Pierre Chanel, Paris, Gallimard, 1983, 1985 et 1989.

Colette, *Prisons et Paradis*, Paris, Fayard, 1932.

— *Courpière. Porte du Livradois-Forez* (Collectif), Ville de Courpière, 1998.

Delarue (Jacques), *Histoire de la Gestapo*, Paris, Fayard, 1962 ; nouvelle édition 1987.

Deon (Michel), *Bagages pour Vancouver*, Paris, La Table Ronde, 1985 ; rééd. Gallimard, « Folio », 1987.

Faucigny-lucinge (Jean-Louis de), *Un gentilhomme cosmopolite*, Paris, Perrin, 1990.

Gidel (Henry), *Cocteau*, coll. « Grandes Biographies », Flammarion, 1998.

Gold (Arthur) et Fizdale (Robert), *Misia. La vie de Misia Sert*, Paris, Gallimard, 1981 ; rééd. Gallimard, « Folio », 1984.

Kochno (Boris), *Diaghilev et les Ballets russes*, Paris, Fayard, 1973.

Marais (Jean), *Histoires de ma vie*, Paris, Albin Michel, 1975 ; Ramsay, « Poche Cinéma », 1994.

Marny (Dominique), *Les Belles de Cocteau*, Paris, J.-C. Lattès, 1995.

Morand (Paul), *Lewis et Irène*, Paris, Grasset, 1924 ; rééd. Grasset, « Cahiers Rouges », 1997.

— *Venises*, Paris, Gallimard, 1971 ; rééd. Gallimard, « L'Imaginaire », 1997.

— *Journal d'un attaché d'ambassade, 1916-1917*, Paris, La Table Ronde, 1947 ; rééd. Gallimard, 1963.

Sachs (Maurice), *Au temps du Bœuf sur le toit*, Paris, La Nouvelle Revue critique, 1939 ; rééd. Grasset, 1987 ; rééd. Grasset, « Cahiers Rouges », 1989.

Schellenberg (Walter), *Le Chef du contre-espionnage nazi parle, 1933-1945*, Paris, Julliard, 1957.

Sert (Misia), *Misia par Misia*, Paris, Gallimard, 1952.

Viguie (Liane), *Mannequin haute couture*, Paris, Robert Laffont, 1977.

Filmographie
(télévision)

« Coco Chanel N° 1 », *Cinq Colonnes à la Une*, 6 février 1959, réalisation H. Carrier, présentation de P. Dumayet.

« Mademoiselle Chanel », *Panorama*, 31 juillet 1969, interview de M. Sandrel.

« Chanel Chanel », production de R.M. Arts, film de Eila Hershon et Roberto Guerra, USA, 1986.

« Chanel », *Parlez-moi d'histoire*, Antenne 2, Inédit productions, 1987. Film de Jean d'Ormesson avec Inès de la Fressange ; producteur délégué : W. Abitbol, réalisation G. Job.

« Chanel : a Private Life », *Reputations*, BBC2, 1995. producer : J. Stamp, assistant producer : P. Elston, editor : L. Rees.

Crédits photographiques

1. Chanel en 1909 : © Collection particulière, D.R.
2. Coco Chanel et Boy Capel, dessin de Sem : © SPADEM, 1979.
3. Une noce paysanne à Royallieu : © Collection particulière, D.R.
4. Deauville, 1913 : © a. b. c. press, Amsterdam.
5. Chanel par Horst : © Horst.
6. Pierre Reverdy, photo Harlingue : © Roger Viollet.
7. Chanel et Westminster : © Radio Times Hulton Picture Library, Londres.
8. Grève rue Cambon : © Keystone.
9. Chanel à Hollywood : © D.R.
10. Une soirée mondaine : © Roger Schall.
11. Coco dessinée par Cocteau : © SPADEM, 1979, coll. Dermit.
12. Le parfum le plus célèbre du monde, photo Laurent Hérail Studio : © SPADEM Paris & BCF Tokyo, 1990.
13. Chanel en 1936 : © Roger Viollet.
14. Chanel en 1938 : © Roger Schall, collection Chanel.
15. Le sac Chanel : © Laurent Hérail Studio.
16. Les chaussures Chanel, photo Laurent Hérail Studio : © Collection R. Massaro.

17. Un modèle de la rue Cambon, photo UFAC : © Collection UFAC

18. Gabrielle par Robert Doisneau : © Robert Doisneau/Rapho.

Table des matières

6099

Composition Nord Compo
Achevé d'imprimer en France (Manchecourt)
par Maury-Eurolivres le 10 février 2007.
Dépôt légal février 2007.
ISBN 978-2-290-35319-6
EAN 9782290353196

Éditions J'ai lu
87, quai Panhard-et-Levassor, 75013 Paris

Diffusion France et étranger : Flammarion